Сериал «Виола Тараканова. В мире преступных страстей»:

1. Черт из табакерки
2. Три мешка хитростей
3. Чудовище без красавицы
4. Урожай ядовитых ягодок
5. Чудеса в кастрюльке
6. Скелет из пробирки
7. Микстура от косоглазия
8. Филе из Золотого Петушка
9. Главбух и полцарства в придачу
10. Концерт для Колобка с оркестром
11. Фокус–покус от Василисы Ужасной
12. Любимые забавы папы Карло
13. Муха в самолете
14. Кекс в большом городе
15. Билет на ковер–вертолет
16. Монстры из хорошей семьи
17. Каникулы в Простофилино
18. Зимнее лето весны
19. Хеппи–энд для Дездемоны
20. Стриптиз Жар–птицы
21. Муму с аквалангом
22. Горячая любовь снеговика
23. Человек–невидимка в стразах
24. Летучий самозванец
25. Фея с золотыми зубами
26. Приданое лохматой обезьяны
27. Страстная ночь в зоопарке
28. Замок храпящей красавицы
29. Дьявол носит лапти
30. Путеводитель по Лукоморью
31. Фанатка голого короля
32. Ночной кошмар Железного Любовника
33. Кнопка управления мужем
34. Завещание рождественской утки
35. Ужас на крыльях ночи
36. Магия госпожи Метелицы
37. Три желания женщины–мечты
38. Вставная челюсть Щелкунчика

Сериал «Джентльмен сыска Иван Подушкин»:

1. Букет прекрасных дам
2. Бриллиант мутной воды
3. Инстинкт Бабы–Яги
4. 13 несчастий Геракла
5. Али–Баба и сорок разбойниц
6. Надувная женщина для Казановы
7. Тушканчик в бигудях
8. Рыбка по имени Зайка
9. Две невесты на одно место
10. Сафари на черепашку
11. Яблоко Монте–Кристо
12. Пикник на острове сокровищ
13. Мачо чужой мечты
14. Верхом на «Титанике»
15. Ангел на метле
16. Продюсер козьей морды
17. Смех и грех Ивана–царевича
18. Тайная связь его величества
19. Судьба найдет на сеновале
20. Авоська с Алмазным фондом
21. Коронный номер мистера Х

Сериал «Татьяна Сергеева. Детектив на диете»:

1. Старуха Кристи – отдыхает!
2. Диета для трех поросят
3. Инь, янь и всякая дрянь
4. Микроб без комплексов
5. Идеальное тело Пятачка
6. Дед Снегур и Морозочка
7. Золотое правило Трехпудовочки
8. Агент 013
9. Рваные валенки мадам Помпадур
10. Дедушка на выданье
11. Шекспир курит в сторонке
12. Версаль под хохлому
13. Всем сестрам по мозгам
14. Фуа–гра из топора
15. Толстушка под прикрытием
16. Сбылась мечта бегемота
17. Бабки царя Соломона
18. Любовное зелье колдуна–болтуна
19. Бермудский треугольник черной вдовы

Сериал «Любимица фортуны Степанида Козлова»:

1. Развесистая клюква Голливуда
2. Живая вода мертвой царевны
3. Женихи воскресают по пятницам
4. Клеопатра с парашютом
5. Дворец со съехавшей крышей
6. Княжна с тараканами
7. Укротитель Медузы горгоны
8. Хищный аленький цветочек
9. Лунатик исчезает в полночь
10. Мачеха в хрустальных галошах

А также:

Кулинарная книга лентяйки. Готовим в мультиварке

Кулинарная книга лентяйки

Кулинарная книга лентяйки–2. Вкусное путешествие

Кулинарная книга лентяйки–3. Праздник по жизни

Простые и вкусные рецепты Дарьи Донцовой

Записки безумной оптимистки. Три года спустя. Автобиография

Я очень хочу жить. Мой личный опыт

Дарья Донцова

Корпоратив королевской династии

роман

Москва
2016

УДК 821.161.1-312.4
ББК 84(2Рос=Рус)6-44
Д67

Оформление серии *В. Щербакова*

Донцова, Дарья Аркадьевна.

Д67 Корпоратив королевской династии : роман / Дарья Донцова. — Москва : Издательство «Э», 2016. — 320 с. — (Иронический детектив).

ISBN 978-5-699-87225-1

В долгожданном отпуске Лампа Романова решила ознакомиться с достопримечательностями скандинавского замка Олаф. Он был построен в XIII веке и сохранился в почти первозданном виде. Туристов встретила хозяйка замка и сообщила о том, что они удостоены чести принять участие в юбилейном, сотом бале Олафа. Вот тут и начался шквал загадочных событий. Во-первых, выяснилось: все члены тургруппы не те, за кого себя выдают. А во-вторых, любительница острых ощущений и невероятных приключений Лампа получила их сполна на свою... голову. Не только члены ее группы, но и обитатели замка оказались с двойным дном и не со своим лицом. Лампа преуспела в разоблачениях самозванцев, среди которых были и мстители, и наркодельцы, и сыщики, и преданные слуги...

УДК 821.161.1-312.4
ББК 84(2Рос=Рус)6-44

ISBN 978-5-699-87225-1

Глава 1

Много макияжа на лице и мало одежды на теле свидетельствуют о том, что красавица давно занимается безуспешной охотой на принца.

— Евлампия, как вы думаете, Арсений женат? — спросила Софья, шагавшая вместе со мной по коридору.

— Судя по оторванной пуговице на рубашке и весьма грязной куртке, думаю, нет, — ответила я, стараясь не рассматривать свою спутницу в упор.

Но глаза не желали мне подчиняться, они сами собой уставились на Софью, и я впала в недоумение. Ну зачем вполне симпатичная тетушка намалевала на верхних веках жирные черные полосы, а над ними до самых бровей нанесла золотые перламутровые тени? Краска забилась в мелкие морщинки, и очи моей спутницы стали похожи на глаза хорошо пожившей черепахи. Прибавьте к этому истошно-розовый румянец, тональный крем цвета перезревшего персика, пудру, напоминающую рисовую муку, морковную помаду и поймете мое удивление. Одежда Софьи тоже вызывала оторопь. Ярко-зеленая кофточка из странного материала, смахивающего на латекс, с очень глубоким вырезом, из которого высовывалась грудь, поднятая лифчиком пуш-ап. Желтая мини-юбка, темные колготки, похожие на крупноячеистую рыболовную сеть, белые лаковые ботфорты с золотыми носами и каблуками, утыканными стразами, довершали образ. Иногда в каком-нибудь торговом центре я вижу в витрине подобную обувь и всякий раз думаю: интересно посмотреть на человека, который ее купит. Кто он? Конечно же, это будет мужчина, не разбирающийся в моде и не обладающий хорошим вкусом, но искренне желающий угодить своей любимой, ни одна женщина не станет приобретать такой китч. И вот вам, пожалуйста, Софья Гурманова, сорока лет, незамужняя и бездетная, сейчас вышагивает в этих страшно красивых сапожках.

— Может, у него супруга ленивая, — вздохнула Софья, не подозревавшая, какие мысли бродят в моей голове. — Изнываю от желания узнать, свободен Арсений или нет. Хочется в паспорт к нему заглянуть. Но как его раздобыть?

— В загранпаспорте штамп не ставят, — напомнила я.

— Ой! Правда, — загрустила Гурманова, — вот не повезло! Один свободный парень на всю группу, но не ясно, каков его статус. О! «Фейсбук»! Вот где вся правда зарыта!

Я попыталась остудить пыл Софьи.

— Не стоит доверять соцсетям. Я знаю одну девушку, она выискивает на улицах припаркованные роскошные автомобили, делает около них селфи, а потом выставляет фото напоказ с комментарием: «Любимый опять подарил мне машинку!» Еще она обожает сниматься на фоне входа в дорогой пафосный ресторан или забежать в магазин, накинуть в примерочной одежду от известного бренда и отправить снимки на всеобщее обозрение, снабдив их словами: «Не заказывайте здесь креветки, они бее» или: «Брать или не брать платье? Вроде я в нем толстая». Результат ее акций: машины у нее как не было, так и нет, даже самая простая малолитражка остается только в мечтах вруньи, в элитных трактирах она не ужинает, одежду приобретает в Интернете на сайтах, которые торгуют подделками известных марок, но абсолютное большинство подписчиков считают ее богатой и донельзя крутой. В «Фейсбуке» много вранья.

— Арсений не такой, — бросилась на защиту избранника Соня.

Я, уставшая от хождения по длинным коридорам, остановилась.

— Откуда вы знаете? До сегодняшнего утра никто из туристов друг о друге даже не слышал. Мы все познакомились во время посадки в самолет.

— Арсений не похож на идиота, и он красавец, — пылко произнесла Соня, — если у него есть постоянная баба, то в аккаунте будут фотки с ней, а в профиле он укажет «женат» или «в отношениях».

— А если он напишет: одинок, ищу пару? — усмехнулась я. — А у самого шестеро детей и супруга.

— Так она может зайти в аккаунт, увидит, что дорогой-единственный под свободного косит, и вмажет ему с разбега, — не сдавалась Гурманова. — Я бы так поступила, а ты?

Я пожала плечами.

— Зачем выяснять отношения с тем, кто тебя не любит и не уважает? Надо просто уйти, и все.

— Ага! И отдать своего мужика другой? — рассердилась Соня. — Ну уж нет. Что мое, то мое, и оно должно всем сообщить, что оно мое! Вау! Тупик! Стена!

— Действительно, — пробормотала я, разглядывая кладку из грубо обтесанных камней.

— Заблудились! — испугалась Софья.

Я вынула из кармана брюк листок бумаги.

— Мы шли по плану. Похоже, мы находимся вот тут, свернули не в ту галерею, надо было идти налево, а я двинулась направо. Давайте вернемся.

— Я предупредила, что не умею разбираться в чертежах, — заныла Софья, — ни фига в них не понимаю. Поэтому и прилепилась к тебе.

— Сама не умею читать карту, — призналась я, — но схема, которую я нашла в своей комнате, очень простая. Смотри, это коридоры, тут...

— Ой, ой, — замахала руками Гурманова, — не начинай! Лучше просто приведи меня куда надо.

— Ладно, — согласилась я, — разворачиваемся.

— Холодно тут, — поежилась Соня, — чего они отопление не включают?

— Его здесь нет, — пояснила я.

— Совсем? — вытаращила глаза спутница. — Но ведь мы не в Африке находимся. Сейчас март, а у них на улице снег сыплет. Как жить в таких условиях без батарей?

— Здание построено очень давно, тогда не было отопительных систем, — сказала я. — Не знаю, как тысячу лет назад население грелось, наверное, с помощью каминов, разных очагов, печей.

— Жуть, — дернула плечами Соня, — но сейчас-то двадцать первый век, следовало о тепле позаботиться. Почему хозяева замка ледник устроили? У меня зубы замерзли, желудок заледенел.

— Сейчас познакомимся с владелицей замка, и ты задашь ей эти вопросы, — пообещала я.

— Странно тут как-то, — вздохнула Софья, — пока мне здесь не нравится. А тебе?

— Я только приехала и еще не успела разобраться в своих ощущениях, — ответила я. — Никогда не жила в столь древнем замке.

— Ты как сюда попала? — спросила Гурманова, вынимая из кармана телефон. — Я состою уже семь лет в клубе «Путешествия не для всех», люблю ездить по необычным местам, но здесь как-то неуютно. Ну вот! Ни связи, ни вай-фая. Хорошо, что заметки просто так открываются. Помнишь, как место называется, где мы находимся?

— Замок Олаф, — пробормотала я.

— А город? — засмеялась Софья. — У него кошмарное название. С трезвых-то глаз не произнести, а с пьяных еще сложнее.

— Не могу выговорить, — призналась я.

— Вот-вот, — продолжала Гурманова, — со мной та же история, поэтому я записала, слушай. Гардсардрундъюборг, сокращенно Гард. Раз ты с нами в одной группе, значит, тоже член клуба «Путешествия не для всех»? У тебя сколько жетонов? Платиновые есть?

— Мой муж выполнял заказ для основателя и владельца этого клуба, — ответила я. — Владимир Николаевич решил отблагодарить Макса за отлично сделанную работу, подарил ему эту поездку, сказал: «Получите потрясающие впечатления, увидите уникальный замок, воспоминания на всю жизнь останутся».

— Свезло, — с легкой завистью произнесла Софья, — хотелось бы мне с Владимиром Дутовым скорешиться. Но я сама за отдых плачу. В клубе работает накопительная система бонусов. Вступаешь в него, получаешь десять серебряных жетонов, за каждую поездку, участие в конкурсах, выкладывание описаний поездок на сайт идет прибавление. Сто серебряных жетонов равны одному золотому, насобираешь пятьдесят штук последних, заслужишь платиновый и за десяток таких получишь в подарок путешествие по собственному выбору на неделю. Я собрала их и получила поездку в Олаф. А где твой супруг?

— К сожалению, он не смог полететь, — вздохнула я, — мы приехали в аэропорт, и тут ему позвонили с работы. Форс-мажор.

— А-а-а, — протянула Гурманова, — ясно.

Некоторое время мы шли молча, потом Софья остановилась.

— Нам тут вместе неделю жить. Давай перейдем на ты. Перестань мне выкать. Согласна?

— Конечно, — улыбнулась я, — лучше сразу подружиться.

Мы прошли еще немного вперед, и Гурманова вновь притормозила.

— У вас с мужем хорошие отношения?

— Зачем жить вместе, если плохо друг к другу относишься? — резонно заметила я.

— Телефон его проверяешь? — не успокаивалась моя спутница. — Эсэмэски читаешь, которые ему присылают? На работу в кабинет звонишь по городскому телефону? Некоторые бабы мобильным воспользуются, спросят: «Милый, ты где?» А он соврет: «В офисе тухну над отчетом». А сам с другой в койке валяется. Сотовый-то к одному месту не привязан.

Я сделала вид, что внимательно изучаю план. Не стоит рассказывать Гурмановой о возможности переадресации вызова со стационарного номера на мобильный. Некоторые люди давно пользуются этой услугой. Знаю я одну дамочку, которая часто лгала своему начальнику о плохом самочувствии. Сердобольный шеф разрешал больной остаться дома и, будучи заботливым человеком, пару раз в день звонил бедняжке в квартиру, чтобы узнать о ее самочувствии. «Умирающий лебедь» всегда откликался, а боссу и невдомек было, что подчиненная давно смылась в магазин, ее городской телефон переводил вызов на мобильник.

— Что? Призадумалась? — ухмыльнулась Софья. — Нынче с мужиками беда, мало их. Будешь клювом щелкать — уведут. Чего он там без тебя делает? Работает? Весь вспотел? Лучше всего прилететь на день раньше срока и свалиться неожиданно ему на голову. Сразу правду выяснишь.

Я положила схему в карман.

— Здесь направо, мы пришли.

— Я человек откровенный, — не замолкала Гурманова, — о чем думаю, то и говорю. Раз мы с тобой подружились, предостеречь тебя хочу. Ну с какой радости твой Макс лететь отказался? Да еще перед посадкой в самолет? А? Отвечаю. Хотел тебя подальше отправить, чтобы в твое отсутствие повеселиться. Уж так и быть, сообщу, кем работаю, хотя права не имею. Я начальница в очень серьезном месте, которое занимается розыском преступников.

— Да ну? — всплеснула я руками. — Вот это да! Прямо как в кино! Но сейчас ты на отдыхе, забудь о неверных мужьях, наслаждайся путешествием.

Соня надулась.

— Я не навязываюсь с услугами, не предлагаю: «Давай соберу информацию о твоем мужике». Хотя могу выяснить о нем все, включая цвет трусов.

— Ну, какое Макс белье носит, я прекрасно знаю, — не выдержала я, — сама ему исподнее покупаю.

— Это просто такое выражение, — сказала Гурманова, — имей в виду, я могу по-дружески помочь. Для тебя за услуги возьму недорого и сработаю на «отлично». Держи визитку.

— Спасибо, — пробормотала я, взяв карточку, щедро украшенную золотыми вензелями, с надисью: «Софья Гурманова. Член Всемирной организации. Ваши проблемы — моя работа».

Соня по-свойски похлопала меня по плечу.

— Не боись! Выведу на чистую воду любителя свернуть налево. Расстроилась? Ну извини, я такая. Если с кем дружу, молчать не стану. Небось все твои знакомые в курсе загулов Макса, но помалкивают. А настоящий друг в лицо истину выложит, даже неприятную. Нарывы вскрывать надо.

Вдали послышались голоса.

— Мы пришли, — обрадовалась я.

— Вон Арсений, — зашептала Софья, когда мы очутились в уютной гостиной, — около него пустое кресло. Пойду устроюсь рядом с ним. Не беспокойся. Не брошу тебя. Потом вместе погуляем.

Софья помахала мне рукой и поспешила туда, где сидел мужчина лет пятидесяти, в замшевом пиджаке и мятых брюках из фланели. Я посмотрела ей вслед. Господи, спаси меня от таких подруг, а от врагов я уж как-нибудь сама избавлюсь.

Глава 2

— Дорогие мои! — весело начала стройная женщина. — Как вы слышите, я прекрасно говорю на русском языке. Много лет назад мои родители перебрались из Питера в скандинавский регион. Как вы знаете, он охватывает Скандинавский полуостров, полуостров Ютландия и прилегающие острова. Моя семья на одном месте долго не задерживалась, мы жили в Швеции, Норвегии, Дании, Финляндии, на островах Северной Исландии. Училась я в университете Клуне на историческом факультете, там и познакомилась со своим мужем Карлом Хансоном. После свадьбы мы поселились в родовом гнезде супруга, в крепости Олаф. Городок наш небольшой, жителей в нем меньше десяти тысяч. Но сюда прибывает множество туристов, потому что в окрестностях расположено пять открытых для посещений замков. В Гардсардрундъюборге любят гостей, рады им, готовы оказать любую помощь. Как в любом регионе, который существует за счет туризма, население хорошо знает несколько иностранных языков: русский, английский, немецкий. Я не зря поставила русский на первое место, он считается здесь официальным. Почему? Подробный ответ на этот вопрос дам вам чуть позже во время одной из наших экскурсий. Скажу лишь, что много веков назад предок моего мужа Карла женился на знатной русской боярыне, которая прибыла в Гардсардрундъюборг со своими придворными и слугами. Город тогда был невелик, приезжих оказалось больше, чем коренных жителей. Статные русские девушки и юноши очень понравились их местным ровесникам, и вскоре здесь сыграли много свадеб. Вот с той поры и пошла традиция находить себе жену-мужа в России, привозить невесту-жениха из Питера, Москвы, других городов, посылать туда своих детей на учебу. Русским языком у нас владеют все без исключения, потому что его преподают в гимназиях как обязательный предмет. Поэтому вам будет комфортно. Обращайте внимание на наклейки, которыми украшены двери магазинов-ресторанов. Если там есть российский флаг, значит, вам, как гражданину России, положена скидка. Теперь о замке Олаф. Он не очень большой, но уникальный. Его возвел в тысяча двести девяностом году рыцарь Магнус, далекий прапра... предок моего мужа. И замок никогда не принадлежал другой семье, им владели только Хансоны. Остальные дворцы переходили из рук в руки, становились тюрьмами, потом опять жилыми помещениями. Олаф этой участи избежал благодаря тому, что Хансоны считали и считают его своей святыней, которую не продадут даже под страхом смерти. Кроме того, наш замок никогда не нес оборонительной функции, а метраж не позволял использовать его в качестве темницы. Ну и свою роль сыграла плодовитость женщин семьи Хансонов. Вплоть до начала двадцатого века они охотно рожали, дети появлялись на свет часто, среди них всегда было много мальчиков. Сейчас наши родственники рассеяны по всему миру, но мы поддерживаем с ними связь. Олаф никогда не перестраивался, он сохранил первозданный вид. Но, конечно, были проведены реконструкции. Последняя состоялась в двадцатых годах прошлого века, когда оборудовали санузлы с унитазами, до этого были выгребные ямы на улице.

— А почему здесь так холодно? — поежилась Софья. — Батарей не видно!

Елена сложила руки на груди.

— Да, центрального отопления нет. Я называю Олаф маленьким, но это лишь по сравнению с другими дворцами. Расположенный в пяти километрах от нас замок

Лагер имеет общую площадь шестьдесят восемь тысяч квадратных метров. Крепость Люде — семьдесят две тысячи. А Олаф всего сорок семь. Если кто бывал во Франции, то знайте, наш замок по общей площади равен резиденции французских королей Фонтенбло под Парижем. Для отопления такого пространства нужны большие средства. И зачем вешать батареи там, где никто не живет? Олаф находится в частном владении. Многие замки существуют за счет туристов, например, Брюгге начал впускать посторонних еще в конце девятнадцатого века, потом свои двери для обозрения распахнули другие замки. Но Олаф оставался закрытым. Карл неоднократно просил свою мать Мартину разрешить приезжим любоваться великолепием родового дворца. В Олафе есть коллекция живописи, уникальные камины, невероятной красоты светильники. Но Мартина всегда отказывалась, говоря:

— Олаф только для семьи.

Мартина лишь сделала экспозицию «Чудесное спасение» и пустила туда туристов. Но об этом позднее. После смерти матери Карл открыл двери Олафа. Мы с мужем первые Хансоны, которые решили показать людям неописуемую красоту внутренних помещений нашего дома. Крайне эгоистично наслаждаться ею в одиночестве. Но не все комнаты доступны для осмотра. В наши с супругом покои вход посторонним запрещен. Очень вас прошу, если увидите объявления «Служебное помещение» или «Личные владения», пожалуйста, не входите в двери, даже если они окажутся незапертыми. Мы с мужем слегка рассеянны и частенько забываем повернуть ключ в замке. Обычные экскурсанты передвигаются группой, они собираются в отдельно стоящем домике ресепшен, там их беру я или кто-то из других экскурсоводов. Но есть у нас особые посетители, те, кто приобрел тур с проживанием в Олафе. Вы можете в любое время беспрепятственно передвигаться самостоятельно по замку, изучать его, делать зарисовки и фотографии. Но, пожалуйста, помните про помещения, куда я просила вас не заглядывать. Олаф — музей, поэтому не пользуйтесь мебелью, не трогайте скульптуры, картины и другие предметы искусства. Посидеть на старинном диване или попытаться примерить доспехи рыцаря можно только в северном крыле. Здесь все для вас: гостиная, столовая, библиотека, каминный зал и, конечно, ваши спальни.

— Они жуткие, — капризно перебила ее дама, кутавшаяся в соболиную жилетку, — крошечные, потолок на голову давит, холод эфиопский.

— В Эфиопии жара, — поправил ее Арсений.

— Все поняли, что я имею в виду. Удобства нулевые! В санузле с трудом кошка поместится. А окно! Щель! — продолжала туристка.

Елена улыбнулась.

— Вы правы. Я упоминала, что Олаф никогда не перестраивался. Малый размер жилых помещений, низкий потолок, узкие окна — все это ради сохранения тепла. Климат у нас суровый, холодный. Если кому-то категорически не понравились отведенные спальни, могу переселить вас в обычную гостиницу в городе. Но напоминаю, что члены клуба «Путешествия не для всех» хотят получить не стандартное туристическое впечатление, а нечто особенное. Олаф предлагает увлекательный экскурс в прошлое, полное погружение в реалии Средневековья, вы проведете неделю в обстановке четырнадцатого века.

Сейчас уместно напомнить о кое-каких событиях тех времен. Образовалось ядро Османской империи, открыт университет в Кракове, состоялась Куликовская битва, в которой победил Дмитрий Донской, основан город Казань, на Руси появляется огнестрельное оружие... В библиотеке есть книга «Вехи прошлых лет», для любителей истории там много интересной информации. Вы будете питаться, как в древности, познакомитесь с бытом четырнадцатого века, мы устроим бал, на который вы придете в старинной одежде, станете благородными рыцарями и дамами. Не пугайтесь, работать на огороде никого не заставят. На кухню заглянете, только чтобы посмотреть, как готовят обед в старинном очаге. Но если кто-то захочет попробовать себя в роли пекаря-повара, пожалуйста. Мы выполним любые ваши пожелания.

— Если, не дай бог, я заболею, лечить меня ваш конюх станет? — опять вознегодовала дама в соболях.

Елена отреагировала спокойно:

— Нет, конечно, в городе есть прекрасно оборудованная больница. У нас был случай, когда одному туристу неожиданно понадобилась сложная операция. Его на вертолете доставили в кардиологический центр, где и оказали помощь в полном объеме. Сейчас он жив, здоров, поздравляет нас с праздниками.

— Надеть на себя жуткие тряпки? — не утихала тетка. — Щеголять в платьях, которые кто-то носил? Фууу! Никогда!

— Берут же люди напрокат театральные костюмы, — улыбнулась Елена, — естественно, одежда подвергается чистке. Если нет желания превратиться в благородную даму, то, пожалуйста, приходите на бал в своей одежде. Никаких ограничений для вас нет.

— Даже если я припрусь топлес и в стрингах? — заржала девочка лет пятнадцати.

— Галя, прекрати, — поморщился мужчина, сидевший рядом с ней.

— Пожалуйста, — кивнула Елена, — всем приятно посмотреть на красивое обнаженное тело. Но думаю, вам через некоторое время станет прохладно, поэтому прихватите накидку. А теперь давайте познакомимся. Евлампия Романова, учительница музыки из Москвы?

Я помахала рукой.

— Здравствуйте, лучше зовите меня просто Лампа. О мое имя язык сломаешь.

— Кирилл Григорьевич Ручкин, кандидат исторических наук, доцент московского вуза, его жена Валентина Сергеевна и дочь Галя, ученица десятого класса, — продолжала хозяйка.

— Рад со всеми познакомиться, — сказал Ручкин.

Его супруга заулыбалась, а дочка скорчила гримасу.

— Арсений Рурин, журналист, пишет о путешествиях, — не останавливалась Хансон.

Брюнет, сидевший рядом с Софьей, молча кивнул.

— Мария Лесина, художница. Андрей...

— Мэри и Андрэ Лесински, — перебила хозяйку замка недовольная всем дама. — Разве так звезд представляют? Мы создаем уникальные портреты авторским трансформативно-бессознательным методом. С помощью своих лечебно-гипнотических работ меняем судьбу и сознание человека. Получив свое изображение от Лесински, вы обретете счастье, гармонию, деньги и все прочее. Если появится желание приобрести наши работы, обращайтесь к Андрэ, моему мужу. Я выше финансовых дел, занимаюсь творчеством. Кстати, у нас с собой есть пара полотен, приносящих материальное благополучие. Советую их купить, благодаря им вы получите немалое состояние.

Мария откинулась на спинку кресла.

— Продолжайте, Елена!

Хансон показала на молодую пару, которая сидела на узком диванчике, взявшись за руки.

— Сотрудники компании, оказывающей интернет-услуги, Нонна и Алексей Кругловы. У них свадебное путешествие.

— Здорово! — зааплодировала Валентина Сергеевна. — Совет да любовь вам, ребятки, долгих счастливых лет жизни, как у нас с Кириллом Григорьевичем. Семья — это прекрасно!

— Совершенно с вами согласна, — сказала Елена, — а теперь познакомьтесь с Софьей Гурмановой, она...

— Нет, нет, — замахала руками Соня. Не надо сообщать о месте моей службы.

— Хорошо, — согласилась Хансон. — Ну а теперь...

— Вы не сказали, что я живу в Москве, — перебила Елену Софья, — имею квартиру на Арбате, дачу, обеспечена по полной. Одинока, прекрасная хозяйка с чудесным характером. О такой, как я, любой мужчина мечтает!

— О боже, — закатила глаза Мэри, — вот только рецепта приготовления кексов нам сейчас не хватает.

— Теперь, когда все познакомились, — воскликнула Елена, — предлагаю тем, кто решил надеть на бал старинные наряды, пойти к нашим костюмерам. Праздник состоится через несколько дней, но облачение надо примерить заранее, возможно, потребуется его подгонка по фигуре. И передвигаться в парадном наряде совсем не просто, вас научат, как его носить. Кто хочет переодеться?

Я подняла руку.

— Евлампия, вами займется Ирина, — объявила Елена, — она великолепный специалист, закончила университет. Знает об одежде прошлого не хуже историка моды, ведущего телепрограммы «Модный приговор» Александра Васильева, которого я обожаю за энциклопедическое образование, харизму, позитив и интеллигентность, которую, увы, нынче почти не встретишь. Семью Ручкиных оденет Стефания. Она...

— Я приду в стрингах и топлес, — снова глупо пошутила Галя.

— Тогда вам не нужно идти на примерку, — сказала Елена. — Пока родители подбирают одежду, вам подадут чай с пирожными.

По лицу Гали промелькнула тень разочарования. Я подавила улыбку. Елена молодец, каждый должен получить то, что хочет. Вопрос — что потом делать с этим полученным? Галя, конечно же, не собирается ходить полуголой в толпе гостей, она хотела шокировать или разозлить Хансон, а та вдруг согласилась со всеми желаниями девочки. И все! Спорить не о чем! Возьмите поведение Елены на вооружение. Если подросток кричит, что он зимой пойдет в школу без шапки, не останавливайте вздорного глупого ребенка. Отморозит один раз уши, и после того, как их вылечит, будет натягивать треух даже в августе.

— Полагаю, господину Рурину будет удобно с Артемом, — продолжала Елена, — а семье Лесиных, ой, простите, Лесински, наверное, не нужен костюмер.

— Это почему? — разгневалась Мэри. — Что за дискриминация? Месть за честно высказанное о номере мнение? Геноцид! Правда, Андрэ?

— Да, — сказал тот.

Хансон наклонила голову.

— Простите. Я думала, вы не хотите пользоваться бальным костюмом. Вас будет обслуживать Нина, дипломированный историк. А наши молодожены попадут к Хельге. Те, кто решил прийти на праздник в своей одежде, сейчас могут отдыхать, выпить на ночь отвар из трав. Вы устали с дороги, да и время уже позднее, наверное, многие хотят прилечь. Если вам сейчас трудно заниматься примеркой, можно отложить ее до завтра. Но у нас с утра экскурсия.

— Вай-фая нет, — капризно протянула Галина, — фотки в «Инстаграм» не отправишь.

Елена развела руками.

— Да. Стены в замке метровой толщины, поэтому мобильная связь не работает, Интернет есть только в здании ресепшен, оно современной постройки, я вас там сегодня встретила. Вы все получили у администратора тревожные кнопки. Если заблудитесь в замке, нажимайте на свою и стойте на месте, незамедлительно прибежит охрана и поможет вам. Еще раз прошу не заходить в помещения с табличкой «Только для персонала», там нет ничего интересного для вас, в них постороннему человеку легко запутаться. Коллекция предметов искусства, красивые залы — все это открыто для вашего посещения. Но зачем вам кладовая, где хранят банки? И не заглядывайте в «личные покои».

— Самое интересное то, что заперто! — воскликнула Галя.

Хансон улыбнулась.

— Некоторые так считают, но на самом деле в кастелянской, где на стеллажах хранятся комплекты постельного белья, скатерти, подушки-одеяла, ничего забавного или примечательного нет. А вот на кухню мы непременно пойдем, увидим гигантские очаги, старинную утварь, посетим ледник, в котором во времена, когда еще не изобрели холодильники, держали запасы. И, согласитесь, хозяева имеют право на изолированность своих покоев.

— Телика здесь нет? — спросила Галя.

— В комнатах телевидение отсутствует, — по-прежнему с вежливой улыбкой уточнила Хансон, — смотреть программы можно в здании ресепшен.

— Жесть! — топнула ногой школьница. — А чё перед сном делать? От скуки сдохнуть? Ни компа, ни шоу любимого!

— Можно почитать интересную книгу, — посоветовала хозяйка, — в библиотеке прекрасный выбор, все русская и зарубежная классика.

Личико Галины исказила гримаса.

— Мрак! Я что, дура, чтобы Достоевского листать? Мне хватает в гимназии нудятины. Ну и каникулы! За фигом мы сюда поперлись? Мама!

Валентина решила направить гнев дочери на мужа.

— Это было папино решение, а с ним спорить нельзя.

— Даже когда он идиотство предлагает? — злилась Галя.

— Простите, господа, дочь плохо владеет собой, — мрачно произнес Кирилл Григорьевич, — мы с женой пойдем выбирать костюмы.

— Нет, нет, — остановила его Елена, — я хочу показать вам крепостную стену, потом поужинаете, а уж затем вы направитесь к костюмерам.

— Поесть надо, — обрадовался Арсений, — я здорово проголодался.

Глава 3

— Выбрали прекрасный наряд, — одобрила меня симпатичная блондинка, — вам он очень пойдет.

— Цвет понравился, небесно-голубой, — пояснила я, — но вот смогу ли я влезть в него? Ирина, вам не кажется, что размер очень маленький?

— На вашу стройную фигуру платье сядет идеально, — пообещала костюмер. — Эта одежда требует высокой прически. В прежние годы дамы не стригли волосы, бубикопф[1] появился во времена Второй мировой войны.

— А у меня короткая стрижка, — расстроилась я, — буду выглядеть нелепо.

Ирина начала расправлять пышную юбку наряда, висевшего на плечиках.

— Не переживайте, в прежние века у многих от неправильного питания были проблемы с волосами. Дамы лысели. Поэтому все пользовались париками. У меня их тьма! Ну, померим?

— Парик или платье? — уточнила я.

Ирина сняла с вешалки наряд и поставила его на пол.

— Влезайте.

Я вошла внутрь платья, как в шкаф.

— Отличненько, рукавчики натягивайте, — попросила девушка.

— Очень узкие, — пропыхтела я, с трудом справившись с задачей.

— Такая была мода, — объяснила Ира, — а теперь делайте глубокий вдох и задержите временно дыхание.

---

[1] Бубикопф — голова мальчика, от немецких слов der Bubbe — мальчишка и der Kopf — голова.

Я набрала полную грудь воздуха и почувствовала, как грудную клетку начинает сдавливать.

— Это всего лишь корсет, — пропела Ира, — не стану его туго затягивать. Дышать можете?

— Еле-еле, — призналась я.

— Привыкнете, — пообещала моя помощница.

— Бедные дамы, жившие в старину, — пробормотала я, чувствуя, что не могу сделать полный вдох-выдох, — от души жалею их.

Ирина отошла на пару шагов.

— У вас и так талия узкая, а сейчас просто рюмочка получилась. Открою секрет, платье — копия наряда, в котором появилась на второй день после свадьбы молодая жена Магнуса. Но мы осовременили его. В аутентичном вы сразу завалились бы в обморок: носить роскошные платья аристократки Средневековья учились чуть ли не с младенчества. И это было совсем не просто. На вас сейчас обычный корсет, слабо зашнурованный на спине, под него просовывается ладонь. В давние же времена под корсет подкладывали деревянные бруски, чтобы исправить недостатки фигуры. И шнуровались они не только сзади, но еще по бокам и спереди. Вот где жесть была. Попробуйте сделать шаг.

Я подняла правую ногу, переместила ее, но не продвинулась вперед.

— Юбочку надо взять сбоку и чуть приподнять, — пояснила Ира, — кринолин не дает вам двинуться. Туфельки примерили?

Я взглянула на подобие обуви, предложенное Ириной.

— Они похожи на тапки, но с очень длинными носами.

— Вы же знатная дама, — засмеялась Ира, — чем длиннее носок пулена, так называется туфля, тем круче наша обладательница. Обопритесь о стульчик, поднимите ножку... опля. И как? Можете пройтись? Ну, берем сбоку юбочку, приподнимаем ее — и вперед.

Я ухватила шуршащую ткань, оторвала кринолин от пола, шагнула, споткнулась, пошатнулась и была подхвачена Ирой.

— Не просто, да?

— Не легко, — согласилась я.

— Потренируемся, и вы будете на балу лучше всех, — пообещала Ирина, — и парик подберу, и украшения. Главное, с платьем для бала определились. Давайте минут десять походим в нем, я возьму вас под руку.

Через четверть часа, вспотев от усилий и ощущая головокружение, я взмолилась.

— Больше не могу.

— И не надо, — обрадовалась Ира, — вы гениальная ученица.

— Ох нет, — вздохнула я, — еле-еле шевелюсь.

— Другие падают, — сказала костюмер, — а вы бодренько так топ, топ, топ... С платьем отлично справитесь. Перед балом еще порепетируем. Пулены с собой возьмите, побегаете в них по спальне, чтобы к длинным носам привыкнуть.

— Они соскакивают, — пожаловалась я.

Ира хлопнула себя ладошкой по лбу.

— Ну, вот же глупая башка! Пояс вам не дала!

— К ботинкам? — удивилась я. — Это как?

Ирина вытащила из шкафа ремень, к которому крепились веревки.

— Давайте снимем платьице. Сейчас расшнурую вас.

Через пять минут мне удалось вдохнуть полной грудью.

— Тяжело, да? — посочувствовала Ира.

Я пошевелила лопатками.

— Теперь понимаю, почему художественная литература прошлых лет изобилует описанием обмороков дам: им просто не хватало воздуха.

Ирина взяла мои пулены.

— Можно, конечно, явиться на бал в наряде, который приблизительно похож на старинный, совсем без корсета. Но тогда вам не видать короны.

— Короны? — повторила я.

— На празднике королеву выбирают, — затараторила Ирина, — жюри строгое. Если станете монаршей особой, вам подарят еще неделю в Олафе, можете ее использовать когда захотите. А представительница коренного населения получит медаль и приглашение на ужин к господам Хансонам. Ну как, попробуем всех опередить?

— Думаю, много местных женщин на бал стремятся, — усмехнулась я, — большинство из них, наверное, прекрасно передвигается в неудобных платьях.

Ира подняла указательный палец.

— В этом году юбилей, сотый бал. Елена решила ограничить число участниц конкурса, потому что намечена большая программа разных мероприятий. В прошлом году соревнование за звание королевы кучу времени заняло. Сначала зрители аплодировали, потом устали, скисли, стали потихоньку убегать. Последние претендентки маршировали в пустом помещении, а жюри чуть не уснуло. Чтобы избежать повторения этого, хозяйка велела в январе — феврале провести городской конкурс, три его победительницы выйдут на сцену Олафа. Только они, больше никого из наших. С туристами так: все дамы из группы, живущей в замке, могут стать конкурсантками и плюс еще шесть-семь приезжих. Госпожа Хансон решила провести действо за один час, поэтому на каждую участницу отводится три минуты. Нелегко за столь короткий срок блеснуть талантом. Но чем труднее битва, тем слаще победа. Я уже воспитала двух королев, тоже из России. Сначала они пошевелиться не могли, а потом всех опередили. Я на вашу группу посмотрела и попросила Елену: «Хочу вон с той худенькой блондинкой заниматься. Издали вижу, она при правильном руководстве первой станет». У вас в глазах нечто этакое светится, чемпионское.

— Вы меня захвалили, — смутилась я.

— Будет у меня третья королева на счету, — потерла руки Ирина, — даже Элиза обзавидуется. Ни у кого столько нет! Элиза управляющая замка, на самом-то деле реальная монаршая особа здесь она. Это даже Беата признает.

— Уж простите мое любопытство, но кто такая Беата? — поинтересовалась я.

Ирина начала застегивать на мне пояс с веревками.

— Повариха. Моя мама работала в замке кастеляншей, сейчас она на пенсии. Но перед тем как Олаф покинуть, мамуля попросила, чтобы меня сюда взяли. Я окончила институт моды, прекрасно шью, защищала диплом по истории театрального костюма. Так вот, перед тем как мне на службу выйти, мама наставления дала. Ну, сначала обычные: не ленись, не опаздывай, будь вежлива, а потом предупредила: «Солнышко, ругаться с коллегами последнее дело, надо со всеми находить общий язык, быть позитивной, улыбчивой, помнить, что туристы всегда правы, даже когда они совсем не правы, все равно правы. Но, если уж тебе приспичит с кем-либо поссориться, помни: в замке можно повздорить с любым сотрудником и через день неприятность утрясется. Но есть два человека, с которыми никогда нельзя выяснять отношения: Элиза и Беата, они без стука к хозяевам заходят.

Ирина умолкла, а я не могла унять разгоревшееся любопытство.

— Пока я не видела господина Хансона. Он симпатичный?

— Еще встретитесь, — пообещала Ирина, — на конкурсе он точно будет. Но вообще владелец Олафа не любит шумных сборищ. Думаю, это связано с его состоянием здоровья. У господина Карла лицо изуродовано, шрамов много, ему не одну операцию сделали, кожу пересаживали. Хорошо, что он не ослеп, но постоянно носит большие темные очки, закрывает ими рубцы.

Глава 4

— Простите, не знала, — смутилась я.

— Откуда вам знать? — пожала плечами Ирина. — Много лет назад беда случилась. Моя мама в замке служила. Карл и Елена поехали в соседний городок в ресторан. Хозяин не справился на повороте с управлением, автомобиль занесло, он ударился о дерево. Елена руку сломала, а господин Хансон сильно головой приложился, сознание потерял. В те годы в Олаф еще туристов не пускали, населения в Гарде намного меньше было, чем сейчас. И молодая пара покатила не по главному шоссе, а по узкой дороге, она соседние городки напрямую соединяет. Автобусы с экскурсантами по ней не ездят, им там тесно и достопримечательностей нет, просто лес. Местные же маленькой трассой пользуются. У нас жизнь провинциальная, в девять вечера все уже дома, поужинали — и баиньки. В десять в Гарде тишина и храп, узкая шоссейка пустынна, оживает она в пять утра, когда булочник-молочник-почтальон и прочие за работу принимаются. Понимаете, в какой ситуации Елена оказалась? Рука сломана, муж без чувств, вокруг никого. Мобильных тогда не было. Как сообщить о несчастье? Хорошо, у меня отец сообразительный был, он ветеринаром в Олафе работал. В замке живности полно: собаки, кошки, корова, коза, куры. Они все на хоздворе живут, вас туда отведут обязательно. И там же конюшни с лошадьми. Папа в тот вечер приехал в Олаф к коню, который простудился, стал ему сам на кухне горячее питье варить. И тут из ресторана позвонили на городской телефон, мама трубку взяла. На проводе оказался хозяин трактира, он сообщил:

— Елена у нас забыла сумочку, наверное, весь дом перевернула, расстроилась, думает, что потеряла. Пришлите кого-нибудь за ней.

Мама ответила:

— Молодые господа еще не вернулись, мы думали, они еще у вас...

— Уже больше часа как укатили, — сообщил ресторатор.

Мой папа сразу понял: случилась беда. Это было много лет назад, не все женщины тогда водили машины. Время к полуночи подбиралось. Госпожа Мартина, мать Карла, своего шофера отпустила. На ночь в замке остались повариха Беата да Элиза — она тогда только-только управляющей стала, — мои мама-папа и я, совсем маленькая. Элиза ранее горничной у хозяйки служила. Отец лошадь отваром отпаивал, мама работу закончила, его ждала. Гостиницы и ресторана при Олафе не было, тишина стояла и в замке, и во дворе.

Папа сел в машину, мама с ним отправилась, не хотела его одного отпускать, меня с Беатой оставили. Родители знали, что молодые господа по маленькой дороге поехали, разминуться с ними не опасались. Отец предположил, что колесо у машины Карла лопнуло, а он запаску ставить не умеет. О плохом не думали, в Гарде аварии почти не случались, все аккуратные были, пьяными за руль не садились.

Ирина поежилась.

— Мамочка, когда эту историю вспоминает, всегда молиться начинает и плачет, как заведенная. Они с папой издали увидели седан Карла, поняли, что беда случилась. Отец притормозил, вылез — и тут! Как полыхнет! Елена снаружи стояла, увидела моих родителей, заорала:

— Помогите, Карл без сознания за рулем, у меня рука сломана, не могу его вытащить.

Папа молодого господина вызволил и повез в больницу. Карл серьезных ранений не получил, конечности, позвоночник — все было цело. Но огонь ему лицо и часть шеи сильно обжег. Долго Карл лечился, говорят, он до аварии симпатичным был, а сейчас перед посторонними исключительно в черных очках появляется, они ему почти все лицо закрывают. На виду только часть щек, подбородок и нос.

Ирина вздохнула.

— Жаль его очень, господин Карл прекрасный человек, не повезло ему.

— Хорошо, что зрение сохранилось и сам здоров, — заметила я.

— Да уж! — покачала головой костюмерша. — Не представляю, каково это слепым жить, хуже ничего нет. Когда госпожа Елена сына Петера родила, мама поняла, что она в день аварии уже беременной была. Представляете, какой она стресс испытала?

Ирина отошла к комоду.

— Очень тот год тяжелым оказался. Вскоре после той аварии от гриппа умер мой брат Сергей. Он был намного меня старше, я совсем его не помню. Сережа был крестником тогдашнего владельца замка. Господин Виктор оплачивал его образование, сначала в школе, потом в Гейдельбергском университете. Сергей получил диплом, но в Гард не вернулся, остался в Германии, там возможностей для молодого амбициозного парня намного больше. Я родилась, когда брат уже с родителями не жил. В гости он не приезжал, видно, не особенно папу-маму любил. Прилетел, когда стало ясно, что бабушка умирает, проститься надо, заразился гриппом и скончался. Госпожа Мартина тогда маму очень поддержала. Елене со свекровью повезло, не то что мне с Брунгильдой, так мать моего мужа зовут.

— Не всякая женщина полюбит жену сына, — улыбнулась я.

— Да уж, — поморщилась Ира, — по себе знаю, что ни сделаю, все Брунгильде плохо.

— Имя красивое, — улыбнулась я, — прямо как из героической поэмы «Песнь о нибелунгах».

— И характер соответственный, — сказала Ирина, — больше всего ее бесит, что я русская. Но это же смешно. В городе почти все население имеет русские корни. Самый первый Хансон, Магнус, в тысяча сто семьдесят седьмом году женился из политических соображений на Анне, дочери князя Юрия Ярославовича из рода Рюриковичей. И тогда же начали строить Олаф, закончили в тысяча двести девяностом, по тем временам просто мигом возвели. Вот с той поры кто-нибудь из сыновей рода Хансон под венец русскую ведет, а с ней приезжают верные холопы, они находят пару среди местных. Прапрапра... бабка моей мамы прибыла с Марией, невестой очередного Хансона, а дед моего деда был лекарем, в Олаф его выписали из Москвы на несколько лет, но ему здесь так понравилось, что он остался навсегда. А вот в семье Брунгильды никогда никого из России не было. Таких фамилий немного, и они очень чистотой крови гордятся. Все со съехавшей крышей, как моя свекровь. Брунгильда может войти в местную библиотеку, увидеть очередь на абонементе и заявить:

— Я имею право на первоочередное обслуживание. Вы пришлые, а мои прадеды при дворе Магнуса Первого состояли.

Здесь у нас таких, как Брунгильда, называют «Верные», они на всю голову больные, живут в нереальном мире. Например, Маргит, владелица магазина книг, не разговаривает со своим племянником Беном, даже не здоровается с ним. Угадайте почему?

— Наверное, он чем-то ее обидел, — предположила я.

— Не-а, — засмеялась Ирина, — у Маргит претензия: ее сестра вышла замуж за москвича, значит, Бен наполовину русский, а они затеяли недавно войну со Швецией. У Маргит мать шведка, ей про ту битву вспоминать тошно.

— Недавно? — удивилась я. — Не очень хорошо знаю историю, но вроде никто в последнее время со шведами не сражался.

— Недавно, это в тысяча шестьсот тринадцатом году, — расхохоталась Ирина. — Ни Бен, ни его отец к тем событиям ну никакого отношения не имеют. Но Маргит их все равно на дух не переносит, потому что в той войне погиб один из сыновей ее прапрапра... деда. Ох, заболталась я, вам отдохнуть надо, день хлопотный выдался, сначала на самолете летели, потом на автобусе ехали. А тут я с рассказами про дела-порядки. Давайте покажу, как пулены крепятся.

Ира наклонилась.

— Смотрите, на поясе висят веревки, в туфлях пробиты отверстия.

— Вижу, — кивнула я.

Девушка продела в дырки концы бечевок и завязала их.

— Все, теперь идите.

— Их вот так привязывают? — удивилась я.

— Ага, — закивала Ирина, — сверху натягивают платье — и в добрый путь. Попробуйте!

Я сделала шаг, задела нереально длинным носком туфли за табуретку и чуть не упала.

— Ничего, — приободрила меня костюмер, — знаете, все гости думают, что эту обувь носить легко, не репетируют перед балом, наденут пулены и тут же снимают. Неудобно! Женщины приходят в зал в своих обычных лодочках, и нет шансов у них тогда королевой стать. Жюри на ноги посмотрит и сразу говорит «до свидания». А вы у меня будете в правильном образе. Еще научу вас старинному книксену, Хансоны и все остальные попадают.

— Дамы приседали особым образом? — заинтересовалась я.

У Ирины загорелись глаза.

— Да, да, да! В прошлом году среди судей присутствовал Альфред, знаток старинных обычаев. Он моей подопечной высший балл поставил. А на банкете подошел ко мне и радость победы притушил:

— В принципе вы неплохо подготовили тетку, но до победительницы ей, как до Китая пешком.

Альфред сноб, считает себя лучшим экспертом по костюмам и правилам этикета. Спорить с ним нельзя, он злопамятен. Но я устала, перенервничала, выпила немного виски для расслабления, вот и не сдержалась:

— Вы ей корону присудили. Раз моя воспитанница плохая, зачем ее на пьедестал ставить?

Альфред на меня как на грязное пятно посмотрел.

— На фоне плохих она лучшая. Понимаете? Общий уровень крайне низок. Ирина Эклунд, вы мне, несмотря на полное отсутствие воспитания, нравитесь. В вас кипит детская непосредственность, которую люди, как правило, лет эдак в шесть теряют. Дам вам совет. На будущий год в кресло председателя сядет Анна, декан исторического факультета. Вам ничего не светит. Она из Верных, а у вас, Ирина, русские корни. Есть лишь один способ вырвать победу у конкуренток: разучить реверанс дам семьи Хансонов и продекламировать «Песнь торжественного бала». Коли не проделаете это, станете первой, но с конца. Красивым платьем и умением носить пулены Анну не взять. А вот книксен вкупе с исполнением старинных стихов ее поразит. Этого никто пока не делал.

И живо ушел.

Я за Альфредом кинулась, схватила его за рукав.

— Стойте! Что за реверанс? Где слова зонга взять? Он губу оттопырил.

— Сами хоть что-то делать способны? Или привыкли чужим умом жить?

Короче, отказался мне помочь. Я к Елене бросилась с вопросами. Она изумилась.

— Книксен? Ода? Хотя... На нашей с Карлом свадьбе одна из родственниц злилась, что свежеиспеченная невестка какие-то подскоки не выполнила, нарушила семейные традиции. Расспрошу мужа, возможно, он в курсе.

В понедельник Елена меня подозвала.

— Ирина, в библиотеке есть книга «Семья Хансон», найдете ее, там есть вся информация.

Ира взглянула на часы.

— Знаете, где книгохранилище?

Я вынула из кармана план замка и развернула его перед собеседницей.

— Слева по коридору четвертая дверь, — показала пальцем Ира, — я нужный томик оставила на столе, там закладки есть. Вам не трудно будет самой взять книгу?

— Конечно, нет, — ответила я, удивленная ее просьбой.

Ирина заметила мое недоумение.

— Олаф живет по средневековым правилам, они признают право гостя. Вы можете вынести из библиотеки все, что угодно, и читать в спальне. А живущим и уж тем более работающим в замке это категорически запрещено. Я спокойно листаю том в библиотеке, но прихватить его с собой не имею права. За это меня накажут.

— Странно, — заметила я.

— Многие правила здесь идиотские, — пожала плечами Ирина, — три месяца назад у нас гостила американка, она рассказала, что в ее штате запрещается после полуночи печь блинчики. Маразм. Это придумали давным-давно, но до сих пор не отменили. В Олафе полно запретов для нас, и хозяин требует их соблюдать. Елена совсем не строгая, она глаза закроет на прегрешение, а ее муж нет. Господин Хансон любит выходить из своей комнаты по вечерам, когда в коридорах никого нет. Если он меня с томиком под мышкой заметит, мне несдобровать. А вам он только улыбнется. Книга на столе под лампой лежит.

— Библиотека открыта? — усомнилась я.

— В двери замка нет, — сказала Ира.

Я не поверила своим ушам.

— На полках, наверное, много ценных изданий. Разве можно их вот так оставлять? Вводить людей в соблазн?

— Ценные тома надежно спрятаны в другой библиотеке замка, — пояснила девушка, — там рукописные фолианты, древние книги. А на общедоступных полках ерунда. Ценности она не представляет. Книгу «Семья Хансон» написала жительница нашего городка. Издали ее в начале нынешнего века, она не уникум. Возьмете?

— Прямо сейчас, — пообещала я, — почитаю на ночь.

Глава 5

Сначала я отнесла в свой номер кроссовки, потом поковыляла по коридору, то и дело задевая носками пуленов о пол. Однако средневековым дамам приходилось совсем не сладко. Они носили платья с корсетом, куда, как я только что узнала, вкладывались деревянные бруски, и туфли, в которых практически невозможно двигаться.

Я остановилась у нужной створки, толкнула ее и очутилась в кромешной темноте. Пару секунд я пыталась хоть что-то рассмотреть, потом начала шарить руками по стене. Как правило, выключатель находится прямо у входа, но я никак не могла его нащупать. Стараясь нашарить клавишу или обнаружить шнурок, за который следует дернуть, я сделала пару шагов, задела носком туфли какую-то преграду, попыталась уцепиться хоть за что-нибудь... и шмякнулась на какую-то штуку, она щелкнула, затем на меня легло неподъемное одеяло. Я начала шарить ладонями по мягкой, но одновременно упругой поверхности. Вскоре стало ясно: под моей спиной матрас, над головой, похоже, тоже. Создавалось ощущение, что я превратилась в дорогое кольцо с многокаратным бриллиантом, лежащее на подушке в закрытой бархатной коробке. Хотя под пальцами у меня сейчас не велюр, а вроде кожа.

Я хихикнула, сравнить себя с раритетным украшением — это по-нашему. Я не сравнила себя с какой-то дешевой ерундой в коробке из пластика. Но через секунду мне стало не по себе. Где я нахожусь? Как выбраться из плена? Может, надо звать на помощь? Но кто услышит мой голос? В замке толстенные стены. Что делать?

Внезапно мрак рассеялся, я увидела сбоку щель, через которую поступал свет. Он был не яркий, но мне стало понятно: я лежу в каком-то неплотно закрытом ящике. Подо мной кожаные подушки, надо мной они же. Гроб? Но домовину не обивают кожей.

Хотя, возможно, в этом городе своя мода на похоронные принадлежности.

— Устала? — спросил хриплый баритон.

— Слава богу, они угомонились, — ответил женский голос.

Я училась в консерватории по классу арфы, некоторое время играла в симфоническом оркестре, у меня отменный музыкальный слух, поэтому я сразу поняла, что в комнате Елена Хансон. А вот с кем она беседует, оставалось неясно. Я набрала полную грудь воздуха, чтобы позвать на помощь, но тут услышала слова хозяйки:

— Мы погибли! Он отнимет у нас все. Нас выгонят с позором. Нам не будет места ни здесь, ни в одной из соседних стран.

Во мне забурлило любопытство, звать на помощь сразу расхотелось. Я тихо выдохнула.

— Дорогая, очнись! Он погиб! Рухнул вместе с самолетом в океан.

— Это точно он!

— Граф Сен Жермен? Воскресший Лазарь?

— Тебе смешно? Это он! Вот посмотри!

Я, чтобы увидеть в щель собеседника Елены, завертела шеей, но просвет располагался низко, приходилось ориентироваться на слух.

— Журнал из Австралии, — продолжала Елена, — его бросил на ресепшен кто-то из туристов. Глянь на обложку. Я чуть не умерла.

— Ничего страшного, — произнес мужчина, — какой-то фермер получил приз за то, что лучше всех стрижет овец.

— Неужели ты не видишь?

— Что?

— Лицо!!!

— Ну, глаза, рот, нос.

— Это же он!!! Его копия.

— С чего такая глупость тебе в голову пришла? Он давно умер.

— Это он! Он! Я ждала его! Я знала! Чувствовала! Мартина всех обманула! Мы знаем, на что она способна. Он вернулся! Он был на ресепшен! Специально там еженедельник оставил, чтобы я его увидела и скончалась от ужаса!

— Дорогая! Какой-то турист из Австралии купил перед посадкой в самолет журнал, прочитал его, засунул в сумку и забыл о нем. Потом он приехал в Олаф, решил приобрести в магазине что-то на память: кружку с изображением замка, медаль, календарь... полез за кошельком, увидел издание, вынул его и бросил. Где ты журнал нашла?

— В сувенирной лавке на подоконнике!

— Что только подтверждает мою версию. Солнышко, на обложке просто фото местного фермера, победившего в конкурсе.

— Посмотри на лицо! Это он! Боже! Он вернулся! Мы погибли! Он дождался юбилейного сотого бала, чтобы воскреснуть.

Раздался скрип.

— Иди сюда, — велел мужчина.

Послышался звук поцелуя, затем шорох, стон.

Мне стало неудобно. Ну почему сразу, как только пара вошла в библиотеку, я не закричала: «Помогите, достаньте меня из гроба, который невесть зачем поставили в библиотеке». Я подавила вздох. Лампа, будь честной сама с собой, ты любопытнее обезьяны, поэтому, услышав из уст Елены фразу: «Мы погибли!

Он отнимет у нас все!», ты мигом забыла о том, что ты сейчас не на работе, а на отдыхе, и принялась подслушивать абсолютно не предназначенную для твоих ушей беседу. Во мне сработал профессионализм сыщика: узнать побольше информации. Я осторожно вздохнула. Лампа, не оправдывай себя, дело не в том, что ты детектив, дело в твоем безбрежном любопытстве. Некрасиво так себя вести. Но что сделано, то сделано. Пара сейчас явно предавалась любовным утехам, в какое положение я поставлю людей, если начну шуметь? Да и сама скончаюсь от смущения. Остается одно: лежать тихо, ждать, пока муж с женой успокоятся и уйдут. Надо же было Елене и Карлу выбрать для игрищ библиотеку. Что, у них спальни нет? Дверь не заперта, сюда кто угодно зайти может! Однако Хансоны любители экстремального секса.

— Фуу, — выдохнула Елена. — Ты не мог подождать, пока мы у себя окажемся?

— Тебе не понравилось? — засмеялся Карл.

— Сам знаешь, что понравилось, — протянула Елена, — но в библиотеку в любой момент могут впереться посторонние.

— В полпервого ночи?

— Туристам плевать на время. Вдруг кто-то вошел бы.

— И что?

— А мы тут... того.

— И что? — повторил муж. — Супруги имеют право на маленькие радости.

— Мне нехорошо, — вдруг прошептала Елена.

— Опять лопала еду для гостей? — рассердился Карл. — Сто раз говорил: нельзя жрать средневековые похлебки из рыбы. Поулыбалась группе в ресторане, рассказала, как Хансоны в четырнадцатом веке питались, хлебнула из бокала воды и адью. Ужинать надо дома тем, что для нас Беата приготовила.

— Группу кормили обычным ужином, — пояснила Елена. — Сегодня день заезда. Они вечером прибыли. Экзотика с утра стартует. Хлопот много было, я пообедать не успела, а вечером только маффин слопала с чаем.

— Тебе от голода плохо, — загудел Карл. — Не желаешь мои советы слушать? Не надо, я не диетолог. Но вспомни, что Андерсен говорит: тебе необходимо регулярно и правильно питаться. А ты плевать на доктора хотела. Ну-ка, перечисли, что сегодня ела?

— Утром одно яйцо, кофе с лимоном, в шесть вечера капкейк с чаем, — перечислила Елена.

— И все?!

— Ну да!

— Хочется тебя в угол поставить, — рассердился Карл, — яйца тебе строго запретили. Кексы! Да еще кофе с лимоном. Это самострел!

— Желудок не болит.

— Тебя не понять, то тебе нехорошо, то дискомфорта нет.

— Мне плохо, но не физически. Морально. Страшно.

— С чего бы?

— Это он!

— Прекрати.

— Он жив!

— Ты ошибаешься. Он давно на дне океана.

— Нет, нет, нет, — всхлипнула Елена. — Господи, Катя беременна!

— Какое отношение наша невестка имеет к Эдмунду?

— Ты правда не понимаешь или дураком прикидываешься?

— Старею. Ум теряю. Объясни.

— Не юродствуй.

— Не бей старика мужа.

— Хорош старик, — хихикнула Елена. — Ты горячий парень!

— Так при чем здесь Катя?

— Вспомни, что в правилах Магнуса сказано?

— Олаф переходит по наследству старшему сыну.

— Ну?

— Полагаешь, Эдмунд восстанет из ада, куда он точно угодил за все, что сделал с Паулиной, и заявится свои права качать? — хмыкнул Карл. — Милая, представим, что твой бред правда. Едва Эд появится в Олафе, в тот же час весь город услышит о его возвращении и Розамунда нам двери выломает. Аптекарша Эда с годами только сильнее ненавидеть стала. Да, прошло много лет, но историю с Паулиной многие хорошо помнят. Эдмунда на тряпки порвут, суд Линча устроят. Нет, он не дурак домой соваться.

— Под своим именем да, — согласилась жена, — он не посмеет приехать сюда как старший сын Хансонов. Но тайком влегкую. У него тут друзья остались.

— У Эдмунда? Через столько лет? Смешно.

— Вспомни, как к нему относились, пока правда про Паулину не всплыла, — перебила супруга Елена. — Эдмунда обожали, считали королем. А он только и ждал, когда отец умрет, чтобы править начать. Ты сидел в угол задвинутый. Мартина и папочка младшего сына не особо любили, их сердца принадлежали старшему ребенку. Почему Виктор от инфаркта в одночасье ушел? Потому, что он про

Паулину узнал. Не вынес, что наследника на всю жизнь за решетку засадить могут. Вспомни реакцию Мартины: «Сыночка оговорили!» То, что Эд подонок, она видеть не желала и всегда его покрывала. После смерти мужа что она затеяла? Созвала адвокатов, хотела найти возможность «Правило Магнуса» переписать. Велела юристам убрать слова: «Править Олафом вместе с городом и землями может лишь достойный старший сын, не запятнавший чести Хансонов ни делом, ни словом, ни помышлением. Если же старший сын не таков, то ему должно отдать корону младшему, коли тот достоин». Да, адвокаты растолковали Мартине: вычеркнуть из правил Магнуса ничего нельзя. Это все равно что из Конституции США первую поправку убрать. Но вопрос в другом. Зачем она так хотела подредактировать документ? Эдмунд на тот момент уже упал вместе с самолетом. Понимаешь?

— Не совсем.

— Мартина знала, что подонок жив, — зашипела Елена, — надеялась, что историю с Паулиной забудут, Эдмунд вернется, заберет у тебя скипетр и державу. Если слов про достойного сына не будет, то все получится. Мартина любила только Эда.

— А при чем тут наша беременная невестка? — повторил вопрос Карл.

— Выйди из тьмы! Эдмунд узнал, что Екатерина в положении и что она ждет мальчика. Наследника! Олаф в перспективе достанется ему. Если мальчик погибнет, то кто будет у руля?

— Я, как и раньше, — ответил Карл, — и после моей кончины ничего не изменится.

Голос Елены зазвенел.

— Кроме одного! У Петера больше не будет детей. После его смерти Олаф останется беспризорным. Эдмунд решит навредить Кате, толкнет ее в темном коридоре, она упадет, случится выкидыш. Не надо было громко оповещать о предстоящем рождении мальчика. Ну почему я не догадалась соврать, что мы ждем девочку?

— Милая, успокойся. Ты сочинила целый роман. Эдмунд давно мертв. Детей у него не было. Олаф навечно наш. Мы еще много лет проживем. У тебя психопатия начинается.

Послышалось шуршание, затем Елена воскликнула:

— Боже! Как я об этом не подумала. Замок со всем имуществом переходит в руки старшего сына или сына старшего сына. Если последний в силу возраста, болезни, смерти или других обстоятельств не может исполнять обязанности правителя Олафа, корона и замок достаются младшему отпрыску. Вот почему, милый, ты сел на трон. Эдмунд же объявлен мертвым.

— Ты уже в который раз твердишь одно и то же, — укорил жену Карл, — а я твержу в ответ: труп из океана через много лет не выплывет. Конец. Дорогая, человек на фото в журнале действительно имеет сходство с Эдмундом. Но в мире много людей, которые, не будучи родственниками, похожи друг на друга. Ты просто устала, поэтому нервы шалят. Эдмунд в аду.

— Что, если мерзавец женился в Австралии и там живет его ребенок? Мальчик! — отчеканила Елена. — Рожденный в браке? Он ничего дурного не совершил, он может наследовать Олаф. Эдмунд нас всех убьет: тебя, меня, Катю с ребенком, Петера, никого из Хансонов, кроме отпрыска Эда, не останется. Вот что у него на уме. Это он. Я его узнала.

— Солнышко, — ласково пропел Карл, — ты мастер придумывать страшные истории. Нафантазируешь невероятное, потом сама в эту лабуду веришь. Повторяю в сотый раз. На свете встречаются очень похожие друг на друга люди, такая игра природы. Ну-ка дай сюда этот чертов журнал. Что в статье написано? «Австралийский фермер стал победителем конкурса «Лучший овчар». Тьфу! Ну смахивает мужик слегка на Эдмунда, и что?

— Ты прав, — неожиданно согласилась жена, — я просто измоталась. О! Нет! Нет!!! Вчера я замерзла ночью, хотела разжечь камин, а в спальне дров нет. Пошла в нашу гостиную за поленьями, а из подвала шорох, шарканье доносятся, кто-то кашлянул. Господи!!! Боже!!! Это Эдмунд приходил!!! Хотел нас жизни лишить!

— И почему он этого не сделал? — засмеялся Карл. — По какой причине ты ко мне не побежала? Знаешь, что ты слышала? Я смотрел по телевизору сериал по Агате Кристи, до тебя звук долетел. Не проговорись при туристах, что у нас тарелка есть, а мы гостиницу к ней не подключаем, чтобы древний антураж сохранить. Следовало ко мне бежать, а не от страха трястись.

— Я вчера журнал еще не видела, — всхлипнула супруга, — не оценила опасность, подумала, что кто-то из туристов наплевал на просьбу к нашим покоям не приближаться и решил по подвалу побродить. На минус первом этаже под нашими апартаментами пошастать.

— Дурочка! Ты же никогда ночью не просыпаешься!

— А тут меня как стукнуло! Холодно! Разожги камин. Боже! Это точно был Эдмунд! Или его сын, которого ему кто-то родил!

— Нет у подонка детей!

— Откуда ты знаешь?

— Фу, — выдохнул муж, который явно устал от разговора. — Зайчик, ты просто измоталась. Подготовка к юбилейному балу кого хочешь с ума сведет.

— Раз в сто лет такое бывает, — пробормотала Елена, — со всего света гости едут. Боюсь в грязь лицом ударить.

— Котеночек, не обманывай меня, — вдруг заявил Карл, — тебя посторонние не волнуют. Я понял, почему ты умом тронулась, по какой причине от звука моего телека про Эда подумала и паникуешь. Признайся, когда наступил год столетнего бала, ты сразу вспомнила предсмертные слова Мартины.

— Ну... — протянула жена, — ну... нет.

— Не ври, заюшка, — засмеялся Карл, — они и мне в голову пришли, когда Новый год отмечали. Я увидел Мартину в кресле, мы ей какао на ночь принесли, она чашку взяла, поблагодарила и сказала: «Умирать мне пора. Виктор заждался. Не увижу я столетний бал, без меня праздник пройдет. Но я знаю, в день торжества откроется великая тайна! Случится нечто небывалое! Вы тогда эти мои слова вспомните».

— Ты стал расспрашивать, что Мартина имеет в виду, а она рукой махнула: «Ступайте, я устала», — добавила Елена, — я про ее слова весь период подготовки к празднику думала и поняла: Мартина всех обманула! Эдмунд жив, он вернется. И началась шиза! Эд мне снится, повсюду чудится, слышатся его шаги.

— Солнышко, Мартина решила нам перед смертью гадость сказать, сама понимаешь почему, — проворковал Карл. — Эдмунд покойник, детей у него нет, мы благополучно проживем в Олафе еще лет пятьдесят. Петер, Катя и их ребенок с нами.

— Ты так считаешь? — всхлипнула жена.

— Конечно. Мартина просто бесилась, что ее любимчик в самолете разбился, а я на троне. Вот и вставила нам шпильку под конец. Не переживай. Туристов станет больше, с деньгами все наладится, у нас чудесная семья, высокое положение в обществе, все уважают фамилию Хансон. Дай бог, у Петера с Катей родится еще один малыш. Если же наш сын после лечения останется бесплодным, то Катя согласится на донора. Они с Петером снова слетают в США, проведут необходимые манипуляции, и на свет появятся новые Хансоны. Мы же сумели скрыть болезнь сына? Ни одна живая душа понятия не имела о диагнозе, в Америке Петера вылечили, Катюша забеременела. Все будет хорошо. Я тебя люблю.

— И я тебя, — всхлипнула Елена, — ты самое лучшее, что со мной в этой жизни приключилось.

— А Петер?

— Ну... он тоже... но тебя я люблю больше.

Послышался звук поцелуя.

— Пошли спать, — сказал Карл, — сидим как два дурака в библиотеке.

— Мы не только сидели, — возразила Елена.

— А теперь потопали в кроватку. Слушай, что с диваном? Почему у него спинка на сиденье лежит?

— Представляешь, — засмеялась жена, — сломался механизм. Утром в непригодность пришел, я забыла тебе сказать. Если с размаха на него сесть, верхняя часть падает, нижняя опускается... бумс, и ты в ловушке. Я им никогда не пользуюсь, потому что...

— На нем всегда сидела Мартина, — со смешком произнес Карл, — она усаживалась на диван, брала вязание и смотрела телек. Я давно понял, что диван будит у тебя неприятные воспоминания.

— От тебя ничего не скроешь, — сказала Елена, — я бы долго не узнала о неисправности дивана, но утром сюда зашла Ирина, села на него, и бумс! Спинка упала, девушка оказалась между нею и сиденьем, ну как котлета в гамбургере, булочка-мясо-булочка. Ира заорала, ее через некоторое время Дэвид услышал, вызволил ее и давай ругать: «Надо было упереться в спинку руками-ногами, она бы поднялась. Зачем визжать и паниковать?»

— Золотые слова, — одобрил муж, — никогда нельзя терять голову. Может, мне спинку поднять?

Я в один миг вспотела. Нет, только не это! Представляю лица хозяев, когда они в роли «котлеты» узреют меня!

— Да ну ее, — сказала Елена, — лучше пойдем в спальню. Давай, а?

— Всегда готов, — ответил муж.

Лена захихикала.

— Фонарь возьми, — велел супруг.

— Пусть здесь останется, — не согласилась Елена, — вдруг кто из гостей припрется за газетой или книгой, начнет шарить в темноте и что-нибудь разобьет.

— Ночью?

— Сам знаешь, какие они. Помнишь парня, который на кухню полез, попал в кладовку, а там Эрик со стеллажом возился?

— Да уж, — засмеялся Карл, — я так и не понял, кто громче орал, мастер или постоялец. Все идиоты.

Один за полночь пожрать решил, портье не позвонил, сам на охоту за продуктами отправился. Другой полки с обеда до ночи чинит. Дураков не счесть. А что со светом, почему здесь люстра не зажигается?

— Что-то с проводкой, — вздохнула Елена, — в прачечной одну стиральную машину утром коротнуло. В результате ничего не фурычит в малой гостиной и здесь. Марк возился долго, но так и не исправил, сказал, что завтра купит какое-то реле или не реле, в общем, что-то приобретет и все оживит. Вечно у нас поломки, никаких денег на починку не хватает. Прямо страшно становится, когда счета вижу.

— Неверная реакция, — весело возразил Карл, — спасибо, Господи, что взял деньгами. Мы все живы, здоровы, а купюры заработаем. Хватит болтать! Пора баиньки.

Я услышала звук шагов, хлопок двери, и наступила тишина. Памятуя слова Карла о том, что спинку дивана можно поднять, я начала изо всех сил пинать ее всеми четырьмя конечностями, быстро вспотела, устала, но решила не сдаваться, не желая провести ночь в ловушке. К тому же я очень хотела пить.

Минут через десять мои отчаянные усилия увенчались успехом. Между верхней и нижней частью «гамбургера» образовалась довольно большая щель, я протиснулась в нее, прихватила книгу, за которой явилась в библиотеку, вышла в коридор, держа перед глазами план здания, потопала налево в поисках лестницы, которая ведет на второй этаж, где расположена моя спальня. Путь до нее мне удалось проделать без приключений. Я вошла в комнату и, не приняв душ, рухнула в кровать.

Глава 6

Проснулась я от журчания воды. Сначала мне показалось, что прорвалась труба, но уже через секунду стало ясно, что кто-то из живущих выше этажом решил принять душ. Мобильный, лежащий у изголовья, полностью разрядился, узнать который час было невозможно.

Я села в кровати и начала рассматривать помещение. В Олаф меня вчера привезли вечером. Симпатичная горничная показала мне спальню и предупредила:

— Через десять минут всех ждут в гостиной на первом этаже. Надо спуститься по лестнице, повернуть налево, потом направо, обогнуть скульптуру рыцаря Эрланда. Чтобы вы не заблудились, на столе лежит план замка. Разрешите распаковать ваши вещи?

Прислуга осталась разбираться с чемоданом, а я вышла в коридор, столкнулась с Софьей, которая в этот момент выскочила из соседнего номера, и мы вместе отправились на поиски гостиной.

После первого общения с Еленой Хансон нашу группу без особых приключений отвели во двор, показали крепостную стену, сложенную из гигантских валунов, здоровенные деревянные ворота, ров с водой, потом все пошли в столовую. Я, впечатленная рассказом хозяйки о быте шестнадцатого века, увидев перед собой на тарелке самую обычную жареную картошку с рыбой, удивилась.

А Мэри моментально спросила:

— Вы говорили, что мы проведем неделю в замке как люди Средневековья. Но разве тогда готовили картофель во фритюре? И, если я не ошибаюсь, этот корнеплод начал победное шествие по Европе во второй половине шестнадцатого века и долгое время был декоративным растением, причем его считали очень ядовитым.

— Правильно, — кивнула владелица Олафа, — приятно встретить человека, хорошо знающего историю. Сегодня день приезда, поэтому приготовлен обычный ужин, после него все желающие пойдут к нашим замечательным помощницам, и те подберут им наряды для бала.

— Идея отдать моего мужа в лапы молодой бабы с большими сиськами, которая будет мерить на него брюки, не кажется мне привлекательной, — сказала Мэри.

Андрей никак не отреагировал на заявление жены.

— У семейных пар одна помощница на двоих, — улыбнулась Елена, — и совсем юной прислуги в замке нет, здесь служат только профессионалы высокого класса, таким в семнадцать лет в гостиничном бизнесе не станешь.

— Жуткую старуху с начальной стадией маразма тоже неприятно видеть, — поморщилась Мэри. — Не хочу, чтобы около нас топталась одышливая, хромая от артрита, затхлая пенсионерка. Я приехала отдыхать, а не слушать стенания прислуги о маленьком окладе и большом количестве дел.

Хансон, удерживая на лице милую улыбку, начала успокаивать капризную бабу.

— Ну что вы, таких к замку на пушечный выстрел не подпустят. Да, наши сотрудники немолоды, им всем от тридцати до пятидесяти и...

— Что? — взвилась Мэри. — Я, по-вашему, старуха?

Хансон улыбнулась еще шире.

— Конечно, нет.

— Вы сказали «сотрудники немолоды, им всем от тридцати до пятидесяти», — покраснела госпожа Лесина, простите, Лесински. — Намекаете, что мне пора на кладбище?

Елена вскинула брови.

— Вам тридцать! Простите, не хотела вас обидеть. Имела в виду, что люди в зрелом возрасте не глупые подростки, а крепкие профессионалы.

— Ладно, — пробурчала скандалистка, — продолжайте свою лекцию.

Я мысленно зааплодировала Хансон. У Елены молниеносная реакция, она мигом сообразила, что нужно сказать противной тетке. На вид Мэри за шестьдесят, но лишний вес прибавляет возраст. Ладно, пусть вздорной бабенке лет на пять меньше, она точно на пороге пенсии. Но благодаря хитрости владелицы замка, назвавшей Лесински тридцатилетней, вздорная особа наконец-то замолчала.

К чему я это все вспоминаю? Да чтобы вы поняли, что вчера у меня не было времени на изучение комнаты и санузла. После того как я вырвалась из цепких объятий дивана, я так устала, что нырнула под одеяло, забыв помыться. И вот теперь я наконец-то получила возможность обозреть свой номер.

Спаленка оказалась маленькой, основную ее часть занимала кровать с резной деревянной спинкой. Еще здесь имелись шкаф без зеркала, столик, кресло, пуфик и узкое, смахивающее на бойницу окно под самым потолком, из него проникал свет.

Я хотела опять лечь, ощутила легкое покалывание в нижней части тела, поерзала, услышала шуршание и пощупала матрас. Под домотканой тканью шуршало нечто, напоминающее сухую траву. Переполнившись любопытством, я встала, тщательно изучила постельные принадлежности и поняла: на кровати лежит тюфяк, наполненный мелко нарубленным сеном, а подушка... Видели вы когда-нибудь плюшевые игрушки, внутри которых перекатывались мелкие шарики? Подушка оказалась на них похожа, только наперник содержал какую-то круглую шелуху. А в пододеяльник засунули шкуру, кому она принадлежала до того, как стала пледом, я не поняла. Может, козе?

Я распахнула шкаф. Моя одежда аккуратно висела на крючках. Наверное, в четырнадцатом веке «плечики» еще не придумали. Стыдно сказать, но я понятия не имею о быте тех времен. Да что там тысяча триста какой-то год! Вы можете рассказать, как выглядела ванная комната вашей прапрабабушки? Допустим, она родилась в тысяча восемьсот девяностом году, вроде не так давно. У нее было мыло? Шампунь? Зубная паста? Крем для лица? В ее доме работал душ? Стоял унитаз? На каком матрасе она спала? Как выглядели ее тапочки? Халат? Я могу припомнить, что в девятнадцатом веке случилось восстание декабристов, но чем они завтракали? В это же время творили Пушкин, Лермонтов, Стендаль, Бальзак, Гоголь, Дюма, была война с Наполеоном, Франц Шуберт, Иоганнес Брамс, Петр Чайковский, Глинка, Алябьев писали чарующую музыку. Но какие напитки они предпочитали? Чай? Кофе? Какао? Последний был известен в девятнадцатом веке или еще нет? Как Михаил Кутузов натягивал сапоги? Судя по портретам, они у него высокие, узкие, а военачальник не отличался стройностью, сомневаюсь, что он легко впихивал ногу в голенище. Кто ему помогал? Денщик? Или было какое-то хитрое приспособление, сегодня начисто забытое за ненадобностью? Не так давно мой муж Макс удалил выступавшую вену на лодыжке, и врач велел ему некоторое время носить специальные эластичные чулки. Не могу описать, как Макс пытался их натянуть, потом одна знакомая посоветовала ему приобрести смешную проволочную конструкцию, здорово облегчающую этот процесс. Вероятно, нечто подобное существовало в девятнадцатом веке для мужчин, которые носили сапоги?

Про музыку, литературу, живопись того не столь далекого от нас времени я худо-бедно знаю. Но про быт ничего! Что тогда люди ели? Черную икру с осетриной? Ну не каждый же день, этак все от панкреатита могли бы вымереть. И как врачи делали операции? Например, удаляли аппендицит. Летом по телевизору на каком-то канале показывали документальный фильм, рассказывающий об истории анестезии. Помнится, я была потрясена, узнав, что первое вмешательство с применением наркоза провел хирург-дантист Томас Мортон осенью тысяча восемьсот сорок шестого года. А раньше-то как? Нужно было терпеть, пока тебя режут скальпелем? Я понятия не имею о том, как жили люди в относительно недалеком девятнадцатом веке, а шестнадцатый и вовсе скрыт во мраке, могу назвать лишь пару имен деятелей культуры того времени: иконописец Дионисий и первопечатник Иван Федоров. И какую одежду они носили? Ходили в лаптях? Ботинки когда придумали?

Придавленная собственной дремучестью, я открыла узкую дверь, сколоченную из темных досок, и очутилась в ванной размером с банку собачьих консервов. Зеркала у рукомойника не было, а сам умывальник представлял собой таз с дыркой, стоящий на высоком табурете. Над ним в держателе висел большой кувшин с длинным носиком, крышка у него отсутствовала. По соседству с тазиком находилась доска, приделанная к стене, на ней в глиняной тарелке лежало нечто коричневое, бесформенное. Я взяла непонятный предмет и понюхала его. Смахивает на сваренное дома мыло. Чуть поодаль стояла пиала с желто-розовой массой. Я пощупала ее пальцем. Крем! А насыпанный в деревянную коробочку толченый мел и палочка, к которой привязан кусок серой ткани, дальние родственники зубной щетки и пасты. Ну уж нет, не собираюсь пользоваться всем этим. В чемодане есть привычный косметический набор. А где же душ? С туалетом понятно, его роль исполняет стул, под которым стоит нечто, похожее на деревянную кадку. Постояв недолго в задумчивости, я принесла свои мыло-крем и все прочее и дернула кувшин за ручку. Он на мгновение перевернулся, потом принял прежнее положение, из носика капнуло чуть-чуть воды. Безостановочно пиная «кран», я умудрилась кое-как умыться, а вот на чистку зубов воды не осталось. Ну и как тут принимают душ? Я взглянула на потолок, заметила небольшое отверстие и сообразила: из него должна литься вода. Но как включить устройство?

Я встала прямо под дыркой и замахала руками, ничего не произошло. Потом мне пришло в голову попрыгать, снова безрезультатно. Ежась от холода, я начала внимательно изучать стену, обнаружила железное кольцо и потянула за него. Послышался натужный скрип, на голову рухнул водопад. От неожиданности я заорала, шарахнулась в сторону, поскользнулась на каменном полу, падая, умудрилась схватиться руками за «унитаз», устоять на ногах, выпрямиться и услышала булькающие звуки, доносящиеся с потолка.

Так, понятно. Где-то наверху находится большое ведро. Если потянуть за колечко, оно переворачивается и на человека обрушивается вода, регулировать интенсивность струи и ее температуру невозможно. Не могу сказать, что «душ» ледяной, но и не горячий, он чуть-чуть теплый. Хорошо, что у меня короткая стрижка, длинные волосы тут проблематично помыть. Принимать душ в этих условиях надо так же, как когда-то мылись мы с мамой на даче во дворе. Ну, знаете, в такой деревянной будке, на крыше которой установлена бочка. Сначала надо намочить тело, затем закрутить кран, намылиться, опять открыть кран и смыть пену. Вот тогда воды хватит. Да, я не жила в шестнадцатом веке, но мое раннее детство прошло в Подмосковье, в селе Переделки, и местное сантехническое оборудование мало чем отличалось от установленного в гостинице замка Олаф. В Переделках отсутствовали канализация, водопровод, магистральный газ, электричество работало с перебоями, его постоянно отключали. Не в новинку мне шестнадцатый век!

Вздрагивая от озноба, я налила на мочалку гель, старательно намылилась, встала под отверстие, дернула за колечко... Оооо! На сей раз вода оказалась холоднее.

Буль-буль-буль, — донеслось с потолка. Я посмотрела на руки-ноги. Мда, пены полно. Глаза защипало. Ну-ка повторим!

Обрушив себе на голову пятую порцию ставшей теперь ледяной воды, я с запозданием поняла, что использовать гель — роковая ошибка. Он приятно пахнет, но сильно пенится, рассчитан на то, что его смоют большим количеством воды. Может, вечером попробовать местное мыльце? Выглядит брусок жутко, но, вероятно, он неплох по качеству, и принятие душа не займет уйму времени.

Я снова потянула за кольцо, на макушку упала очередная порция студеной воды, веки сами собой приоткрылись. Глаза немилосердно защипало, я зажмурилась, уронила мочалку, попыталась нашарить умывальник, но он почему-то никак не попадался. Правая нога задела нечто мягкое, я решила не терять оптимизма. Не смогла нащупать в крошечной ванной кувшин? Зато нашла губку! В голову мигом пришла идея.

Я потянула за колечко и подняла руки над головой. Я моюсь такой квадратной штукой, у которой одна сторона мягкая, а вторая из люфы. Нежная часть прекрасно впитывает воду, сейчас аккуратно протру лицо, может, тогда наконец гель перестанет есть глаза. Ну зачем только я налила его на волосы!

Я начала возить по мордочке мокрой губкой и удивилась. Почему она такая скользкая? И на ощупь не мочалистая, напоминает липкую и одновременно всю в пупырышках мармеладку. Вдруг любимая мочалка стала царапаться и дергаться. Это было совсем уж странно. Я открыла глаза и онемела. В моей руке оказалась зажата большая пучеглазая, весьма сердитая жаба. Я не принадлежу к женщинам, которые начинают судорожно визжать, увидев мышь, лягушку или червяка. Но, согласитесь, понять, что ты терла лицо жирной квакушкой, это уж слишком!

Я заорала и разжала пальцы. Жабенка плюхнулась на пол, резво прыгнула в сливное отверстие и была такова. Я схватила кусок холщовой материи, предлагавшейся вместо полотенца, живо завернулась в него и выскочила в комнату. Душ с жабой произвел на меня сильнейшее впечатление.

Глава 7

За завтраком все члены группы бурно выражали свое мнение о гостинице.

— Жесть, — злилась Галина, — вай-фая нет, телека тоже.

— Это как раз хорошо, — перебил ее отец, — я вот весь исчесался. Из чего у них матрасы?

— Из сухого навоза, — ехидно уточнила добрая доченька.

— Галя, веди себя за столом прилично, — одернула ее Валентина.

— И чё, назвать дерьмо дерьмом нельзя? — кинулась в атаку девица-красавица.

— У нас хорошая кровать, — сказала Нонна, — мы спали отлично, правда. Леша?

Парень кивнул.

— И понятно почему, — усмехнулась Мэри, — любовь согревает и любую перину, даже такую отвратительную, как местная, делает пуховой. Не краснейте, все мы когда-то были новобрачными.

— Кроме моих родителей, — не преминула заметить Галя, — они всю дорогу зануды.

— Без любви, деточка, ты бы на свет не появилась, — заметила Мэри.

— Голимый секс тут ни при чем, — заржала десятиклассница.

Мэри метнула в нее злой взгляд, но, не сделав дурно воспитанной девочке замечания, сменила тему:

— Арсений, ваши впечатления от бытовых условий?

Тот оторвался от каши.

— Все нормально.

— Вас не смутила холодная вода в душе? — наседала Лесина.

— Да нет, — улыбнулся Рурин, — мне приходилось в разных местах бывать, я не привередлив. Дождь на голову не льет? Постель не мокрая? Отлично. Если крыша протекает, я в плащ-палатку завернусь, и готово.

— Мы же знали, что отель необычный, — подхватила Валентина, — поэтому не шокированы. Наоборот, интересно узнать, как в древности быт обустраивали.

— А мне не нравится, — повысила голос Мэри.

— Можно переехать в нормальный отель, — напомнил Арсений, — хозяйка об этом вчера сказала.

— Хочу тут остаться, — капризно протянула Мэри.

— Доброго утречка всем, — произнесла полная женщина, вплывая в зал. — Как завтрак?

— Отстой, — охарактеризовала еду Галя, — дерьмо.

— Галя, — дернула ее мать. — Спасибо, очень вкусно.

— Ха-ха, — с издевкой выпалила девочка, — ты всегда говоришь: лгать грешно, а сейчас врешь. Слышала я, как ты папе шепнула: «Что за ... подали? Ее словно корова жевала и сблевала». Ма, ты в курсе, что слово ... матерное? Чё там твое отменное воспитание о таком выражении говорит?

Валентина сжала губы, я поняла, что сейчас разразится скандал, и предприняла отчаянную попытку не дать ему вспыхнуть:

— Завтрак замечательный, необычный. Очень вкусно, но я не поняла, из чего каша? И, простите, кто вы?

Толстушка хлопнула себя по бокам.

— Вот я молодец. Не представилась. Беата. Повариха. На завтрак подала овсянку по фирменному рецепту короля Магнуса с изюмом, корицей и орешками.

Я удивилась. В далекие века в скандинавских странах использовали пряности и сушеный виноград?

— В нашей школьной столовке тоже постоянно эксперименты устраивают, — скривилась Галина, — там психованная Маргарита управляет, сестра директора, поэтому мы ваще такое жрем! Даже крыса подохнет от такой вкусной жрачки.

— Совершенно не похоже на овсянку, — отрезала Мэри. — Правда, Андре? И сахара много.

Муж кивнул.

— Подсластителя нет, — объяснила Беата, — в Средневековье сахар дорого стоил, его при готовке не использовали. Ели его, как конфеты, к чаю. И каша не из хлопьев. Я толкла овес, потом варила его, он сам по себе сладкий. Очень полезный. Сплошные витамины. Почему лошади здоровы? Они овес едят.

Мэри швырнула на стол деревянную ложку.

— Что за намеки? Я, по-вашему, конь?

— Кобыла, — хихикнула Галя, — у коня есть такое, чего у вас точно нет.

— Уже потрапезничали? — спросила Ирина, врываясь в столовую. — Отлично. Беата роскошно готовит.

— Могу вам возразить, — процедила Мэри.

Ирина сделала вид, что не слышит ее.

— Ну, готовы пойти на экскурсию? Покажу вам музей костюма. Все представленные там экспонаты подлинники. Коллекция одна из лучших в Европе, она находится в Восточной башне.

— Секундочку, — процедила Лесина, — разве горничная имеет право демонстрировать экспозицию? Это обязанность госпожи Хансон.

Ирина отступила на шаг.

— У меня высшее образование, и я не горничная, хотя в этом ничего стыдного нет. Работаю в Олафе на должности режиссера-постановщика массовых мероприятий. Еще в моем ведении костюмерные, и я берусь подготавливать гостей к балу. Из вашей группы ко мне прикрепили Евлампию.

— Хансон вчера сказала, что мы начнем день со знакомства с замком, — повысила голос Мэри. — Андрэ, подтверди!

Муж кивнул.

— Вот и двинемся в музей, он же в замке находится, — еще шире улыбнулась Ирина, — обещаю, вы будете в восторге.

— Тут есть кафе с нормальной едой? — заныла Галина.

Беата спрятала руки под цветастый передник.

— Что вы имеете в виду?

— Гамбургер, картошка фри, — начала загибать пальцы школьница, — мороженое в стаканчике, кола.

Повариха расправила плечи.

— Харчевни быстрого питания у нас не прижились. В центре города есть рестораны: итальянский, французский, еще пельменные, блинные, пирожковые. Еда вкусная, не особенно дорогая.

Галя скорчила мину.

— Пельменная! Я чё, в городе Свинозадогорске? Думала, за границу отдыхать поехала.

Беата одернула фартук.

— Вы не в Москве или в Питере, но исторически сложилось так, что здесь много русских, поэтому пельмени и пироги пользуются популярностью.

— Каша замечательная, — решил сгладить хамство дочери Кирилл Григорьевич, — положу-ка себе добавки.

Он встал, взял стоявшую на столе фарфоровую емкость и спросил у жены: — Хочешь еще?

— Не... — начала Валентина, но договорить не успела.

Рука Кирилла, в которой он держал супницу, изогнулась в запястье, подломилась... Супница упала на пол, в разные стороны брызнул веер осколков. Каша осела на полу, на скатерти, на одежде Нонны и Алексея, на волосах Гали...

— Папа, блин, — завизжала дочь, — ты косорукий.

— Ерунда, сейчас уберем, — засуетилась Беата, — не беспокойтесь.

— Никто и не волнуется, — процедила Мэри, — гость не должен сам себе еду накладывать. На вашем сайте написано, что отель Олаф имеет пять звезд.

— Да, у нас все для вас, — защебетала Ирина.

— Кроме лакея, который стол обслуживает, — фыркнула Мэри.

— Валерия! — крикнула Ира.

В столовую вбежала высокая худая девушка в фартуке и начала орудовать тряпкой. Меня восхитили ее роскошные длинные белокурые волосы. Уборщицу никак нельзя назвать красавицей, но локоны у нее всем на зависть.

— Эй, поосторожнее, ты меня по ногам лупишь, — сделала ей замечание Галя.

Валерия подняла голову, посмотрела на нее, но ничего не сказала.

— Если не умеешь пол мыть, то лучше дома сиди, — не успокоилась Галина.

Девушка, не произнося ни слова, старательно убирала кашу и осколки.

— Во нахалка, — разозлилась девчонка, — намочила мне джинсы и не извинилась! Это ваще как? Красиво?

— Валерия, попроси прощения, — велела Беата.

Девушка выпрямилась, повернулась к Гале, низко поклонилась и снова схватилась за тряпку.

— Она издевается, — рассвирепела девица, — кривляется! Рот раскрыть не хочет. А ну, говори немедленно: «Простите меня». Иначе нажалуюсь хозяйке, и тебя выпрут.

Валерия подняла голову и сделала ею движение, которое определенно означало: «нет».

— Хамка! — топнула ногой Галя.

Я с трудом сдержалась, чтобы не сказать скандалистке: «Уборщица ненамного старше тебя, но ей не повезло иметь обеспеченных родителей. Тебе не стыдно так себя вести?»

— Иди, Лерочка, — попросила Беата, — выпей чайку на кухне.

Поломойка убежала.

— Супер! Ей еще пирожных за наглеж дают, — покраснела Галя.

Беата взглянула на Ирину, та перестала улыбаться.

— Валерия немая. Она умеет издавать звуки вроде ой, ай, ох. Но слышит хорошо. Лерочка не издевалась, она извинилась, как могла, с помощью поклона. Простите ее, Лера не хотела вас обидеть.

Галя отвернулась к окну, в столовой стало тихо. Я решила разрядить тягостную тишину.

— А где Софья?

— С мигренью свалилась, — ответила Ирина, — сказала, завтра огурцом встанет.

— Хорошо, когда можно поваляться, — вздохнула Беата, — мы тут все, включая госпожу Хансон, в шесть утра уже на ногах.

— Ну, двигаем в музей? — предложила Ирина Эклунд.

— Надо зайти в номер за верхней одеждой, — пробормотала Валентина.

— В прихожей висят плащи на овчине и ждут сапоги на меху, вам будет тепло, — пообещала экскурсовод.

— Фу, — закапризничала Мэри, — влезать напедикюренными ножками в грязные чоботы?

Мне надоело слушать недовольные замечания членов группы. Я встала, вышла в холл, натянула плащ, надела обувь, смахивающую на угги, и вышла на улицу.

Несмотря на март месяц, вокруг лежал снег, воздух был упоительным, пахло свеженарезанными огурцами. Я решила пройтись немного по двору, дошла до угла здания, обогнула его и увидела «Скорую помощь» с маячком на крыше. Кому-то из хозяев или прислуги стало плохо. Маленькая дверь в стене распахнулась, оттуда вышла фигура в куртке, я юркнула под навес с дровами и спряталась за поленницей. Теперь я не видела происходящего, но звуки беспрепятственно долетали до моих ушей.

— Не волнуйся, Карл, — пробасил мужской голос, — сделаем что можем.

— Я поеду с вами! — воскликнул муж Елены.

— Нет необходимости, она без создания.

— Когда очнется, я хочу быть рядом.

— Поступим иначе, если Лена очнется, я сразу тебе позвоню.

— Эй, что значит «очнется»?

— Все будет хорошо, нам пора, оставайся дома.

— Нет!

— От тебя не будет никакого проку в клинике.

— Нет. Хочу держать ее за руку.

— В операционную тебя не пустят. Все! Нет времени на болтовню.

— Она выживет?

— Ранение глубокое, но она должна поправиться.

— Ты же никому ничего не скажешь? Нам шум не нужен!

— Уже пообещал. О нападении ни одна душа не узнает. Скажем, что случился инфаркт, вовремя сделали операцию, поставили стенты, Елена проживет еще сто лет.

— Она же не умрет?

— Пора ехать!

— Я с вами.

— Хорошо, — сдался собеседник Карла, — залезай внутрь.

Раздалось фырчанье, потом шорох шипованных шин. Я вышла из-за поленницы. Госпожу Хансон серьезно ранили? Кто? Почему? Похоже, Карл и доктор не собираются извещать о случившемся полицию. Что произошло ночью в замке?

Глава 8

Костюмы мы рассматривали около двух часов, под конец экскурсии я слегка устала. В залах пахло пылью, дезинфекцией, царил полумрак, и у меня начала кружиться голова.

— Дышать нечем, — пожаловалась Мэри, вынимая из сумочки веер, — но я стреляный воробей, знаю, что с собой в музей прихватить надо: бутылку воды и личный ветер.

— Можно вашим сквознячком воспользоваться? — жалобно попросила Валентина.

Мэри неожиданно согласилась.

— Хорошо, становитесь рядом.

— Почему тут кондиционера нет и темно? — поинтересовалась Нонна.

— И запах странный, — добавил Кирилл Григорьевич.

Ирина остановилась, мы все, покорно шагавшие за ней, тоже замерли.

— Платья и костюмы настоящие, им несколько веков, — пустилась в объяснения экскурсовод, — свет приглушен, чтобы не выцветала ткань, раз в год в музее проводят дезинфекцию. Увы, в Олафе водятся мыши и...

— ...жабы, — вздохнула я.

Ира удивилась.

— Да. Откуда вы знаете?

— Сегодня одна квакушка заглянула в мою ванную, — пояснила я.

— Да, они ловко пробираются по старинным водостокам, — вздохнула экскурсовод, — это неразрешимая проблема. Говорят, в холодное время жабы в спячку впадают, но наши всегда бодрствуют.

— Жабенки в номерах? — вытаращила глаза Мэри. — Думала, я все про отели знаю, ан нет, жизнь подбрасывает сюрпризы. Странно, что гостиница, в которой царит полный бардак, еще держится на плаву! Небось выживает за счет непритязательных русских туристов, которые слаще Египта ничего не видели.

Ирина решила сменить тему.

— Сейчас мы с вами входим в последний зал.

— Наконец-то, — закатила глаза Галина, — надоело дерьмо рассматривать!

Ирина, не обращая внимания на слова девочки, вещала:

— Экспозиция называется «Чудесное спасение». Вы уже знаете, что замок Олаф всегда принадлежал Хансонам. С давних времен жители нашего города были вассалами этой семьи, мужчины которой являлись мудрыми, справедливыми правителями. Все население молилось, когда жены старших сыновей беременели. Династии требовался наследник. Если у Хансонов появятся одни девочки, конец фамилии, и тогда Олаф окажется в руках семьи Лагер, это будет сильным ударом для населения. Лагеры полная противоположность Хансонам, их никогда нельзы было назвать сострадательными. Почему замок со всеми землями отойдет в чужие руки? По какой причине не перейдет, допустим, к старшей дочери Хансонов? Магнус, тот самый, что возвел Олаф и женился на знатной русской боярыне, составил документ под названием «Правило Олафа». Это большой манускрипт, в котором дотошно регламентируется жизнь замка, запрещается закладывать и продавать его, и там же определен порядок наследования. Олаф не может быть передан по женской линии. Только по мужской и только старшему сыну. Младший получит трон лишь в случае смерти брата, его неспособности исполнять обязанности владыки или если основной дофин запятнал свою честь. В истории Олафа бывали случаи, когда младший сын садился на трон. В тысяча триста девяносто девятом году в одной из битв погиб Эдвард, править стал Улаф. В тысяча четыреста десятом во время эпидемии чумы скончался Карл, место на троне занял Олег. Могу привести еще примеры, когда старшие сыновья уходили в мир иной и их заменяли младшие. Но никогда ни один из Хансонов не был отстранен от власти за бесчестье. А при чем тут семья Лагер? Правнук Магнуса Ян привез себе жену из России, выполнил указание прадеда, он соблюдал написанное им «Правило Олафа», велевшего всем сыновьям семьи Хансон соединять свои судьбы с русскими девушками. Ян законную супругу не любил, у него была фаворитка Сельма Лагер, которая родила кучу детей. Ян единственный из всех поколений Хансонов ухитрился переписать «Правило Олафа», он воспользовался тем, что в документе нигде не упоминалось, что его нельзя править или дополнять. Ян внес в него пункт, что при отсутствии у Хансонов сыновей замок, власть, имущество, земли и прочее наследует мальчик из семьи Лагер. А чтобы потомки не посмели наплевать на его волю, Ян совершил то, о чем не позаботился его прадед Магнус, вписал в документ фразу: «Никто и никогда не имеет права ничего исправлять в «Правиле Олафа», да постигнет ослушника кара небесная, да поразит его чума». Нынешний хозяин замка господин Карл единственный сын у своих родителей. Господа Виктор и Мартина очень беспокоились за его безопасность. До восемнадцати лет мальчик нигде не ходил один.

— Жесть! — буркнула Галя.

А я от души посочувствовала юноше. Отлично знаю, каково это — находиться под неусыпной опекой. Моя мама обожала свою поздно рожденную дочь и держала ее под колпаком[1].

---

[1] О детстве Евлампии Романовой рассказано в книге Дарьи Донцовой «Маникюр для покойника».

— Но рано или поздно пришлось дать сыну свободу, — вещала Ирина, — Карл поступил в университет, там встретил Елену, у них вспыхнула любовь.

— Я думала, ваша хозяйка из одного города с мужем, — заметила я.

— Нет, — возразила Ира.

— У Мартины был один ребенок? — уточнила я.

— Да, — не моргнув глазом, солгала Ирина. — Господь только раз обрадовал хозяев. К сожалению, Виктор, супруг Мартины, умер вскоре после свадьбы Карла. Сын был молод, но он успешно справлялся с обязанностями хозяина.

Я принялась отчаянно врать:

— Перед тем как отправиться в Олаф, я прочитала о замке в Интернете. В одной из статей указывалось, что у Хансонов было двое детей, старший Эдмунд и младший Карл. Почему же замок достался второму ребенку? Эдмунд умер?

Ирина взглянула на меня безмятежными голубыми глазами.

— Не верьте всему, что сказано в Интернете. Журналисты часто публикуют непроверенные факты, а некоторые специально придумывают сенсации. Нет, в семье Хансон был только Карл, и он чуть не погиб!

— Да что вы говорите! — ахнула Валентина. — Как же так? Если мать глаз с него не спускала...

Экскурсовод показала указкой на отгороженную бархатным красным шнуром часть зала.

— Перед вами реконструкция тех событий. Карл женился на Елене, спустя некоторое время после свадьбы они объявили радостную весть: молодая жена беременна. Чтобы отпраздновать столь знаменательное событие, супруги решили поехать в соседний городок, там они провели романтический вечер в ресторане на мельнице, естественно, без капли вина, и поехали назад. На свадьбу Карлу подарили машину. Молодые Хансоны порулили по дороге, и, Карл, не очень опытный водитель, не справился с управлением на крутом повороте. Вы видите здесь макет иномарки, она стоит носом в кювет. В момент аварии Елена сломала правую руку, а ее муж ударился головой о руль и потерял сознание. Мобильных тогда не было, позвать на помощь госпожа не могла.

Ирина рассказывала, как Елена пыталась вытащить супруга, как вспыхнул пожар, как приехал ветеринар с женой, и завершила сагу словами:

— В Олаф тогда не пускали туристов. Двери замка для экскурсантов первыми из всех господ открыли Карл и Елена. Мартина не хотела видеть в родовом гнезде посторонних. Но, поняв, что сын с невесткой выжили в ужасной аварии, она на следующее утро после происшествия велела сделать комнату-музей и разрешила всем желающим посещать ее абсолютно бесплатно. Госпожа Мартина хотела, чтобы народ увидел, какой беды избежал Карл, и благодарил Бога за спасение владельца Олафа.

Слушая Ирину, я рассматривала экспонаты, представленные в стеклянной витрине, обратила внимание на золотые запонки, на которых мелкими блестящими камушками была выложена буква «С», и удивилась.

— Простите, это вещи тех, кто попал в аварию? — поинтересовалась я.

— Да, да, — кивнула Ирина, — костюм Карла, его рубашка. Видите, воротничок обгорел?

— Ужас! — прошептала Валентина. — Не дай Господи такое пережить.

— Пиджачок-то без изъяна, — отметила Мэри.

— Вы очень наблюдательны, — похвалила ее Ира. — Карл снял его и повесил в салоне, зацепил вешалку за держатель над стеклом. Многие мужчины так поступают, чтобы не мять одежду, а потом, приехав, надевают ее.

— Кошмар, — поежилась мать Галины.

— Да ладно тебе, ма, все живы остались, — одернула ее школьница.

Ирина тем временем тыкала указкой в стекло.

— Плащ Елены, ее туфли, сумочка, шаль...

— А запонки чьи? — задала я вопрос дня.

— Господина Карла, — терпеливо пояснила экскурсовод. — Мартина не только решила организовать экспозицию «Чудесное спасение». Она еще наградила моего отца орденом Чести, который основал Иоханн Хансон, владевший замком с тысяча триста пятого по тысяча триста сороковой год. В народе этого правителя звали Веселым. Кстати, о запонках. Сейчас сорочки, которые массово продаются в магазинах, производят с пуговицами. Но дорогие варианты и те, что сшиты специально на заказ, всегда имеют прорези для запонок. Аксессуары, представленные вниманию посетителей, были подарены господину Карлу отцом на двенадцатилетие. Виктор заказывал их в Париже у самого известного и дорогого тогда ювелира Фредерика Санту.

— Сразу видно, шикарная вещь, — с завистью произнесла Нонна, — настоящие бриллианты.

— Через витрину любая ерунда выглядит хорошо, — язвительно заметила Мэри, — но многие не понимают, что у них на пальце, даже уткнувшись в кольцо носом. Вон у Нонны цирконий, а выглядит богато.

— Ошибаетесь, — вспыхнула студентка, — Леша мне брюлик купил.

Мэри снисходительно улыбнулась.

— Детонька! Тебя обмануть легко. Но меня нет. Ну-ка, дай украшение.

Нонна стянула с пальца кольцо.

— Держите, но зачем оно вам?

Лесина приблизилась к окну и чиркнула по стеклу только что полученным кольцом.

— Ну? Где царапина?

— И что? — не поняла Галина. — Нет никакого следа.

Мэри снисходительно на нее посмотрела.

— То-то и оно, дорогая. Настоящий бриллиант действует вот так!

Дама поднесла кисть к тому же месту и сделала резкое движение.

— Ух ты! Прямо зигзаг, — восхитилась Галя.

— Да, потому что у меня настоящий алмаз, — завершила выступление Мэри. — Знаете, Алексей, помолвочное кольцо особенное, если ваш брак выстоит в житейских невзгодах, Нонне предстоит носить его долгие годы. Мужчина не должен жадничать. Невесте надо преподносить, как теперь принято говорить, «брюлик». Пусть он будет небольшим, но настоящим.

Нонна опустила глаза.

— Меня обманули, — зачастил Алексей, — продавщица сказала: кольцо с бриллиантом. Нонка, честное слово, чек тебе покажу, я дорого заплатил.

Галя толкнула Валентину в бок локтем.

— Ма, чего молчишь? Скажи ей!

— Кому и что говорить? — не поняла старшая Ручкина.

Лицо дочери сморщилось так, словно она угостилась лимонным соком.

— Ваще крутяк. Не врубаешься, да? Меня замечаниями долбишь: «Галя, думай, что говоришь. Галя, не ляпай, что попало. Галя, твои высказывания ранят человека». А сейчас тормозишь? Объясни этой старой мочалке, что неприлично чужое помолвочное кольцо обсирать! Какое ей дело, из чего оно? Увидела, что камень не брюлик, а дерьмовый? Ну и запихни кулак в рот. Нонне же обидно!

Я мысленно зааплодировала девочке. Ай да Галя! Молодец. Когда Мэри разглагольствовала, взрослые интеллигентно молчали, а школьница высказалась откровенно.

— Меня торговка обдурила, — жалобно повторил Леша, — и не важно, какой камень, главное, я тебя люблю.

Нонна молча кивнула.

— Детонька, когда муж говорит: «Дорогая, я не могу осыпать тебя подарками, но главное: люблю тебя», надо возразить: «Да, любовь прекрасна, но кушать хочется всегда. Почему я должна завидовать подруге, которую муж закутал в меха и обвесил настоящими драгоценностями?» — менторски сказала Мэри. — Мужик без денег — самец в брюках. И не наше дело, где он деньги на покупки для жены найдет. Только жадины твердят: «Я же тебя люблю, значит, ты счастлива». Нет, милый, идя по морозу в дешевых сапогах, чтобы сесть в набитую людьми маршрутку, я не чувствую себя прекрасной дамой, защищенной от жизненных невзгод. И пальтишко на рыбьем меху меня не греет, и сумка из клеенки не радует, и духи фабрики «Аромат Задрипинска» не приводят в восторг. Слов о любви мне мало, их на плечи не накинешь, они не соболя, от холода не спасут. В уютной собственной машине, в облаке французского парфюма, закутавшись в мягкую шубку, я буду чувствовать себя во сто крат лучше. Если ты меня сильно любишь, почему не хочешь одеть, как королеву, и обеспечить мне достойную жизнь? Неужели не понимаешь, что кольцо с цирконием плевок в мою душу? Уж лучше тогда просто золотой ободок без камня, с гравировкой». Учти, детонька, чем больше мужик в бабу вложил материально, тем сильнее он ее ценит. И разводиться он не станет, ему будет жаль потраченного.

Повисла тишина. Когда молчание стало тягостным, я его нарушила.

— А почему на запонках Карла выложена буква «С»?

Ирина обрадовалась возможности уйти от обсуждения кольца студентки:

— Неужели вы не догадались? Это инициал имени нынешнего владельца замка!

— Но Карл пишется через «К», а не через «С», — возразила я.

— Это по-русски, — нашла ответ экскурсовод, — а по латыни Carl.

— Нет, — возразил до сих пор молчавший Арсений, — посмотрите на табличку на стене. Она на нескольких языках. На русском написано: «Чудесное спасение Карла и Елены Хансонов». И понятно почему, если в начале будет «С», то прочтете, как «Сарл». Но и на басурманском языке указано: «Karl». И вот проспект, я взял его на ресепшен, он предназначен для туристов, текст переведен на немецкий, французский, итальянский, испанский... и везде Karl. Почему на запонках «С»?

— Не могу ответить, — честно призналась Ирина, — никогда не обращала внимания на букву. И никто не замечал. Вы, Лампа, первая такая внимательная. Может, Виктор ошибся, когда заказывал запонки? К сожалению, спросить, почему на застежках не «К», а «С», ныне не у кого. Мартина и Виктор скончались, хотя я могу поинтересоваться у Елены, вероятно, она в курсе. Естественно, есть какое-то разумное объяснение. Я знаю, что, когда господин Карл очутился в клинике, его одежду отдали матери, которая сидела в коридоре. Елена была у врачей, ей делали рентген, гипсовали руку. Мартина сразу велела сделать экспозицию и выставить там платье Елены с окровавленным рукавом, рубашку сына с обгорелым воротником и все остальное. Но мать сама ни разу музей не посещала, и Карл, и Елена сюда никогда не заходили и не заходят, думаю, они не хотят будить тяжелые воспоминания. Евлампия, вы такая глазастая и внимательная. Сколько раз я к витрине народ подводила! И ведь ни один человек, ни я сама не удивлялись букве «С».

Глава 9

Не успела я подойти к своему номеру, как дверь соседнего приоткрылась и оттуда выглянула Софья.

— Эй, — зашептала она, — сюда.

Я приблизилась к ней.

— Как самочувствие? Мигрень отпустила?

Соня схватила меня за руку и втянула в свою комнату.

— Я ничем не болею.

Я сделала шаг в сторону.

— Почему тогда не спустилась к завтраку?

— Потому что все туда пошли, — невпопад ответила Гурманова, — ты должна мне помочь. Что ела утром? Чем в столовой угощали?

— Овсяной кашей по старинному рецепту, из дробленого зерна, — объяснила я, — с корицей. Не совсем обычный вкус, но вполне съедобно. Еще наливали напиток из каких-то трав. Вот он понравился мне меньше. Похоже, его с анисом готовили, который я терпеть не могу.

— Отлично, — обрадовалась Софья, — скажи Ирине, что у тебя с желудком беда приключилась. Твои кишки бурно отреагировали на новую пищу. Теперь сидишь на унитазе и не сможешь поехать на экскурсию по окрестностям. Останешься со мной.

— Чувствую себя прекрасно, — возразила я, — не намерена тухнуть в замке. Тебе лучше обратиться к врачу. Я не разбираюсь в медицине, не знаю, что лучше от головной боли принять, не имею при себе тонометра. Может, твое плохое состояние спровоцировало высокое давление. Давай попрошу Ирину вызвать доктора.

— Уже сказала, что я совершенно здорова, — прошипела Софья. — Ну ты и не сообразительная. Мне необходима твоя помощь.

Я начала сопротивляться.

— Не хочу опоздать на экскурсию.

Хозяйка номера схватила меня за руку и объявила:

— Я расследую серьезное преступление. Каждый добропорядочный гражданин обязан помогать полиции.

Я округлила глаза.

— Ты сотрудник МВД?

— Бери выше, Интерпола, — заявила Софья. — Теперь ясно, по какой причине тебе придется отменить дурацкую поездку? Дело государственной важности.

Я всплеснула руками.

— Боже! Ну и ну! Ты агент!

Софья резко выпрямилась.

— Не имею права называть свою должность, но давно перестала быть рядовой.

— С ума сойти, — восхищалась я, — кого только не встретишь на отдыхе. В прошлый раз в Тунисе с нами в гостинице жила писательница Милада Смолякова. К ней все русские за автографом ходили, и я подтянулась. Мне книги Милады нравятся. Хочешь, наше с ней фото покажу? Оно в телефоне хранится.

— Не до глупостей сейчас, — отмахнулась Софья. — Слушай приказ. Сообщаешь Ирине о поносе, остаешься в замке...

— У всех, кто служит закону, есть служебное удостоверение, — перебила я тетку. — Покажи свое.

Гурманова скрестила руки на груди.

— Не веришь мне?

— Доверяй, но проверяй, — не дрогнула я, — встречаются подчас мошенники. Да кому я про аферистов объясняю? Ты о них лучше моего знаешь.

— Документ нельзя давать в руки чужому человеку, — уперлась Софья.

— Но показать его перед началом разговора с гражданином агент обязан, — возразила я.

Софья взяла со стола сумочку, вытащила оттуда черную книжечку и раскрыла ее. С одной стороны я увидела сверкающий золотой жетон, с другой в прозрачном кармашке лежала пластиковая карточка с фотографией Софьи. Через весь документ шла надпись темно-синим шрифтом FBI.

Мне стоило больших усилий не расхохотаться. Ну, начнем с того, что ФБР и Интерпол разные организации. И у сотрудницы последней будет другой документ. Значок, безусловно, красивый, но у Макса есть приятель, который на самом деле работает в Федеральном бюро расследований, я любовалась его жетоном и понимаю, что сейчас вижу значок по размеру меньше подлинного, и на нем выбиты слова: «Citi of New York Police». Даже моих более чем скромных познаний в английском языке хватает, чтобы понять их смысл. Значит, передо мной сотрудница Интерпола с удостоверением фэбээровца и значком полицейского Нью-Йорка. Интересное сочетание. Но самое забавное — фото на пластиковой карте. Софья на нем в темных очках и панамке. Похоже, дамочка летала в Нью-Йорк и там приобрела сувенирный значок вкупе с поддельным документом. Такие наборы продают туристам, в придачу к ним можно купить кепку, жилет, куртку, футболку с надписью FBI, Police. Около продавца стоит фотобудка, делаешь снимок, отдаешь его веселому афроамериканцу, и через пару секунд ты уже сотрудник ЦРУ или ФБР. Гуляющая по центру города толпа иностранцев охотно приобретает такую ерунду на память. Почему у Сони произошла путаница? Значок одного ведомства, а удостоверение другого? Ну это же уличные торговцы, они часто ошибаются. Этим летом мы с Максом ездили в Париж, и я приобрела на берегу Сены магнит в виде картины Леонардо да Винчи «Мона Лиза». Купила я его по одной причине: на «холсте» имя автора было написано в самом низу мелкими буквами: «Ван Гог». Этот товар первым увидел Макс и чуть не скончался от смеха. Теперь магнит висит у нас на холодильнике, и каждый раз, наткнувшись на него взглядом, я начинаю хихикать.

— Убедилась? — спросила Софья.

Я кивнула и хотела объяснить, что ее «документы» не прошли проверку, но тут Гурманова сказала:

— Елену ночью зарезали.

— Ошибаешься, — возразила я, — она жива. Я видела, вернее, слышала, как ее на «Скорой» увозили в больницу.

— И что сказал врач? — полюбопытствовала моя собеседница.

— Вроде операцию ей делать будут, — объяснила я, — подробностей не знаю. Случайно свидетельницей разговора мужа с доктором стала, вопросы не задавала.

Софья почесала макушку.

— Оперативное вмешательство — дело долгое. Пока то да се, вечер наступит. Муж около Лены осядет, домой заявится нескоро. Дураки с Ириной на автобусе укатят. В замке лишь тупая прислуга останется. Что она делает, когда нанимателей нет? Первым делом устраивается на кухне чай пить, жрет хозяйские запасы, сплетничает. Мы ничем не рискуем. Пошли.

— Куда? — уточнила я.

«Детектив» понизила голос:

— Елена вчера здоровее лошади выглядела. На что угодно спорить готова, ее убить собирались, но она живучая, как кошка.

Я села в кресло.

— Почему ты решила, что кто-то хотел Елену лишить жизни?

— Не задавай вопросов, — огрызнулась Гурманова, — пошли. Ты обязана агенту Интерпола помогать.

— Нет, — возразила я, — изволь объяснить, в чем дело. В противном случае я с места не сдвинусь.

Софья опустилась на кровать.

— Ладно. В наше отделение Интерпола обратился мужчина по имени Серж Мозер. Он разбирал после смерти отца бумаги и нашел письмо от Мартины Хансон. В нем женщина сообщала, что оставляет замок Олаф, земли, принадлежащие семье, и все состояние его отцу Гектору Мозеру из Австралии. А в случае смерти оного — сыну покойного. Завещание спрятано в замке в спальне Мартины, его надо найти, предъявить куда следует и стать богатым.

— Из Австралии, — повторила я, — ага.

София решила объяснить глупой Лампе, что к чему.

— Есть такое государство, находится на отдельном континенте, очень далеко, лететь туда надо почти сутки. Там живут коалы, кенгуру, разные другие звери, еще аборигены.

— Очень интересно, — кивнула я.

Софья положила ногу на ногу.

— Земли в стране много, а людей не хватает. Поэтому много лет назад тамошнее правительство обратилось к населению разных стран с предложением: «Приезжайте к нам, сразу получите гражданство, землю и деньги на строительство дома, есть лишь одно условие: вы живете в провинции, занимаетесь сельским хозяйством». Гектор решил улететь в Австралию, в самолете он познакомился с медсестрой

Верой из России, у них завязался роман, на свет появился Серж. Вот и вся история.

— Где Гектор жил до того, как перебрался на Зеленый континент? — спросила я.

Соня втянула ноги на кровать.

— Серж понятия не имеет. Родители ему не рассказывали, парень родился в Австралии, его мало волновало, что до его появления на свет происходило. Дома у них говорили по-русски. Вера скончалась за год до мужа, тот очень переживал и долго без супруги не продержался. Кроме Сержа в семье детей нет. Парень начал разбирать вещи, документы покойных, и бах, письмо! Ферма Мозера еле-еле на плаву держится, вся в долгах. Вот Серж и подумал: а вдруг это правда? Где-то лежит завещание, он получит капитал, уедет из Австралии, ему там совсем не нравится. Парень хочет жить в Европе. В общем, Мозер пришел к нам и попросил найти документ. Дело поручили мне.

Глава 10

— И тебе неизвестно, почему Мартина отцу Сержа все завещала? — уточнила я.

— Это осталось тайной, — вздохнула Софья, — Гектор ее с собой на тот свет унес.

Я уставилась на окно-бойницу. Вчера ночью, лежа в диване, я подслушала разговор Карла и Елены. Речь шла об Эдмунде, старшем брате хозяина замка Олаф, это ему предстояло унаследовать и дом, и землю, и капитал. Карлу, младшему сыну, ничего не полагалось. Но Эдмунд совершил какой-то ужасный поступок, связанный с девушкой по имени Паулина. Некая Розамунда до сих пор ненавидит за это Эдмунда! Елена нашла в здании ресепшен журнал из Австралии. На обложке было фото фермера, которое ее очень испугало. У того фермера, как сказала госпожа Хансон, «одно лицо с Виктором». А кто носил это имя? Муж Мартины. Карл стал успокаивать жену, сказал, что Эд давно на дне океана, но супруга твердила:

— Нет, нет, нет, это он! Он вернулся.

И вот сейчас Софья рассказывает мне о Гекторе Мозере. Может, Елена права? Старший сын Мартины и Виктора жив. Он поселился в Австралии под другим именем. Несмотря на все плохое, сделанное им, мать продолжала любить парня. Женщины утверждают, что любят своих детей одинаково. Но это не так. Всегда есть тот, кому принадлежит большая часть их сердца, и зачастую любимчиком матери становится не отличник, не заботливое, разумное дитя, а отпетый безобразник, который родительницу ни в грош не ставит.

— Лампа, вы где? — послышалось из коридора. — Все давно чайку попили и в автобусе сидят.

Я вышла в коридор и увидела Ирину.

— Не поеду на экскурсию.

— Что случилось? — всполошилась она.

Я изобразила смущение.

— Каша Беаты мне так понравилась, что я слопала несколько порций. Теперь желудок взбунтовался. Уж простите за подробность, от санузла далеко отойти боюсь. Заглянула к Софье, надеялась у нее лекарство найти.

— Не стоит глотать таблетки, это химия, — всполошилась Ирина, — мой отец всегда говорил: «Если у лошади нелады с кишечником, то ей необходим холод, голод и покой».

— Я мало чем отличаюсь от кобылы, — пробормотала я, — только хвоста нет.

— Вы не обиделись? — испугалась Ира. — Не имела в виду, что вы на лошадку смахиваете, скорее уж на собачку похожи. Ой! Опять не то ляпнула. Понимаете, каждый человек напоминает какое-то животное, вот я вылитая мартышка, суечусь, руками размахиваю. Папа был ветеринар от Бога, он и людям дельные советы давал.

— Прислушаюсь к словам вашего отца, — улыбнулась я, — лягу в кровать и не стану объедаться.

— Диетическое есть можно, — с видом знатока сказала девушка. — Хотите врача позову?

— Из-за такой ерунды не стоит, — отказалась я.

— У Розамунды в аптеке есть прекрасный сбор от поноса, — оживилась Ирина, — она гомеопат, траву собирает в определенное время, сушит ее правильно. К Розамунде со всех сторон едут.

У меня зачесался нос.

— Розамунда? Красивое имя, наверное, оно у вас распространено.

— Не очень, — улыбнулась Ира, — госпожа Фихте у нас с ним одна.

— Где аптека расположена? — поинтересовалась я. — Сбегаю, посоветуюсь с ней. Фихте — доктор? Или просто знахарка?

Ирина ответила:

— Без диплома нельзя травами торговать, Розамунда закончила медицинский факультет. Мама говорит, что о Фихте, как о терапевте, хорошая слава шла. А потом она в гомеопаты подалась. Вы фармацию легко найдете, выйдете из крепостных ворот, ров перейдете, свернете налево и по дороге до города прямо. Идти недалеко. Можно на платформе доехать, ее на ресепшен дадут. А в городке сразу направо, и вы на месте.

Я поблагодарила Иру, не успела она убежать, как Софья вышла в коридор.

— Ну, пошли?

— Куда? — уточнила я.

— Искать завещание, — азартно воскликнула Соня, — круто нам свезло, никого в замке из хозяев нет, и туристов увезли.

Я прислонилась к стене.

— Глупее занятия и не придумаешь. Если завещание и было, то его давно нет.

— Почему? — заморгала Гурманова.

— После кончины Мартины все ее документы оказались в руках Карла и Елены, — начала я растолковывать очевидное, — и как они поступили, увидев, что мать отписала дом не пойми кому? Сожгли бумагу.

— Документы уничтожать запрещено! — возразила «агент».

— Врать, воровать, прелюбодействовать тоже нельзя, — вздохнула я, — но многих это не смущает. Даже если завещание лежит где-то, то оно ничем Сержу не поможет.

— Последняя воля покойной высказана четко! — вознегодовала Соня. — Все завещаю Гектору! А в случае смерти отца собственность переходит его сыну Сержу.

Я кивнула.

— Вроде все правильно. Но! Ирина рассказала, что существует «Правило Олафа», и поколения владельцев свято его соблюдают: замок всегда переходит в руки старшего сына. А Гектор Мартине кто? Уж точно не ребенок. И какое отношение Серж имеет к Хансонам? А? Где у него общая с ними кровь?

Глаза Софьи забегали из стороны в сторону.

— Ну...

— Парень рожден в семье Мозер в Австралии, — ответила я. — Не видать ему Олафа, как своего затылка. Объясни ему от имени Интерпола бесполезность его претензий. Серж любой суд проиграет. Скажи, почему ты решила, что Елену хотели убить? Вполне вероятно, что у нее обычный инфаркт.

— При сердечном приступе вся грудь в крови бывает? — выпалила Гурманова.

Я отошла от стены.

— Нет. Ты видела рану?

— Пошли!

Софья поманила меня рукой.

Мы двинулись по коридору, обогнули угол стены и уперлись в узкий темный коридорчик, куда спускалась сверху лестница из обтесанных камней, слева была дверь, а чуть дальше опять виднелись ступеньки, ведущие в подвал.

— Я не хотела рано вставать, — зачастила Соня. — Так нет, в дверь номера постучали, женский голос заорал: «Все уже едят, вам помочь одеться?» Очень ее по правильному адресу послать хотелось, но я сдержалась, ответила:

— Уходите, у меня мигрень.

Дура убежала, а я больше не закемарила и решила все-таки пожрать. Ну и повернула по коридору не в ту сторону, очутилась не у парадной лестницы, а здесь. Заворачиваю и слышу мужские голоса.

— Карл, спокойно, она выживет.

— Боже! Столько крови!

— Черт, узко очень! Надо носилки поднять.

Я осторожненько из-за стены высунулась. И увидела четырех мужиков. Два из них санитары в куртках с красным крестом, они держали носилки. На них лежала Хансон, я ее сразу узнала. Рука свешивалась, на пальце кольцо с изумрудом сверкало, я на него вчера весь вечер косилась. Шикарное! На Елене что-то типа халата было, на груди пакет, под ним все красное. За переноской шли два мужика. Один в здоровенных черных очках и низко надвинутой на лоб вязаной шапке, другой в дубленке. У санитаров никак не получалось пройти, поворот лестницы не давал больную пронести. В конце концов тот в дубленке велел им ношу над головой поднять, и все разрешилось. Вон в ту дверь ее вытащили. Когда парни выбрались, врач тому, что в очках, сказал:

— Каждому из медбратьев дашь по тысяче, и они рта не раскроют. Проверены в разных ситуациях. Положу Елену в охраняемую палату, никто, кроме меня и двух человек из медперсонала, туда не вхож. Не волнуйся, про рану от алебарды ни одна душа не услышит. Инфаркт у Лены. И точка. Обеспечу полное сохранение тайны. Ты уверен, что это был он?

— Видел его как тебя, — ответил Карл, — он по этой лестнице спускался. Не поверишь, я в жену Лота превратился. Гляжу на Эдмунда, понимаю, что это он, а ноги в землю вросли, язык парализовало.

— Он умер, — изумился доктор, — погиб много лет назад в авиакатастрофе.

— Значит, выжил! Подонок из любой неприятности вывернуться мог! — обозлился Карл. — Уж ты-то знаешь, Курт, что он творил! Вы с ним в одной компании гудели.

— Всего пару раз, — быстро открестился врач, — а потом я понял, что он псих, и стал от него подальше держаться. Ему нравился очень жесткий секс, один раз он чуть какую-то свою любовницу не задушил ремнем, острых ощущений искал. Я в тот момент в соседней комнате со своей девчонкой возился, Эд вбежал: «Помоги, ей плохо». Хорошо, что я будущий медик, на последнем курсе учился, смог реанимировать женщину. После того случая я с Эдом не общался. Меня история с Паулиной нисколько не удивила, к тому и шло. Но он умер, упал в океан. Из такой передряги даже Эду не выбраться.

— А если его не было в самолете? — спросил Карл. — В списках пассажиров он был, а на борту нет? Что, если Эд жил где-то все это время? Курт, это он пришел убить Елену, ударил ее алебардой, схватил, что под руку попало, со стены, где коллекция оружия висит.

— Во сколько ты нашел жену? — спросил врач.

— Не помню!

— Мне ты позвонил в восемь тридцать. Сейчас около девяти.

— Боже, это Эд! — застонал Карл.

— Рана странная, — протянул врач, — я бы сказал, что Елену ножом ткнули. Сколько лет прошло, а ты его узнал?

— Эд вообще не изменился! Брюхом не обзавелся, рожа такая же наглая! Глянул на меня, рот скривил — и во двор. Меня будто ударило по макушке. Елена! Что с ней? Кинулся в спальню — нет ее! Бросился в нашу гостиную, о боже! Лена лежит у камина, в груди алебарда. Он ее со стены сдернул! Ну почему я коллекцию оружия на виду держал? Это я во всем виноват. Курт, надо все уладить, представить ранение Елены как инфаркт, иначе призрак на свет выползет.

— Тебе придется плохо, — протянул врач.

— Не только мне, — отрезал Карл, — ты тоже по горло в той истории. Вспомни, за что Мартина вам с отцом деньги на клинику завещала, а? Эд задумал всех убрать, кто в той затее участвовал. Начал с моей жены.

Софья замолчала, потом развела руками.

— Это все, потом они во двор утопали.

Глава 11

Не обращая внимания на табличку «Личные покои хозяев. Просьба не входить», висевшую на стене, я прошла к лестнице, присела на корточки и начала рассматривать каменный пол.

— Что ты ищешь? — полюбопытствовала моя спутница.

Я показала пальцем на пятнышко.

— Это кровь.

— Если тебя чем-то типа топора рубанули, точно кровища польет, — нахмурилась Софья.

Я прошла до узкой двери, толкнула ее и выглянула наружу. Перед глазами расстилался двор. Некоторое время назад я его уже видела, только тогда стояла за поленницей и слышала, как Карл упрашивает врача взять его в больницу. Холодный воздух проник под одежду, я поежилась, захлопнула дверь и пошла вверх по лестнице. Капля, еще одна, цепочка темных пятен... Коридор, дверь... Я остановилась.

— Чего, чего, чего? — суетилась Софья.

— Странно, — пробормотала я.

— Что?

Я толкнула дверь и очутилась в просторной комнате.

— Матерь Божья, — перекрестилась шагавшая следом Софья. — У камина кровь!

Я уставилась на медвежью шкуру, лежащую у очага, затем перевела взгляд на стену, там висела коллекция холодного оружия: ножи, какие-то изогнутые клинки. Справа было пустое место.

Гурманова показала на него рукой.

— Отсюда он алебарду схватил.

— Похоже, — согласилась я и пощупала камин, он был абсолютно холодным.

Судя по кровавым следам, события развивались так. Елена лежала на шкуре у очага. Что за удовольствие валяться на полу? В комнате несколько диванов, уютные кресла. Ладно бы в камине пылали дрова, тогда понятно. В замке прохладно, вот хозяйка и надумала погреть косточки. Но камин не топили, он холодный, в нем нет золы. Нападение на хозяйку было совершено утром. Софья видела, как в районе девяти утра выносят носилки. Я не знаю, который был час, когда стояла во дворе и увидела «Скорую». Но могу подсчитать. Завтрак подали в восемь тридцать, через полчаса мне надоело слушать разговоры присутствующих, и я отправилась погулять. Значит, примерно в девять часов пять-семь минут я оказалась за поленницей. Гурманова сказала, что врачу позвонили в восемь тридцать. Почему госпоже Хансон вздумалось кайфовать на шкуре в столь неурочное время? Она занятой человек, на ее плечах и отель, и ресторанчик, и приехавшая из Москвы группа, и экскурсанты, которые прибывают, чтобы осмотреть Олаф. Повариха Беата во время завтрака обмолвилась, что все в замке, включая Елену, всегда встают в шесть. Думаю, это правда, с таким хозяйством не до сна. Ничегонеделание на шкуре невинно убиенного Топтыгина не для госпожи Хансон. И, похоже, несчастная совсем не сопротивлялась. Впритык к шкуре стоит стеклянный столик, на нем аккуратная стопка книг, ваза с цветами... Около камина в специальной подставке кочерга, щипцы, веник, совок. Как бы я поступила, увидев, что в комнату неожиданно вваливается чужой человек? Непременно вскочила бы, схватила кочергу, заорала, швырнула в незваного гостя вон ту весьма увесистую псевдогреческую мраморную статуэтку, которая сейчас мирно стоит на полу. Но Елена смирно лежала. Преступник хватает алебарду. Хансон и в ус не дует, отдыхает на шкуре. Преступник заносит оружие, но жертва лежит без движения. Я посмотрела на низко нависший потолок, затем приблизилась к коллекции холодного оружия. Так, в ней было две алебарды. Одна висит справа, вторая была слева, сейчас там пустое место. Судя по выцветшему отпечатку на обоях, оставшееся оружие такого же размера, как и то, которым ранили Елену.

Я огляделась по сторонам. Ну и что здесь имеет такую же длину? Похоже, поднос на каминной доске. Я взяла его и приложила к стене. Точно. Он как алебарда. Я подняла серебряный поднос над головой, он чиркнул о потолок. Я изучила побелку и обнаружила на ней единственную отметину, которую сама и оставила.

— Что за представление? — поморщилась Софья.

— Мой рост метр шестьдесят два, — ответила я, —

мужчин такого роста не так уж много, а тех, кто ниже, и того меньше. Чтобы нанести удар боевым топором, надо размахнуться. Я попыталась воспроизвести это действие.

— И что? — заморгала Соня.

— Посмотри на потолок, — начала объяснять я, — на нем царапина...

— Неудивительно, — фыркнула Гурманова, — ты же его подносом задела.

— Конечно, — согласилась я, — но полоска одна. Где та, которую оставил преступник, занесший над Еленой алебарду, а?

Софья покусала нижнюю губу.

— Он был ниже тебя!

Я снова схватила поднос, вознесла его и начала приседать до тех пор, пока он не перестал касаться побелки. Софья стояла, сдвинув брови.

— Похоже, преступник работает в цирке — резюмировала я.

— Акробат? — удивилась Гурманова. — А это ты как сообразила?

— Нет, он ассистент фокусника, — хмыкнула я, — иллюзионисты охотно используют лилипутов. Чтобы беспрепятственно размахивать старинным топором, нападавший должен иметь рост метр тридцать или около того. И обрати внимание на капли крови.

— Они красные, — сделала гениальный вывод Соня.

— Трудно возразить, — кивнула я, — никогда еще не видела, чтобы из вен человека текла зеленая жидкость. Говорят, такая у инопланетян, но я с ними пока, к своей глубокой радости, не встречалась. Тебя следы в коридоре не удивили?

Гурманова насупилась.

— Ну...

Я поманила ее.

— Иди сюда. На шкуре пятно крови, но не очень большое. Чуть поодаль валяется алебарда. Удивительно.

— А где ей еще быть? — заморгала «сотрудница Интерпола». — Преступник ударил Хансон и убежал. Понятное дело, орудие убийства он не прихватил. Его же могли увидеть, согласись, очень подозрительно, когда по улице идет человек со старинным оружием. Мы тут зря время тратим, надо идти за завещанием, я знаю, где оно, но одной мне его не добыть.

— Меня поражает не брошенное орудие преступления, а то, что на его лезвии нет следов крови, — вздохнула я.

Софья на секунду растерялась, но быстро нашла объяснение.

— Он его вытер!

— Смысл такого поступка? — пожала я плечами. — И чем человек очистил топор? Где испачканная тряпка? Салфетка? Газета? Накидки на мягкой мебели в идеальном состоянии, скатерть на столе совершенно чистая.

— Он с собой притащил полотенце, — выпалила Софья.

Несмотря на тягостную обстановку, мне стало смешно.

— Карлик рано утром проходит на половину хозяев замка, видит лежащую на шкуре у холодного камина Елену, решает ее убить, оглядывается по сторонам, хватает алебарду. А потом вытирает ее специально припасенной для этой цели простынкой. И при этом госпожа Хансон не оказывает ему ни малейшего сопротивления. Спокойно ждет, пока с ней расправятся? Обрати внимание, в комнате идеальный порядок.

— У него было не полотенце, а шарф, — выдвинула новое предположение Гурманова.

— Уже лучше, — согласилась я, — но капли крови тянутся к двери. Откуда следы? Елена после тяжелого ранения встала, куда-то сходила, а потом снова легла на шкуру?

— Ну... Может, в туалет шастала? — неуверенно предположила Гурманова.

Я двинулась к выходу из комнаты.

— Тогда были бы две цепочки. Одна — оставленная на пути в санузел, другая — назад. Нет, все было иначе.

Софья подскочила ко мне.

— Как?

Я направилась по коридору в сторону лестницы.

— Хозяйка дома получила травму не в гостиной.

— А где?

— Давай пойдем по кровавому следу и, может, обнаружим место преступления, — предложила я, шагая по ступенькам, — здесь красные пятнышки...

— Эй, эй, мы спускаемся в подвал, — занервничала Соня.

— У тебя клаустрофобия? — поинтересовалась я, внимательно изучая напольное покрытие.

— Нет, просто не люблю подземелья, — призналась Софья. — Вау! Уперлись во что-то типа холла, слева дверь! Замок! Электронный! Его отмычкой не вскрыть, надо код знать.

— Это не подземелье, — пробормотала я, — полагаю, оно тут есть, но мы находимся в небольшом подвале, где есть запертое помещение.

— И ничего не узнали, — скуксилась моя спутница.

— Да нет, наоборот, появляется ясность, — возразила я, — кровь привела сюда. Вероятно, в чулане, вход в который стережет современный замок, и напали на Елену. Я очень хочу заглянуть внутрь. Владельцы Олафа старательно сохраняют его первозданный вид. Помнишь, Елена на собрании говорила, что последний большой ремонт тут делали в начале двадцатого века, уже почти сто лет прошло. Олаф пользуется особой популярностью у туристов из-за того, что он не переделывался. И двери в крепости, во всяком случае те, что я видела, закрываются на старинные запоры. Почему тут электроника? Да потому, что к ней отмычку не применить. Что-то там скрыто очень интересное.

— Но мы туда не попадем, — приуныла Соня, — закрыто.

Я толкнула створку плечом, та поддалась.

— Ой, — ахнула Гурманова, — не заперто. Вау!

Глава 12

Я вошла в большую комнату со сводчатым потолком.

— Здесь совсем пусто, — разочарованно протянула Гурманова. — Зачем тогда замок? И свет горит!

Я показала на кровавую лужу.

— На Елену напали здесь, она упала, преступник ушел. Через какое-то время Карл увидел, что жены нет в спальне, отправился ее искать, почему-то спустился в чулан, увидел Елену, отнес ее в гостиную, положил на шкуру и бросился вызывать врача. Доктор добрый приятель Хансона, он обещал помочь скрыть факт нападения на Елену. И, похоже, оба мужчины в курсе, кто пытался ее убить. Вот почему на полу одна цепочка кровавых следов: когда Карл поднимал жертву наверх, из нее капала кровь, а когда бедную несли санитары, на паркет и ступеньки уже ничего не попало.

— Зачем туда-сюда раненую таскать? — удивилась Софья. — Ее легче прямо отсюда к «Скорой» вынести, всего пролет пройти — и дверь во двор.

— Да, — согласилась я, — есть лишь один ответ: Карл не хотел, чтобы врач знал, где напали на его жену, поэтому переместил раненую.

— Зачем? — продолжала недоумевать Гурманова.

— Понятия не имею, — призналась я и подняла с пола бумажку.

Софья насупилась и, сопя от напряжения, ждала, пока я разверну скомканный листок. Наконец стал виден текст.

— «Плитка «Морской узор», — прочитала я, — производство Италия. Цвет — «Капучино», поставщик ООО «Нибелунг», изготовлено «Белла Порто», срок годности не ограничен». Это от упаковки кафеля!

— Точно, вон маленький кусок валяется, — оживилась Софья.

Я подошла к осколку, притаившемуся у стены.

— Недавно я делала ремонт дома, — затараторила Гурманова, — на мыло от злости изошла. Привезли отделочные материалы, и в каждой пачке по две-три плитки кокнутые или с трещинами. Хансоны решили где-то покрытие поменять. Слушай, пошли отсюда, здесь воздух тяжелый, пахнет чем-то! У меня нос, как у собаки.

Я молча вышла в коридор. Зачем устанавливать на дверь чулана, в котором хранят обычную плитку, суперсовременный замок? Чтобы кто-то не украл материал? Но Хансоны, похоже, не особенно переживали за свою безопасность или за сохранность вещей. На половину хозяев может легко попасть любой из постояльцев гостиницы. Вход в их покои оберегает табличка с просьбой не входить на территорию владельцев замка, но ведь она не остановит грабителя. Мы с Софьей беспрепятственно очутились в личной гостиной Карла и Елены, а в комнате много ценных безделушек, на стенах картины, на каминной доске изделия из серебра, один поднос, которым я размахивала, весит больше килограмма. А подвальную комнату тщательно обезопасили. Открытой она, наверное, осталась из-за того, что Карл, войдя в чулан и заметив жену в луже крови, испугался и сразу понес раненую наверх. Попробуйте нажать на кнопки, держа в руках еле живую женщину. И свет здесь по той же причине не выключен. Положив Елену у камина, муж стал вызывать «Скорую», он забыл и про незапертую створку, и про электролампу под потолком.

— Постоишь? — услышала я голос Сони.

Я вынырнула из своих мыслей.

— Где?

— Ты меня не слушаешь! — обиделась она. — Повторю. Комната Мартины с момента ее смерти сохраняется нетронутой. Завещание там. Но вот засада! Спальня поставлена на охрану.

— Да ну? — удивилась я. — У Хансонов все, кроме подвала, нараспашку.

— Покои Мартины на третьем этаже, она жила над сыном и невесткой, — стала растолковывать Софья, — надо по лестнице вверх подняться. Там куча помещений, в которых старая хозяйка кайфовала: гостиная, кабинет, столовая, библиотека, будуар. Зачем одной старухе столько? Все открыто, а спальня на замке и под охраной. Как ее снять, никто понятия не имеет. Мартина мастера из заграницы вызывала, код никому не сообщила. Если замок вскрыть и внутрь без спроса сунуться, у секьюрити на ресепшен такой хай поднимется! Но нет нерешаемых проблем. Я открою дверь и войду туда, а ты стой на пороге!

— Интересная идея, — усмехнулась я, — забавная.

— Умная мысль! — отрезала Софья. — Я спрячусь где-нибудь под столом или за занавеской. Когда охрана прибежит, ты дурочку изобрази: ой, ой, случайно дверь открыла, из любопытства. Тебя уведут, а я останусь, завещание заберу и смотаюсь. Дуракам в голову не придет, что ты не одна. Интерпол моей помощнице за работу заплатит.

— Сколько? — деловито осведомилась я.

— Тридцать тысяч, — быстро предложила «агент».

— Рублей? — уточнила я.

— А ты хотела в валюте? — хмыкнула Гурманова. — Ну, ваще даешь. Пошли наверх, чего на лестнице замерла? Тридцатка за ерундовину — отличная цена.

— Нет, — отрезала я.

— Сорок, — набавила Гурманова, — больше не проси.

— Будем подписывать договор? — поинтересовалась я. — На оказание услуг? С предоплатой.

Софья облокотилась спиной о перила.

— Очумела? Получишь налом, в конверте. Безналоговая выплата.

Я протянула руку.

— Давай.

— Вперед бакшиш не требуют, — замурлыкала Соня, — сначала работа. А уж потом денежки. Но авансик могу вручить. Тысячу рубликов. Ну, не тормози. Неровен час горничная припрется половину Хансонов мыть.

— Нет, — сказала я, — на втором этаже у входа в покои хозяев висит на крючке красная табличка «Не беспокоить». Поломойка увидит ее и не сунется.

— Хватит балабонить, — рассердилась Софья. — Карл может вернуться. Когда еще такая возможность выпадет, как сейчас? Я думала их усыпить, напроситься в гости на вечерний чай, накапать хозяевам снотворного в чашки, а потом пошарить в спальне Мартины. Я тебя сразу приметила, поняла, такая, как ты, подойдет, ума у тебя не особенно много.

— Гениально, — не выдержала я, — ты просто генератор оригинальных идей.

Гурманова начала подниматься по ступенькам.

— В Интерпол берут самых креативных, лучших, училку вроде тебя никогда на службу не примут. Без обид, но бабы, чьи интересы упираются в варку щей, жарку котлет и объяснения детям, как по пианино долбанить, не имеют ни одного шанса заниматься увлекательной работой. Оцени возможность, которая тебе предоставляется: ты временно станешь помощницей агента и шикарно заработаешь.

Гурманова замолчала и оглянулась.

— Ну? Чего примерзла?

Я развернулась и пошла в коридор гостиницы.

— Эй, эй, — занервничала Софья, — ты куда?

— В номер, — пояснила я, — надену теплую кутку и прогуляюсь по городку, зайду в кондитерскую, слышала, что там пекут вкусные пряники.

— Богатая такая? Не хочешь заработать?

Я прикинулась алчной.

— Сумма гонорара меня не устраивает.

— Сорок кусков мало? — пришла в негодование Гурманова. — Другим за эти деньги с восьми утра до восьми вечера приходится полы мыть!

— Мне деньги не нужны, — прощебетала я, — меня муж обеспечивает.

— Пятьдесят дам.

— Спасибо. Не хочу.

— Шестьдесят, — набавила сумму «агент» и, вновь получив отказ, не успокоилась: — Семьдесят.

Я молча вошла в свой номер, Софья бесцеремонно ворвалась следом.

— Восемьдесят!

— Сделай одолжение, оставь меня в покое, — попросила я.

Но Гурманова решила не сдаваться, она плюхнулась в кресло.

— Сто тысяч! Честное слово, больше не могу!

Я протянула руку.

— Отлично! Деньги в ладошку.

— Заплачу в Москве, — пообещала Софья.

Мне надоел этот разговор.

— Я не стану тебе помогать, предпочитаю не связываться со лжецами. Дело не в завещании. История с наследством придумана с начала и до конца. Возможно, меня никогда не возьмут в Интерпол, но и ты там не служишь. В следующий раз, когда решишь кого-то надуть, не показывай ему сувенирный жетон полицейского Нью-Йорка вкупе с липовым удостоверением сотрудника ФБР, где наклеено твое фото в панамке и солнечных очках. Не знаю, зачем тебе нужно рыться в спальне Мартины, но понимаю: там находится что-то нужное, что госпожа Гурманова собирается взять без разрешения хозяев. Попросту украсть. Я не желаю участвовать в воровстве. Даже за сто тысяч, которые ты мне никогда не заплатишь. А теперь исчезни из моей комнаты. В противном случае я сообщу Ирине, что ты без спроса заходила на половину Хансонов. Навряд ли после этого Карл оставит в гостинице слишком любопытную туристку.

У Сони покраснели уши. Не говоря ни слова, она шмыгнула за дверь. Я перевела дух, взяла из шкафа куртку, угги и начала одеваться. Дверь приоткрылась, в спальню всунулась Софья.

— Настучишь на меня? О'кей. Но и я молчать не стану. Как только Ирина вернется, сразу доложу ей: «Лампа подбивала меня гостиную Хансонов обыскать. Я ни при чем, это ее идея». Оправдывайся потом, плачь и тверди: «Все неправда». Кто первый сказал, тому и верят.

Голова Гурмановой исчезла. Мне стало смешно. «Сотрудница Интерпола» тупая: кто же предупреждает человека о своих планах скомпрометировать его? Совсем Соня мышей не ловит. Интересно, кем она работает на самом деле? И что происходит в замке? Старший брат, которого все считают погибшим, вернулся из Австралии и решил убить Елену? Чем ему досадила невестка? Если Эдмунд возжелал вернуть себе корону, то госпожа Хансон ему не помеха, на троне сидит Карл. Почему Елена, одетая в халат, оказалась ранним утром в чуланчике, где хранили плитку для ремонта? По какой причине Карл перенес тело супруги в гостиную? Зачем он старательно закапывал правду? Ирине сказали, что у Елены случился сердечный приступ. Думаю, эта же версия озвучена и остальным. Когда раненую вынесли на лестницу, муж не забыл повесить на крючок табличку, запрещающую горничной заглядывать в их покои. Наверное, он сам будет убирать там, когда вернется из клиники, выкинет окровавленную шкуру.

Я медленно пошла к центральному выходу из здания. Лежа вчера в диване, я стала невольной свидетельницей бурного секса супругов и подумала, что им повезло после многих совместно прожитых лет сохранить юношескую страсть и любовь друг к другу. Но теперь меня одолевают сомнения. Поступит ли так муж, который нежно относится к жене? Он станет хладнокровно вешать табличку? Не закричит от ужаса, увидев в чулане окровавленное тело жены? Не переполошит весь дом? Не подумает, что, тронув раненую, может запросто лишить ее жизни? Или навредить здоровью Елены? Вдруг у нее поранен позвоночник и тогда ее категорически нельзя поднимать?

Я застегнула куртку и вышла на улицу. Можно ли сохранить после многих лет семейной жизни то чувство, которое связало вас в юности? Проехать на лодке любви по морю быта и не утонуть в нем? Как сделать свой брак счастливым?

Я натянула на голову капюшон и поспешила к домику ресепшен.

Глава 13

— До центра города рукой подать, — объяснила симпатичная блондинка, сидевшая за стойкой, — всего четыре километра. Дорога живописная, идет через лес, воздух свежий.

— Не люблю пешие прогулки, — призналась я, глядя на бейджик портье, — а в раннем марте они для меня и вовсе не привлекательны. Лиза, у вас можно автомобиль напрокат взять?

— Конечно, — заверила Елизавета, — вот держите, это карточка, подтверждающая, что вы наша гостья. Агентство тогда даст десятипроцентную скидку.

— Как приятно, — улыбнулась я, — вам, очевидно, нужны мои права?

— Автомобили найдете в фирме «Четыре колеса», вот их адрес, — защебетала сотрудница гостиницы. — Город небольшой, советую вам посетить торговый центр «Медведь», там можно запастись недорогими сувенирами. Мне у них нравится красивый светильник в виде замка Олаф. Домой себе такой взяла. На втором этаже чудесные свитера с традиционным скандинавским узором, шарфы, шапки — прекрасные подарки. Если предпочитаете сладости, то не покупайте их в супермаркетах, идите в кондитерскую Фихте. К Юрию народ со всех сторон едет, его пирожные, мармелад, пряники просто волшебные. И не по бешеной цене.

— Фихте, — повторила я, — у меня сегодня не очень хорошее самочувствие, Ирина посоветовала купить в аптеке Фихте травяной сбор. Пекарь еще и лекарь? Или они просто однофамильцы?

— В фармации командует жена Юрия, Розамунда, — пояснила Елизавета. — Ира правильно подсказала, Роза замечательный гомеопат. Мы только у нее лечимся, в больницу обращаемся только при большой неприятности. Здесь хорошая клиника, но люди больше верят в травы, чем в химические таблетки. Аренда машин находится в доме шесть, а кондитерская и аптека в соседнем здании. Видите, как удобно.

— Осталось лишь добраться до центра, — сказала я, — пешком идти не хочу.

— Мы ездим на велосипедах, — сообщила Лиза, — вжик — и ты на месте.

— Зимой? — удивилась я.

— В холодное время ездим на платформах, — пояснила девушка, — это еще лучше, летишь с ветерком. С удовольствием предоставлю вам одну. Яна!

— Что? — крикнул из служебного помещения звонкий голос.

— Замени меня, — попросила Лиза, — выдам гостье сигвей.

— Сейчас сяду на ресепшен, — ответила коллега.

Елизавета поднялась.

— Пойдемте в гараж, нам вон в ту дверь.

* * *

— Неустойчиво выглядит, — пробормотала я, рассматривая странный механизм, — всего два колеса и ручка. Равновесие трудно удержать.

— Легче, чем на трехколесном велосипеде, — заверила Елизавета, — никаких проблем не будет.

— Боюсь, упаду, — вздохнула я.

— Ну что вы! Все его осваивают за пару минут, у вас чудесно получится, — пообещала Лиза, — две недели назад в замке жила семья немецких туристов, всем хорошо за семьдесят. Они сначала испугались, потом как понеслись! Не стали машины в аренду брать. За автомобиль платить надо, а сигвей бесплатно, представляете, какая экономия.

— Можно в замок такси вызвать? — малодушно попросила я.

Елизавета встала на один сигвей.

— В принципе да, но здесь извоз не очень развит. Местные жители такси не пользуются, туристы в основном ездят группами на автобусах. Если одиночка или пара, то они гида нанимают с машиной. Есть несколько человек, которые людей возят, но они этим в свободное время занимаются. Один сантехник, другой стилист, поэтому заказы они заранее принимают, дня за три.

— У вас прямо патриархальный быт, — вздохнула я, — и с мобильной связью проблема.

— Город окружен горами, — пояснила Лиза, — мы словно в кратере вулкана. И с телесигналом перебои, и с Интернетом не очень, в особенности зимой. Но это к лучшему. Большинство населения счастливо, что не слушает и не читает каждый день новости. Что в них хорошего? Там взрыв, там людей поубивали, крушение самолета, железнодорожная катастрофа... Ой, не надо! Я сюда шесть лет назад переехала, замуж вышла. Здесь вообще уникальный город, на три четверти русский, тут невеста из Москвы или Питера не второсортный товар, как в других странах, а самая лучшая партия. Я с собой маму прихватила, не хотела ее одну оставлять. Она давлением мучилась, головной болью, ходила с трудом. Сейчас быстрее внуков по лестнице бегает, потому что перестала на ужасы по телеку пялиться, везде пешком ходит, в клубе любителей собак состоит, по пятницам чаепития с подругами затевает, и глупые мысли о скорой смерти у нее в голове не крутятся. Мама с сигвеем распрекрасно управляется, а она вас намного старше. Ничего сложного нет. Нажали синюю кнопку и...

Лиза проехала вдоль стены.

— Нажали красную...

Агрегат остановился. Девушка слезла с него.

— Попробуйте.

Я взгромоздилась на площадку, вцепилась в Т-образную ручку и ткнула пальцем в пупочку. Платформа мягко тронулась.

— Супер, — зааплодировала Лиза, — теперь тормозите.

Поездив по большому гаражу минут пять, я признала, что необычным двухколесным средством легко управлять.

— Теперь потренируемся на поворотах и поймем, как увеличивать скорость, — продолжила курс молодого бойца Лиза, — один раз крутим правую ручку и рулим вправо. С левой то же самое! Но если мы завертим руль дважды, трижды, четырежды, то скорость начнет увеличиваться соответственно оборотам. Потренируемся?

Спустя пятнадцать минут я радостно сказала:

— Забираю каталку.

Елизавета расцвела улыбкой.

— Не сомневалась, что так и будет, пользуйтесь на здоровье. Если решите все же арендовать машину, то просто оставьте платформу на любой парковке, ее потом нам вернут. И вот еще.

Девушка открыла шкаф и взяла с полки жилет ярко-красного цвета.

— Вам придется его надеть. Правила дорожного движения велят всем кучерам сигвеев облачаться в такие вот безрукавки и кепки. Если человек давно пользуется колесами, то у него набор желтый, пожарный цвет у новичков, чтобы другие водители были особо внимательны при встрече с ними.

— Поскорее шарахались в сторону? — засмеялась я.

— Вроде того, — подтвердила Лиза, — застегните пуговички, жилет большой, его легко на куртку натянете, а бейсболку я вам к капюшону пристегну, у нее для этого липучки приделаны.

— Все продумано, — восхитилась я, становясь на платформу.

Елизавета нажала на пульт, ворота гаража поползли вверх.

— А в какой стороне город? — спохватилась я.

— Прямо и только прямо, — пояснила девушка, — быстро до центра домчитесь. Когда въедете на площадь, сверните направо и сразу тормозите, окажетесь у кондитерской. Отлично вам повеселиться, хорошего дня.

Я нажала на синюю кнопку и тихо порулила к большому мосту, который держали огромные цепи.

Глава 14

Первое время я кралась черепашьим шагом, потом, осмелев, воспользовалась правой ручкой. Платформа начала поворачивать.

— Лампа, ты коза! — громко сказала я. — Тебе же объяснили: два раза вертим и едем быстрее.

Пальцы выполнили задание, сигвей прибавил резвости, еще через минуту я снова «нажала на газ», и платформа понеслась. Меня охватил восторг. Вот это да! Лечу словно ведьма на помеле сквозь лес, вокруг никого, ни одной машины не видно, воздух восхитительный, настроение чудесное, хочется петь.

— А нам все равно, — заорала я, переполненная радостью, — а нам все равно, пусть боимся мы волка и сову...

Впереди замаячили дома. На полной скорости я внеслась на широкую улицу, через секунду оказалась на площади и задействовала ручку. Вместо того чтобы послушно повернуть в нужном направлении, платформа превратилась в реактивный истребитель.

— Стой, — испугалась я и опять повернула руль.

Дома замелькали с калейдоскопической скоростью, я проскочила мимо светофора, мигавшего красным глазом, и заметила впереди знак «тупик». Только сейчас до меня дошло, что Лиза забыла объяснить, как сбрасывать скорость. Перепугавшись, я дернула за левую ручку, агрегат поехал тише. Я выдохнула. Вот оно что! Правой набираешь скорость, левой ее уменьшаешь. Ой, мама! Дом! Улица упирается прямо в здание!

Я ткнула в красную кнопку. Сигвей встал как вкопанный. Меня сильно мотнуло вперед, пальцы отпустили служащую рулем палку, я замахала руками, поняла, что сейчас шлепнусь, зажмурилась и... ничего не случилось.

Осторожно приоткрыв один глаз, я поняла, что по-прежнему нахожусь в вертикальном положении. Двухколесный механизм оказался на редкость устойчивым. Я стянула перчатку и вытерла рукой вспотевший лоб. Лампа! Больше не раскатывай на бешеной скорости, не ори песни. Тише едешь — целее будешь. Включай первую передачу и черепашьим шагом в аптеку.

Я слегка покрутила нужную ручку, без особых проблем докатила до площади, ловко ушла влево, обрадовалась собственным водительским навыкам и вдруг увидела почти прямо перед собой маленькую беленькую малолитражку, за рулем которой сидела бабушка с вытаращенными глазами. Губы старушки шевелились, она то ли ругала госпожу Романову, которая не пойми как оказалась не на той полосе движения, то ли усердно молилась, предчувствуя скорую кончину от столкновения. Я вильнула вправо, бабуля синхронно проделала тот же маневр. В полном ужасе я метнулась влево. Угадайте, как поступила пожилая дама? Правильно! Она снова очутилась передо мной.

— Не двигайтесь, — заорала я, дергая ручку.

Сигвей послушно изменил направление и помчался прочь от древнего автомобильчика с престарелой водительницей за рулем. Пытаясь избежать столкновения, я перестаралась, слишком быстро завертела руль, и теперь платформа, опять набрав высокую скорость, выскочила на тротуар, по которому брел дед с большой собакой, одетой в синий комбинезон с высоко торчащим капюшоном. Я попыталась остановить сигвей, но он просто обезумел.

— Дедуля, — завопила я, — дедушка! Беги!

Но старичок не изменил траекторию, зато собака притормозила, подняла голову и замерла. Пешеходная дорожка сузилась. Слева от нее возникло железное ограждение, справа тянулся дом, посередине маячил пенсионер, старательно дергавший за поводок не желавшую шевелиться дворнягу. Я поняла, что сейчас смету парочку, и завопила что есть силы:

— Дедушка! Уйдите с дороги! Дедушка-а-а-а!

Не увидеть и не услышать меня было невозможно, но пенсионер, очевидно, страдал глухотой и слепотой, а псина оказалась под стать хозяину. И тут я вспомнила про кнопку, которая мгновенно останавливает сигвей, и что есть силы ткнула в нее пальцем.

Послышался визг покрышек, меня поволокло вперед, я стукнулась лбом о палку, которая исполняла роль руля, но ухитрилась устоять на ногах. Из груди вырвался стон. Слава богу, все живы! Я увидела улыбающегося старичка и совершенно ошалелую морду собаки с выпученными глазами. Капюшон на голове пса вздымался дыбом, он напоминал каминную трубу. Животное выглядело странно, у него была борода, шерсть на морде оказалась снежно-белой, а нос розовым. У меня разом вспотела спина. Лампа, хорошо, что ты вовремя вспомнила про кнопку! Сейчас колеса сигвея находятся в паре сантиметров от обомлевшего пса, еще секунда, и я бы переехала дворнягу, она это, кажется, поняла и от ожидания неминуемой смерти впала в ступор. А вот хозяин, в отличие от домашнего любимца, оказался менее умным, он, явно не сообразив, какой опасности избежал, весело улыбался, демонстрируя слишком белые, явно вставные зубы. Я смотрела на по-детски радостного пенсионера, пытаясь унять дрожь в ногах, а он вдруг произнес:

— Вау заблушош пшишь.

В городе, где все население прекрасно говорит на русском, мне встретился абориген, изъяснявшийся на иностранной мове. Я не поняла ничего из сказанного им и не сообразила, на каком языке он общается. На польском? Чешском? Или это китайский? Да какая разница, все равно я не владею ни одним из упомянутых наречий. Если бы посреди тротуара была арфа с табуреткой, я могла бы исполнить для пешехода и его Полкана концерт ми-бемоль мажор великого композитора Рейнгольда Глиэра, а вот балакать по-басурмански я не обучена. Но ведь неприлично молчать, когда к тебе обращается человек, родившийся в эпоху строительства пирамиды Хеопса? А уж учитывая то, что я едва не убила его, надо постараться принести извинения.

Я расплылась в улыбке, порылась в памяти, отыскала в ней каплю знаний по немецкому языку, некогда изучаемому в школе, и выпалила:

— Зитцен![1]

Старичок заморгал и кряхтя опустился на тротуар, собака тоже села и прищурилась. Я сообразила, что произнесла нечто не то.

— Ой, простите! Гутен... э... фрюштюк[2].

Дед приоткрыл рот, я заулыбалась еще шире, наклонилась... Сигвей неожиданно затрясся, я испугалась, схватилась за ручку и с воплем:

— Спасайтесь, — упала прямо на дедушку.

Он носил теплую пуховую куртку, на мне была такая же, поэтому я не ушиблась.

Сообразив, что лежу на поверженном пенсионере, я быстро отползла в сторону, села, увидела, что дед приподнимается, и обрадовалась. Он жив и вроде цел.

— Ушлас мля? — прокряхтел дедок.

Я попыталась предпринять еще одну попытку поговорить с милым, совершенно не разозлившимся на меня человеком:

— Э... битте... геен шпацирен[3].

Честное слово, я забыла, что означает это выражение, но в мою голову его насмерть вбила учительница Наталья Львовна Краснова, а она не могла научить ребенка плохому.

— Хрук брамсапути, — ответил старик, поднимаясь и протягивая мне руку, — встыбрк.

---

[1] Sitzen — сидеть (*нем.*).

[2] Guten Fruhstuck — хорошего завтрака. Лампа, наверное, хотела сказать: Guten Tag — добрый день.

[3] Spazieren gehen — идти гулять.

Я оперлась на неожиданно крепкую ладонь и тоже встала.

— Мерси.

— Хмп брстп валкш? — продолжал старичок.

— О господи, — выдохнула я. — Ну почему вы не понимаете наш язык? Большое вам битте[1] за то, что не разозлились и э... э... гебуртстаг![2]

Старик полез в карман, вытащил оттуда пробку от винной бутылки, зажал ее зубами и вполне внятно сказал:

— Девочка! Ты русская?

— Дедусенька! — обрадовалась я. — Почему же вы раньше что-то непонятное говорили?

— Спросил сразу: «Не поранилась, милая», а ты ответила не пойми что, — пояснил старичок, — меня все дядей Ваня зовут, я ветеринар.

— Извините, — смутилась я. — Наверное, плохо расслышала вас из-за капюшона на голове. А зачем вам пробка?

Дядя Ваня пригорюнился.

— Зубы, чтоб им неладно было! Совсем они у меня того... ни одного своего не осталось. Сделал протезы, красиво смотрятся, клыки белее унитаза, никогда таких не имел, свои от курева давно пожелтели. Но, гады, елозят, на язык падают. Начинаю людям объяснять, как собаку-кошку лечить, а народ просит: «Дядя Ваня, лучше напиши, не понять тебя». А потом я дотумкал, когда пробку прикусишь, челюсти не двигаются, речь, конечно, не как у диктора Левитана, но разборчивой становится. И...

---

[1] Bitte — пожалуйста.

[2] Der Geburtstag — день рождения.

Дядя Ваня умолк, наморщил нос и оглушительно чихнул. Из его раскрытого рта выпали съемные челюсти, держащие пробку, и, подскакивая, как мячики, исчезли в открытой нараспашку двери какого-то магазинчика. Дедушка громко ойкнул, собака вскочила и сердито посмотрела на меня.

— Дядя Ваня, сейчас принесу ваши зубки, — крикнула я, поспешила в лавку, услышала за спиной странные звуки и обернулась...

Пес, наклонив голову, бежал за мной. Я не боюсь собак, дома у нас с Максом живут два мопса. Но дворняга дедушки была большой, и при взгляде на ее прижатую к груди башку мне стало понятно: она торопится ко мне совсем не для того, чтобы нежно облизать меня.

— Шш... фф... ххх... — зашепелявил дядя Ваня.

Я развернулась, ускорила шаг и, войдя в лавку, увидела на полу две челюсти, которые по-прежнему сжимали пробку. Я наклонилась, чтобы подобрать их, и ощутила сильный удар в свою филейную часть, попросту говоря, в попу. Нечто стукнуло меня так сильно, что я шлепнулась на колени, а затем на живот.

— Дядя Ваня! — закричал грубый бас. — Вона чего твоя Люська устраивает! А ну, оттащи чертово отродье, пока я об ее спину лопату не сломал. Женщина, вы живы?

— Вроде да, — прокряхтела я, пытаясь встать. — Извините, разлеглась тут у вас, но что-то меня пнуло.

Крепкие руки подхватили меня, вернули в вертикальное положение, и я увидела крупного высокого мужчину.

— Люська, бестия, — сердито сказал он, — дядя Ваня с ней как с ребенком возится. Вот шельма и охамела совсем, на людей кидаться начала. Вожжей ей хороших по заднице выдать, прости Господи, опять нагрешил, выругался, а как тут гнев сдержать? Хорошо отцу Александру на проповеди про человеколюбие вещать, а если дураки повсюду?

— Шш... фф... ххх... — послышалось за спиной, я обернулась и увидела дедушку, который крепко держал за ошейник... козу. Капюшон комбинезона болтался у нее на спине, на голове торчали большие и, наверное, острые рога. Моя пятая точка незамедлительно заныла.

— Это не собака? — ахнула я.

— Тьфу, прямо, — возмутился мужчина, — Люська бодливая пакость. Прости Господи, опять согрешил словом бранным. А как еще ее назвать? Незабудкой? Если кто людей в задницу без предупреждения бьет, какое ему имя? Мерзавка рогатая, чтоб у нее копыта отвалились. Прости Господи, опять с языка нехорошее выражение слетело, каяться мне отцу Александру в воскресенье перед литургией целый час, выслушивать от него поучения. Но раз уж все равно наблудил, то еще от одного грешка хуже не станет. Горит озеро, гори и рыба. Люська сволочь! Дядя Ваня, какого рожна свою нелюдь везде с собой таскаешь? Пошто она бедной женщине задницу сломала?

Я осторожно ощупала себя сзади и решила успокоить разбушевавшегося мужика.

— В моей мадам Сижу нет костей, ломать в ней нечего, все в полном порядке.

— Какая мадам Сижу? — не понял дядька. — Где она? Люська и ее уконтрапупила? Дядя Ваня! Я к тебе хорошо отношусь, но если ты уродство поганое уму-разуму не научишь... Прости Господи, снова я под влиянием бесов оказался.

Дядя Ваня начал издавать нечленораздельные звуки.

— Где твоя пробка? — остановил его мужик.

— Юра, — неожиданно четко произнес дед и дальше снова разразился шипением.

— Вас зовут Юрием? — обрадовалась я. — А меня Лампа. Дядя Ваня чихнул и выронил челюсти. Они так прыгали! Прямо как зайцы! И в конце концов очутились здесь. Я хотела поднять зубы, схватила их, но коза меня пнула. Я выпустила протезы, а они раз... и пропали! Вместе с пробкой. Сейчас на пол смотрю, нигде их не вижу!

— Игорь! — завопил Юрий. — Сюда! Живо!

В зале словно из-под земли появился высокий стройный парень в синей спецовке.

Юрий похлопал в ладоши.

— Внимание! Слушай! Дядя Ваня зубы посеял! Они где-то тут! Найти надо! Быстро! Понял? Что такое вставные протезы, знаешь?

Молодой человек молча кивнул.

— Действуй, — приказал мужик, — дядя Ваня и вы, Люстра, пойдемте в мое кафе, угощу вас чаем с булочками, горячие еще, недавно из печки достал.

И только после слов о булочках я с запозданием догадалась, что нахожусь не в магазине, а в пекарне. Здесь стоит длинный стол, засыпанный мукой, на нем противень с рогаликами, скалка, кастрюли с тестом, в стене печи.

Старичок потер руки и дернул козу за ошейник.

— Фф... шш...

— Э-э, нет, — возмутился Юрий, — оставь ведьму рогатую за порогом, ее сюда не звали!

— Дорогой, что случилось? — спросил тихий голос, и в помещение вошла стройная женщина в бордовом платье.

Глава 15

Юрий быстро объяснил пришедшей суть вопроса.

— Дядя Ваня, — ласково произнесла она, — привяжи Люсю около моей аптеки за столбик и ступай взбодрись чайком.

— Вы Розамунда? — обрадовалась я.

— Да, — подтвердила женщина. — Надеюсь, Люся вас не сильно ударила. Дам вам прекрасную мазь от ушибов. Надо только сразу ее нанести, и синяка не будет. Пойдемте в фармацию, полечим вашу травму, а потом чайку у меня на кухне глотнете. Угощу Юриными завитушками, вкуснее их нет.

— Игорь, чего бездельничаешь? — разозлился кондитер. — Лоботряс! От Люськи и то проку больше, хоть бодается да молоко дает. А от тебя какой толк? Весь в свою бабку удался.

Игорь опустил голову.

— Давай ищи зубы, — еще сильнее разгневался Юрий, — не стой, как гнутая рельса! Ну?

— Милый, не пугай его, — попросила жена, — у мальчика проблемы со здоровьем.

Юрий побагровел.

— И зачем мне в пекарне убогий? Пусть на печке дома сидит и стонет, у нас лентяйничать нельзя. Понятно?

— Пожалуйста, не нервничай, — залепетала супруга, — давление подскочит. Игорек сейчас найдет протезы. Правда, дорогой?

Парень кивнул.

— Здесь я все решаю, — отрезал муж, — что можно, а что нельзя, никто мне указывать права не имеет. Ясно?

— Да, — кивнула Розамунда.

— Что бывает, когда меня не слушаются? — продолжал кондитер. — Напомнить? Какой сегодня день? А? Кто на свет появился?

Розамунда стояла молча. Игорь опустился на четвереньки и принялся ощупывать руками пол.

— Юрочка, он постарается, — прошептала жена. — Господь велел сирым помогать, Игорек не очень сообразительный, он тебя боится, поэтому даже слова сказать не может. Будь к нему милосерден.

— Замолчи! — буркнул супруг. — Разговорилась не вовремя, лучше женщине помоги, она еле стоит! Пошли, дядя Ваня, авось этот убогий живо кусалки отыщет. Взял на свою голову недоумка. Прости, Господи, мою гневливость. А как не гневаться? Я с четырех утра у печки, а помощничек в шесть заявился. Автобус, понимаешь ли, раньше не ездит. Тьфу! Пешком беги, на велик сядь, на собаке скачи, на метле лети. Если бы я вот так, на два часа позже, на службу явился! Вот бы покойный Степан, учитель мой, от всего своего незлобивого сердца и доброй души скалкой меня промеж ушей благословил бы. Упокой Господь Степана в царствии твоем, прости ему прегрешения вольные и невольные да пьянство черное.

Кондитер взял старичка под руку и провел в дверь слева. Розамунда смущенно залопотала:

— Простите, пожалуйста, Юра хороший муж, добрый человек, но сегодня день рождения нашей дочки Паулины, вот он и сорвался. Видите торт?

Я посмотрела на фарфоровое блюдо, стоящее на круглом столике.

— Очень красивый торт, украшен живыми орхидеями.

— Цветы из сахара, — пояснила Розамунда.

— Вот это да, — восхитилась я, — ваш супруг большой мастер.

— У Юры множество наград разных конкурсов, — похвасталась аптекарша, — и полно заказчиков не только в нашем городе. Но этот торт птицы склюют. Муж его на кладбище отвезет и на могилу Паулины поставит.

— Сочувствую вашему горю, — пробормотала я.

— Пойдемте, дам вам мазь, — предложила Розамунда.

Мы покинули пекарню и пошли по короткому узкому коридору.

— Давно это случилось, — вдруг сказала Фихте, когда мы очутились в уютной кухне, — не вчера. Мы с Юрой поженились, чтобы ребенок в законном браке на свет появился, наплевали, что наши матери на дыбы встали. Почему моя мама протестовала, понятно. Я в пятнадцать лет забеременела и скрывать свое положение и любовь к Юре не стала, заявила ей: «Аборт — это грех. Рожаю ребенка. Мы с Юрой поженимся». Мама сразу ответила: «Доченька, я и в мыслях не имела тебя на операцию отправить. Дети божий дар, мы воспитаем малыша. Но на венчание моего благословения не жди. Юра без штанов, еще ничего не заработал, под материнской пяткой сидит. Сельма из Верных, самая неистовая из них, на всю голову ушибленная...»

Вот вам мазь, прямо сейчас воспользуйтесь.

— Спасибо, у меня ничего не болит, — улыбнулась я, — а чаю бы я выпила с удовольствием.

Розамунда пошла к буфету.

— Могу предложить напиток с мятой и домашние кексы. Если предпочитаете пирожное, отведу вас в кафе к Юре.

— Обожаю маффины, — призналась я, рассматривая выпечку, которая лежала на плетеном подносе, — особенно привлекательно выглядит вон тот, в шоколадной глазури.

— Сейчас тарелку дам, — засуетилась Розамунда. — А вы откуда?

— Из Москвы, — ответила я. — Кто такие Верные? Уже не первый раз о них слышу.

— Вы где поселились? — не ответила на вопрос хозяйка.

Я взяла кекс.

— В замке Олаф.

— У Хансонов, — поджала губы Розамунда, — мда.

— Они вам не нравятся, — сообразила я.

Аптекарша включила чайник.

— Мерзавцы! Гореть им в аду! Елена, когда по замку туристов водит, про Эдмунда помалкивает, и всем ее клевретам да прислуге о старшем брате Карла упоминать запрещено. Хансоны в городе короли, с ними не то что ссориться, даже косо в их сторону поглядеть нельзя. Елена тогда со света сживет. Свои все, конечно, эту историю знают, а вот если вы вдруг любопытство проявите, скажете: «Вроде у Мартины двое детей родилось», то вам сразу соврут: «Нет, нет, Карл один». Однажды колбасник Павел лишнего в трактире хлебнул и туристке про Эдмунда растрепал. Да еще громко так, со смаком, весь шалман слышал. Ну чего с пьяного взять? Хансоны вроде никак не отреагировали, а через пару дней Павел к Юре пришел с вопросом:

— Почему ко мне в лавку никто не заходит? Еще в понедельник автобусы с туристами у дверей тормозили, влет мои корзиночки с мини-колбасками уходили. А со среды пусто. Товар пропадает, выручки нет.

Юра тоже удивился, у нас по-прежнему очередь стояла. И что оказалось? В Олафе на ресепшен объявление повесили: «Господа туристы, не рекомендуем вам делать покупки у колбасника Павла. Его изделия не отличаются хорошим качеством». Пришлый народ в магазинчик заглядывать перестал, местные тоже начали его обходить, гиды автобусы к другому мяснику направили. Лопнул бизнес Павла.

— Жестко, — вздохнула я.

— Хансоны такие, — поморщилась Розамунда, — а вот мы с Юрием всем правду об Эдмунде говорим, это наш долг перед Паулиной. Ни Елена, ни Карл нам не указ, но они нам дурного не делают. Знают, что я правду каждому встречному про старшего сына Мартины доложу. Но Хансоны делают вид, что понятия об этом не имеют. Почему? Не я их, а они меня боятся, за Юрой армия Верных стоит, свистнет муж, и от Олафа одни развалины останутся. И еще: во всем Мартина виновата, она главная врунья. Елене за нее стыдно, вот и не смеет она против нас с мужем войной идти. Придет ко мне кто из приезжих, товар наберу да спрошу: «Где вы поселились?» Если про Олаф слышу, всегда правду выкладываю.

Розамунда поставила передо мною большую кружку.

— Вот вы спросили, кто такие Верные? Много веков назад первый из известных нам Хансонов построил Олаф для своей жены, та была русская с большим приданым из княжеской семьи, знатная партия. Я читала книгу «Великие Хансоны», которую Анетта Брюке написала. Ей за нее премию дали в области литературы, хотя труд на самом деле исторический.

Анетта дотошная, она выяснила, что Магнус Хансон, от которого все они пошли, на самом деле никогда не являлся представителем знати. Он простой солдат, которому всего лишь повезло. Магнус вошел в русский город, и в него влюбилась княжна, родители не стали счастье дочери рушить, согласились на неравный брак. Олаф возведен на деньги русского князя, а не на жалованье солдата. Неча Хансонам богатством и родовитостью кичиться, все это не их заслуга.

Я молча слушала Розамунду. Что и как на самом деле случилось в тысяча двести бог знает каком году, сейчас узнать невозможно. Аптекарша же говорила и говорила.

Молодая жена прибыла к мужу с обозами, набитыми дорогими вещами, и с обширной челядью. Некоторые люди, приезжающие в чужую страну и понимающие, что жить им в ней до скончания века, стараются слиться со средой, перенимают местные обычаи, меняют религию, образ жизни, одежду. И радуются тому, что их дети в новой стране уже не чужестранцы, а коренные жители. Чаще всего в таких семьях быстро забывают некогда родной язык. Но в Гардсардрундъюборге получилось иначе. Русская дворня новобрачной и ее свита обзавелись местными мужьями-женами. Пращур Хансонов обожал княжну, выучил родной язык супруги. С тех пор повелось, что все мужчины семьи Хансон начали ездить за невестами в Россию. А их слуги и придворные подражали владельцам Олафа. Шло время, в округе появилось несколько замков, они переходили из рук в руки, в разное время становились тюрьмами, больницами, один даже был психиатрической лечебницей, потом у этих зданий появлялись новые владельцы, но ни одна из аристократических фамилий не могла встать вровень с Хансонами. Олаф был не очень велик, не очень богат, но он всегда принадлежал только одной семье, в чистоте крови которой не было сомнений. Хансоны всегда правили городом, устанавливали в нем свой порядок. И это, конечно же, кое-кому не нравилось. В особенности семье Лагер, которая тоже кичилась своим происхождением. Правда, большинство людей называло Лагеров чужими курами хозяйского двора. Почему?

Правнук Магнуса Ян, привезя себе жену из Твери, просто выполнял указания прадеда, соблюдал «Правило Олафа», велевшего всем мужикам из семьи Хансон соединять свои судьбы с русскими девушками. Ян законную супругу не любил, у него была фаворитка Сельма Лагер, которая родила ему кучу детей. Но и венчаная жена произвела на свет ораву наследников. Ян единственный из всех поколений Хансонов ухитрился переписать «Правило Олафа», хитрый мужик воспользовался тем, что в документе нигде не упоминалось, что его нельзя править или дополнять. Поэтому он внес туда пункт, что при отсутствии у Хансонов сыновей замок и власть по женской линии передаваться не могут, все имущество, земли и прочее наследует мальчик из семьи Лагер. А чтобы никто не посмел наплевать на его волю, Ян сделал то, о чем не позаботился его прадед Магнус, вписал в документ фразу: «Никто и никогда не должен ничего исправлять в «Правиле Олафа», да постигнет ослушника кара небесная, да поразит его чума». Вы понимаете, как Хансоны любили Лагеров? Первые считали вторых бастардами, а вторые терпеть не могли первых за высокомерие и нежелание признать, что они родственники. В прежние далекие годы между Хансонами и Лагерами часто вспыхивали войны, в замки подсылались отравители, несколько детей задушили в колыбелях. Перца в отношения добавляло то, что Хансоны всегда были богаче, они удачно вели дела, а Лагеры несколько раз разорялись и в конце концов в семнадцатом веке у них за долги отобрали замок. Лагеры уехали из города, Хансоны праздновали победу. В начале девятнадцатого века Густав Лагер, разбогатевший на торговле чаем, выкупил родовое гнездо. Некоторое время он вел себя тихо, но потом решил, чтобы навсегда прекратить давнюю вражду, сосватать свою дочь за Альберта, сына Хансона. Естественно, купец получил от ворот поворот. Ему объяснили, что молодой господин по традиции привезет жену из России, и она будет настоящего княжеского рода, а не дочью лавочника, чьи предки незаконнорожденные. Густав попытался переубедить соседей, пообещал за дочкой огромное приданое, рассказал, какой профит принесет объединение земель двух фамилий, но Хансоны с презрением отвергли все его предложения. Лагер затих, но уступить победу в одном сражении не значит проиграть всю войну. Альберт Хансон торжественно обвенчался со своей суженой Натальей. И через год, когда в Олафе отмечали крестины новорожденного мальчика, Густав явился незваным на пир. Стража не смогла его задержать. Он прорвался в зал, и дальше события разыгрывались словно в сказке. Густав исполнил роль злой колдуньи, обиженной на то, что ее не позвали на праздник по случаю рождения принцессы, она встала у ее колыбельки и напророчила ей море неприятностей.

Вот только Лагер не стал каркать, что жители и гости Олафа погрузятся на сотни лет в сон, он произнес другую речь. И его слова произвели эффект взорвавшейся бомбы.

Глава 16

— Зря вы радуетесь, — закричал Густав и поднял над головой бумаги, — мальчик-то совсем не родовит. Его мать не княжна!

— Немедленно уберите мерзавца, — распорядился Альберт.

— Да хоть убей меня, но твоя жена от этого благородной не станет, — заржал Лагер, — вот документ. Читайте. Наталья — дочь конюха и простой кухарки. Княгиня родить не могла, поэтому они с мужем забрали у простолюдинки, разрешившейся двойней, младенцев и воспитали их как своих детей. У меня записаны рассказы мужа поварихи, врача, повитухи, разрешавших бабу от бремени. Нет в Наталье ни капли благородной крови, там гнилая вода из тухлой лужи.

— Неправда, — закричала молодая Хансон и кинулась к своим родителям, которые прибыли из России на крестины внука, — папенька, маменька, велите подлому мужику замолчать. Клевета это все.

Но князь с княгиней отвели глаза, и Наталья, поняв, что Густав отнюдь не врун, лишилась чувств.

— Я предлагал вам свою дочь, — рассмеялся Лагер, — да вы сказали, что в жилах вашего внука кровь торговцев и бастардов никогда течь не будет. Ну так ликуйте, теперь у вас ребенок с кровью быдла.

Через неделю Альберт сделал официальное заявление.

— Я люблю жену, ее фамилия вписана в Бархатную книгу[1], есть документ о рождении у княгини младенцев Натальи и Александра. Лагер оклеветал мою супругу и весь ее род.

Старшее поколение Хансонов решило не раздувать скандал. Спустя месяц они снова пригласили родителей невестки в Олаф, закатили пышный бал, во время которого сказали, что призовут Густава к ответу. Хансоны явно настроились на войну, но вскоре после их заявления Лагер скончался от апоплексического удара, оставив после себя трех дочерей и четверых сыновей. По городку змеями поползли слухи: Альберт приказал убить Густава. Народ зашумел, дети покойного громко вещали: Хансон — преступник, у Натальи подлая кровь, а младенец Сергей не пойми чье отродье. Назревал нешуточный скандал. И неизвестно, чем бы он завершился, но шел тысяча восемьсот двенадцатый год, наступил июнь. Войска императора Наполеона Бонапарта переправились через Неман, началась Отечественная война. Князь, отец Натальи, отправился воевать, был ранен, вернулся героем, приехал в гости к зятю, в городок, наполненный жителями, для которых русский язык был и остался родным, он встретил его цветами. Наташа, забыв накинуть на голову платок, бросилась отцу на шею, увидела, что тот без ноги, и зарыдала так, что у местных баб перевернулись сердца. Жену Альберта полюбили в тот момент многие.

Наталья поняла, что население стало к ней добрее, и повела себя правильно. Она построила школу, боль-

---

[1] Бархатная книга — родословная книга наиболее знатных боярских и дворянских фамилий России. Составлена в 1687 году.

ницу, сама ходила по палатам, помогала медсестрам, устраивала праздники для детей, посылала бедным еду и одежду. Через десять лет госпожу Хансон стали считать святой, никто о ее простонародном происхождении и не вспоминал, а ее сыну люди кланялись в пояс.

Но не все изменили отношения к Хансонам. Дети Густава, их друзья, слуги организовали оппозицию и всякий раз на ежегодном празднике в честь дня рождения города требовали, чтобы Альберт отдал власть семье Лагер.

— Зачем нам русские? — вопрошал Франк Лагер, сын Густава. — Они пришлые, городом должен управлять человек, в роду которого нет иноземцев, представитель нашей фамилии, верный гражданин своей страны, женатый на женщине с чистой кровью.

Франк повторял одно и то же на протяжении многих лет, за что и получил кличку Верный.

Шли годы, десятилетия, Хансоны по-прежнему правили городом, обладали авторитетом, могуществом, деньгами, были благодетелями многих жителей, купались в море народной любви. Но потомки Лагера и их приспешников не сдавались, в Гарде развилось движение под названием Верные. Его члены даже сегодня не считают семью Хансон аристократической, полагают, что Карл и Елена должны отдать власть в руки Лагеров и выехать из Олафа, где поселятся новые владельцы: Фердинанд и Марта.

— А это почему? — удивилась я. — Замок всегда принадлежал семье Хансон, у Лагеров свой дом есть.

Розамунда развела руками.

— У Верных мозг больной. Хотя понятно, по какой причине они на Олаф нацелились. Замок — символ власти нашего города.

— Это смешно, — улыбнулась я, — не обижайтесь, пожалуйста, но местечко, в котором вы живете, небольшое, отнюдь не мегаполис. Тут нет значимых для государства предприятий или всемирно известного университета. Это просто старый населенный пункт, который охотно посещают туристы, любящие бродить по замкам.

Розамунда наполнила чаем мою опустевшую чашку.

— Бесполезно включать логику, у Верных она отсутствует. Вроде нормальные люди, но как только речь заходит о Хансонах, они делаются зомби и талдычат: русским у нас не место, жениться надо на своих, нужно выгнать потомков кухаркиной дочери Натальи. Возьмем мою свекровь, дряхлая старуха уже, но не сдается. Пару недель назад Петр Свенсон свадьбу играл, привез хорошую девушку из Питера, красавицу. Стоят молодые под аркой, увитой цветами, счастливые! Гости рыдают от умиления и радости, тут появляется Сельма, мать Юрия, и орет:

— Петер! Проклинаю тебя! Привел в город иноземное быдло!

Не побили Сельму только из-за ее возраста. Но что интересно! У нее магазин сувениров на центральной улице, туда туристы постоянно заходят, среди них много русских. Думаете, матушка моего мужа им козью морду корчит, товар отпускать отказывается, гонит вон из лавки? Как бы не так! Она мила, как сахарная головка, по-русски болтает лучше вас, ради процветания своего бизнеса готова любого россиянина расцеловать. Но если вы сюда на постоянное жительство переберетесь, Сельма в фартук камней наберет, окна вам побьет, кошку-собаку отравит, дверь дерьмом измажет.

— Как же она разрешила Юрию жениться на вас? — поразилась я.

Розамунда улыбнулась.

— Так я местная, у меня отец и мать не из России, и деды с бабками тоже. К Верным моя родня никогда не принадлежала, просто так вышло.

— Вы прекрасно владеете нашим языком, нет ни малейшего акцента, — восхитилась я.

— В нашем городе все говорят по-русски, — сказала Розамунда, — в школах с нулевого класса его преподают, он у нас второй официальный. Сельма меня постоянно в стан Верных привести хочет, но я не желаю ходить на их собрания и наполняться там злобой. А вот Юра у Верных один из главных.

Розамунда подперла кулаком щеку.

— Муж у них председатель. Его предок был управляющим у Густава, его правой рукой. Супруг нетерпим ко всему русскому, но к туристам относится как Сельма. И если торт заказывает, допустим, Мария Леонова, Юра приготовит прекрасное изделие. Это бизнес, работа. А в свободное время Юрий желает госпоже Леоновой самого плохого. У супруга тяжелый характер, он гневлив, скор на расправу, невоздержан на язык. Мы все верующие, ходим в церковь, отец Александр вечно мужу пеняет за его лексикон. Юра кается, но удержаться не может. И у нашей семьи есть причина ненавидеть Хансонов. Эдмунд, старший сын Мартины, убил нашу дочь Паулину.

— Боже! — воскликнула я. — За что?

Розамунда залпом осушила свою чашку.

— Паулинка красавица была, за ней ухлестывали многие, но она никому предпочтения не давала. Юрий строгий отец, непослушание он сурово карал. Паулине было велено являться домой не позднее восьми. И она знала: если задержится, отец розги возьмет. Я была на стороне мужа. Сама родила в очень юном возрасте, не хотела, чтобы дочка мою судьбу повторила, как могла оберегала ее от ошибок.

Я взяла чашку и сделала вид, что наслаждаюсь ароматным напитком. Если мать или бабушка категорически запрещают девочке носить мини-юбку, велят докладывать о всех своих передвижениях, названивают подругам, чтобы выяснить, у них ли находится дочь, велят двадцатилетней «малышке» в восемь вечера ужинать и отправляться в кровать, то к гадалке не ходи, эти мама или бабушка в свои подростковые годы гуляли так, что асфальт под ногами плавился. Они вспоминают, что творили сами, и, пытаясь замазать грехи собственной юности, держат дочку-внучку в крайней строгости. Розамунда родила Паулину в пятнадцать, Юрий был старше, он совратил несовершеннолетнюю. И она, и парень поступили опрометчиво. Хорошо, что все закончилось свадьбой и долгой семейной жизнью. И вот теперь те, кто в юности наломал дров, требовали полного послушания от своего ребенка.

А Розамунда продолжала рассказ.

Паулина была отличницей, вела себя примерно, особых хлопот родителям не доставляла. Но как-то раз она не явилась вечером домой; когда дочка опоздала к ужину, Юрий выдернул из брюк ремень и демонстративно повесил его на спинку стула. Часы показывали полдевятого. Спустя час отец пришел в ярость, обзвонил подруг Паулины, узнал, что той нигде нет, и разволновался. В десять Юрий помчался в полицию, но местные шерлоки холмсы вместо того, чтобы начать поиски, принялись успокаивать папашу.

— Да ладно вам нервничать. Девушка не маленькая, ну не пришла к ужину, и что? Скоро вернется, ступайте домой. Наверное, она поехала в соседний город, опоздала на последний автобус, дело житейское. Вы сами молодым были, вспомните себя и не дергайтесь. Утром она прикатит с повинной головой.

В пять тридцать Розамунда и Юрий застыли на остановке. Отец уже не хотел лупить дочь.

— Хоть бы жива-здорова была, — бормотал он, — слова плохого ей не скажу, пальцем не трону. Только пусть дома появится. Разрешу ей гулять за полночь, лишь бы появилась.

Глава 17

Но Паулина из автобуса не вышла. Полицейские встрепенулись и начали поиски. Тщетно. Дочь Фихте словно в воду канула.

Обезумевшие от горя родители, не доверяя городским сыщикам, наняли частного детектива, которого нашли в столице. Он не смог им помочь. Розамунда и Юрий сами обыскали окрестные городки, но никаких следов Паулины не обнаружили. Водители автобусов клялись, что не видели девушку, она билет не покупала, значит, не могла занять место в транспорте, а электричкой Паулина тоже не воспользовалась. Но ведь можно укатить на велосипеде, мопеде, такси, автостопом добраться куда тебе надо...

Родители были уверены, что дочь жива, она попросту сбежала. Любые отец и мать, не знающие, куда подевался их ребенок, лелеют надежду увидеть его.

Фихте не сомневались в побеге Паулины. Почему? За неделю до исчезновения девочки в районе часа ночи Юрий, маявшийся бессонницей, решил выпить травяной сбор, включил чайник, и в доме выбило пробки. Щиток находится в коридоре, прямо у двери в комнату Паулины. Отец открыл дверцу, щелкнул выключателем, ощутил, как по ногам гуляет сквозняк, и рассердился. Кондитер постоянно мерзнет, поэтому в доме даже летом всегда жарко натоплено. Розамунда тоже любит тепло, считает, что пар костей не ломит. А вот Паулина ныла:

— Мне дышать нечем! — и распахивала в спальне окно.

Желание дочери спать в прохладе было постоянным поводом для скандалов.

— Захлопни окно, — приказывал отец, — не желаю греть улицу.

— Сделай котел потише, — просила Паулина.

— В доме холодно, — отвечал Юрий.

— Ужасно жарко, — возражала дочка.

Конечно, Юрий всегда побеждал в этой битве. И вот сегодня дочь, решив, что родители спят, устроила сквозняк. Чтобы впасть в черный гнев, господину Фихте много времени не надо. С воплем:

— Сколько раз говорено, не устраивай в доме Северный полюс, — отец ворвался в комнату Паулины, увидел, что та спит, закрывшись с головой перинкой, сдернул ее и лишился дара речи. В постели никого не было, а приоткрытая рама тихо поскрипывала петлями.

Юрий бросился к жене, растолкал ее, и оба родителя ринулись в спальню дочери.

— С ума сошел? — возмутилась Розамунда. — Девочка мирно спит!

Юрий уставился на кровать, в которой лежала дочь.

— Ее тут не было. А! Понял! Мерзавка только что вернулась! Небось в верхней одежде лежит! Раздеться не успела, услышала, что мы бежим! Ну сейчас она огребет!

Кондитер резко сдернул с дочки одеяло. Паулина, облаченная в пижаму, открыла глаза.

— Папа? Ты что? Заболел?

— Где ты была? — заревел тот.

Девушка зевнула.

— Когда?

— Сейчас! — пошел вразнос Фихте.

— Здесь. Лежу. Сплю.

— Врешь! Пять минут назад кровать пустой была. Шлюха! Немедленно отвечай, к кому по ночам бегаешь? — ярился папаша. — Принесешь в подоле — утоплю и тебя и ребенка в реке!

Паулина села.

— Я в туалет ходила!

Юрий умолк, про санузел он не подумал, не заглянул туда.

— Спасибо, папочка, — нежно пропела дочь.

— За что? — не понял Фихте.

Девушка показала на окно.

— В голову не приходило, что через него вылезти можно, а ты мне идею подал. Завтра же убегу от вас, тюремщиков, навсегда.

Юрий отвесил Паулине затрещину, побежал в кладовку, принес молоток, гвозди и намертво забил раму.

— Можешь замуровать окошко, все равно удеру, — не сдалась Паулина.

И вот сейчас, спустя семь дней после того ночного скандала, бедные отец и мать говорили друг другу:

— Она жива! Просто сбежала, как обещала. Опомнится и вернется.

Но потом надежда найти Паулину целой и невредимой растаяла. К Фихте пришла соседка Катерина с умственно отсталой дочерью и доложила:

— В ночь, когда пропала ваша девочка, моя Таня видела ее с Эдмундом, старшим сыном Хансонов.

— Твоя дочь по паспорту взрослая, а по уму ей пять лет, — вздохнул Юрий, — напридумывала чепухи.

— Танечка с задержкой в развитии, — не стала обижаться Катя, — но она работает помощницей садовника в Олафе, прекрасно справляется с обязанностями, ею все довольны. Девочка не способна лгать, на это у нее ума не хватает. Танюша, расскажи про Паулину и Эдмунда.

— Он ее бил, — заявила ее дочь, — сидел сверху, делал то, что папа с мамой по субботам делают. Мамочке это нравится, а Паулине нет. Мама лежит тихо, а Паулинка вырывалась, царапалась, кричала... Эдмунд ее по лицу бум-бум-бум. Паулинка перестала орать, тогда он ремень взял, вокруг шеи ее обмотал...

— Боже, — прошептала Розамунда.

Таня умолкла.

— Продолжай, — процедил Юрий.

— Больше я ничего не видела, — сказала Таня, — сзади шаги услышала, испугалась, что Мартина меня поймает, подглядывать нехорошо.

— Там была Мартина Хансон? — обомлела аптекарша.

— Где Эдмунд бил Паулину? — скрипнул зубами Юрий.

— В садовом домике, за замком, — ответила бесхитростная Танечка, — меня туда Элиза отправила за маленькими грабельками для цветов в доме, я дверку дернула, заперто. В окно посмотрела, а там Паулина и господин Эдмунд. Они делали то, что папа с мамой по субботам. Это же нехорошо, да? Так только муж и жена поступать могут, мне мама объяснила, когда я ей рассказала, что увидела. Я там постояла, любопытно было. Потом услышала шаги, увидела, как из леса тетя Мартина выходит, и за домик спряталась. А она туда вошла!

— Ты уверена, что это была хозяйка Хансон? — прошептала Розамунда.

— Платье ее, — сказала Танечка, — красное, юбочка вот так торчит, вышивка красивая. Госпожа Мартина в нем иногда ходит. Она в домике осталась, а Эдмунд убежал. Он так плохо выглядел, весь исцарапанный, рубашку на ходу надевал.

— Боже! — прошептала Розамунда. — Боже! Срочно идем в полицию!

— Куда? — захохотал Юрий. — Да там и пальцем не пошевелят. Это же Эдмунд. Надо действовать иначе!!!

Через час вся община Верных в полном составе явилась в Олаф и потребовала встречи с Мартиной в гостиной замка. Юрий велел Танечке прилюдно повторить рассказ. Владелица замка не изменилась в лице, она ласково спросила умственно отсталую девушку:

— Танюша, а ты меня хорошо рассмотрела? Я улыбалась или плакала?

— Вы в шляпке были, — объяснила Таня, — низко ее надвинули, она широкая, лицо прятала. Платье красное с вышивкой я хорошо рассмотрела. Вот Эдмунда видела-видела-видела!

— Почему ты решила, что он с Паулиной был? — спокойно продолжала Мартина.

— Волосы длинные, светлые, — объяснила Танечка, — вот! Такие у Паулины.

Хозяйка Олафа взглянула на притихшую толпу Верных.

— Красное платье я давно отдала Элизе. Оно мне надоело. Горничная его часто в свободное время надевает, это на работе она в форме. Я только что приехала от доктора, это легко проверить, главврач клиники подтвердит, что я с полудня проходила обследование. К садовому домику никогда не хожу, он находится в лесу, на удалении от замка, я прогуливаюсь только по саду. Танечка, можешь рассказать подробно, что ты видела? Кто, как, где лежал?

— На диване лежали, — охотно завела рассказ главная свидетельница, — у Паулины волосы на пол свешивались, Эдмунд на ней был, Паулина кричала, он ее бил, она его царапала до крови.

— Лица их хорошо рассмотрела? — задала вопрос Мартина.

— Не-а, — честно ответила Танечка. — Паулина лежала, я только макушку и кудряшки видела, а Эдмунд вниз смотрел, голову не поднимал, у него волосы досюда.

Таня показала на основание своей шеи.

— Они вперед свисли.

— Какая у тебя отличная память, — похвалила ее госпожа Хансон. — Значит, когда я к домику приблизилась, ты за него забежала?

— Да.

— Но тогда ты не могла видеть лицо моего уходившего сына, — спокойно заметила Мартина, — только его спину. Так?

— Да, — снова подтвердила Таня.

Мартина стала еще ласковее.

— Ангел мой, дядя Юра Фихте сейчас к нам спиной повернется. Юрий, пожалуйста, вам не трудно выполнить мою просьбу?

Кондитер сделал то, что велела владелица Олафа.

— И как ты догадаешься, что это дядя Юра? — всплеснула руками Мартина. — Я вот не разберу.

Танечка засмеялась.

— Тетя Мартина, очень просто. Смотрите, брюки, как у дяди Юры.

— А-а-а, — протянула Хансон, — ты опознала Эдмунда по одежде?

— Да, да, — забила в ладоши Танечка, — он всегда в темно-синих джинсах ходит.

— Может, в садовом домике не мой сын и Паулина дрались? — вкрадчиво спросила владелица замка.

— Нет. Это был Эдмунд! Он хозяин, — уверенно ответила Таня, — разве кто другой может в домик без разрешения войти? Только Эдмунд и Карл. Но Карл джинсы никогда не носит.

— Ясно, — вздохнула Мартина. — А почему ты, глядя на волосы, про Паулину подумала? Блондинок у нас полный город.

Таня заморгала.

— Ну... это она... на полу резинка валялась с мишкой, такая у Паулины есть.

В гостиной повисла тишина. Мартина посмотрела на Фихте.

— Подведем итог. Таня видела мужчину в джинсах и женщину с белокурыми волосами. То, что это Паулина, ей стало ясно из-за резинки для волос, к которой был прикреплен мишка. Этот аксессуар в изобилии представлен в торговом центре, он весьма популярен у гимназисток. Танечка правдивая девочка, но не обижайтесь, Катя, мы все знаем состояние ее ума. Элиза!

— Да? — отозвалась управляющая, а заодно и личная горничная хозяйки.

— Расскажи им, что на самом деле произошло, — велела Мартина.

Горничная потупилась.

— Понимаю, — кивнула Мартина, — тебе неудобно. Я не стала бы вытаскивать на всеобщее обсуждение твои семейные проблемы, но, увы, придется. У Элизы есть троюродный брат Филипп, одногодок Эдмунда, он сирота, жил далеко отсюда. Горничная попросила меня помочь парню, дать ему работу. Я согласилась, поселила Филиппа в садовом домике, подарила ему старую одежду Эдмунда, поручила ему помогать по хозяйству. Юноша провел у нас всего три дня, сегодня Элиза пришла на работу в бывшем моем красном платье и, не переодевшись в форму, решила проверить, как брат устроился, пошла в домик и обнаружила там его с какой-то туристкой. За неподобающее поведение я выставила нового сотрудника вон, мне неприятности с экскурсантами не нужны. Повторяю еще раз, красное платье было на Элизе, лица той, что вошла в садовую постройку, Татьяна из-за шляпы с полями не видела. Филипп похож фигурой на Эдмунда, ему отдали старую одежду моего сына. Про девушку, которую он якобы бил и душил, дочь Катерины может сказать лишь одно: она блондинка. Танечка хорошая, но у нее развитие маленького ребенка, она ненадежный свидетель, не стоит верить ее словам. Но я все же спрошу, Танюша, ты любишь шоколадный кекс?

— Да, очень, — захлопала та в ладоши.

— Если сейчас ответишь на мой вопрос, Элиза принесет тебе самый лучший маффин, — пообещала Мартина. — Хочешь?

— Да! — запрыгала Таня.

— Ну, и почему ты решила, что та блондинка Паулина? Из-за резинки для волос?

— Да не знаю я, — заплакала Таня, — отстаньте, я устала!

— Хватит, — рассердилась Катя и обняла дочь, — перестаньте ее мучить. Танечка не совсем здорова, не давите на мою дочь.

Мартина встала.

— Девушка перепутала, она видела Филиппа. Перед тем как выгнать парня, я провела с ним беседу и выяснила, что мерзавцу нравится жесткий секс. Туристка тоже оказалась любительницей острых ощущений, она просила, чтобы ее били и душили. Вы, Екатерина, очевидно, о подобных извращениях не знаете, поскольку являетесь добропорядочной женщиной, которая исполняет супружеские обязанности молча, не шевелясь. Но не все такие, некоторые особы излишне страстны, и мужчины летят к ним как мухи на мед. А теперь покиньте все мой дом, куда вы явились без приглашения, чтобы опорочить доброе имя Хансонов. Я не подам на вас в суд за клевету только потому, что понимаю, в каком горе пребывает сейчас семья Фихте. И последнее, но, наверное, самое важное. Эдмунда вот уже несколько дней нет дома, он уехал в Хельсинки, живет там в гостинице, занимается поисками дизайнера. Мы собрались делать в замке ремонт. Элиза, ты можешь подтвердить местонахождение моего сына?

— Да, госпожа, — без задержки ответила та, — а еще повариха Беата, ветеринар Эклунд и его жена, наша кастелянша, то же самое скажут. Они во дворе были, когда господин Эдмунд в машину сел и отправился на вокзал. И можно же в отеле все выяснить, там постояльцев регистрируют, когда кто приехал-уехал, в книге записано.

Толпа Верных застыла в растерянности.

— Элиза, выдай бедной Танечке побольше кексов, — велела Мартина и удалилась...

Розамунда посмотрела на меня.

— Знаете, что было дальше? Через пару дней после нашего визита в Олаф Элиза гуляла с собакой по берегу реки. Пес начал рыть под каким-то деревом и нашел сумку. В ней находились вещи Паулины, разорванные, окровавленные. В полиции сделали экспертизу и подтвердили — это кровь нашей дочери. Паулину кто-то зарезал, бросил тело в воду, река его унесла. А что с Эдмундом случилось? Мартина обозленным Верным сказала, что старший сын в Хельсинки еще до пропажи Паулины уехал. Полиция отель проверила. И что? Эдмунд туда приехал до исчезновения моей бедной дочки. Дальше наследничек Хансонов из Финляндии в Нью-Йорк отправился.

Розамунда недобро улыбнулась.

— В лайнер-то он вошел, а вот из него не вышел. Катастрофа случилась, самолет в океан рухнул. В газетах потом список погибших пассажиров опубликовали, Эдмунд Хансон был среди них. Парень погиб, его труп в океане гниет. Да только я уверена, что старший сын Хансонов не умер, где-то он сейчас живет под другим именем. Это он Паулину изнасиловал и убил, а Мартина и Виктор сынка из-под удара вывели. И Юрий того же мнения. Рано или поздно правда вылезет наружу! Расскажите об этой истории всем членам своей группы, объясните в турагентстве, от которого сюда приехали, что Олаф надо исключить из маршрутов! Карл брат убийцы! Он не имеет права городом править.

Я схватила чашку и начала изображать, что наслаждаюсь чаем. В голове возник вопрос. Если Элиза так предана хозяйке, то по какой причине она отдала найденную окровавленную одежду Паулины в полицию? Сжечь платье в камине ничего не стоило. Улики легко превратить в пепел, тогда ни одна душа не узнает, что девушка погибла. Паулину могли по сегодняшний день считать сбежавшей от авторитарных родителей. Ладно, пусть Элиза сглупила, кликнула полицейских, не поставив в известность о находке Мартину. Но тогда, узнав о поведении прислуги, Виктор просто обязан был ее выгнать. А Элиза до сих пор служит в доме, более того, она стала управляющей. Разве так поступают с горничной, которая без согласия владельцев замка вызвала полицию? Может, «найти» сумку Элизе приказала Мартина? Но зачем?

Глава 18

Назад в Олаф я добралась без приключений, сдала сигвей на ресепшене, где уже сидела другая девушка, решила погулять и спросила:

— Говорят, тут есть садовый домик? Памятник архитектуры.

— Нет, — удивилась администратор, — на территории только беседки, но они в марте не функционируют. Не советую вам идти в парк, ничего интересного там нет. Скульптуры закрыты, ни цветов, ни зелени, снег повсюду лежит.

— Меня интересуют оригинальные здания, — соврала я. — Одна местная жительница рассказала, что домик очень красивый, с башенкой, ровесник замка.

— Элиза! — крикнула портье. — Можно вас на секундочку?

Из служебного помещения вышла управляющая.

— Гостья спрашивает про старинное здание в саду, — пустилась в объяснения дежурная, — но у нас на территории никаких построек нет.

Элиза сложила руки на груди.

— Это не в парке, а в лесу, почти на берегу реки. Там в мою молодость была избушка. Очень старая. Госпожа Мартина, царствие ей небесное, как-то раз обмолвилась, что в далекие годы там жил хранитель, но их еще в девятнадцатом веке запретили.

— Хранитель? — не поняла я. — Чего?

Элиза улыбнулась.

— Раньше в каждом замке был священнослужитель. Сейчас почти все в городке христиане, а в древности во что верил владелец замка, то и его родня-слуги почитали. Но, несмотря на различные религиозные взгляды, все сходились в одном — от дома надо бесов прогонять, и нанимали хранителя. Он жил в маленьком домике на отшибе, молился за здоровье хозяев, их родственников, челяди, совершал всякие обряды, а его за это кормили-поили. Не знаю, откуда такие люди брались, но если приходили, то уйти уже не могли, их на цепь приковывали. Потом хранителей держать запретили, но кое-где они даже после Второй мировой войны встречались. Моя мама одного такого видела. Сидел на привязи, ел как собака из миски на полу.

— Ужас! — передернулась портье.

— Когда я в Олаф пришла, — продолжала Элиза, — домик использовали как временное пристанище для рабочих. Приедет из другого города какой-нибудь мастер, ну, допустим, дымоходы чистить. За один день ему не управиться, он и переночует в лесу, там уютно было, мебель стояла, раковина была, печь. А потом избушка сгорела.

— Вот жалость, — воскликнула я. — А когда это случилось?

Элиза призадумалась.

— Незадолго до смерти госпожи Мартины. Ночью занялось, никто пламени не видел. К утру от постройки один подвал остался.

Я постаралась выглядеть расстроенной.

— Пропал памятник архитектуры.

Элиза махнула рукой.

— Да кому он нужен? Просто сарай, ничего интересного.

В здание ресепшен вошла высокая угловатая девушка в длинной юбке, свитере и меховой жилетке. Роскошные блестящие локоны падали ей на плечи.

Я сразу узнала Валерию, которая убирала утром в столовой с пола кашу.

— Сделала? — спросила Элиза. — Хочешь обедать? Иди на кухню!

Служащая молча выскользнула.

— Не обижайтесь, что Лера вас не поприветствовала. Немая она, — пояснила Элиза.

— Да, помню, нам об этом за завтраком сказали, но вроде бедняжка хорошо слышит, — кивнула я.

— Лера моя дальняя родственница, — вздохнула Элиза, — ее в детстве поезд напугал. Стояли они с матерью на платформе, ждали электричку, смотрели в сторону семафора, и вдруг за спиной, как заорет: у-у-у! Мимо станции, ревя во весь гудок, пролетел скорый поезд. Маленькая Валерочка так громкого звука испугалась, что навсегда замолчала. Куда ее только потом не водили, по всем докторам таскали, медики одно и то же твердили: девочка здорова, это стресс, наверное, он пройдет, а может, и нет. Ну вот и не прошел. Лера умная, исполнительная, после смерти матери я ее из Питера сюда привезла, теперь она в Олафе работает. А кто вам про домик сказал?

— Аптекарша, — пояснила я, — говорила, что он очень интересный с архитектурной точки зрения.

— Розамунда, — поморщилась Элиза, — несчастную муж столько раз по голове бил, что мозг отшиб. Она несет чушь. И откуда ей знать, что у нас в лесу есть? Розамунда в замке никогда не служила.

Я изобразила удивление:

— Кондитер показался мне приятным мужчиной, вежливый, услужливый, очень вкусные пирожные печет.

— Насчет последнего не спорю, — согласилась Элиза, — руки у Юрия золотые, он талантливый, торты Фихте славятся, за ними бог весть откуда приезжают. Перед возвращением домой купите у него коробку медового печенья, оно несколько месяцев хранится, ни свежести, ни вкуса не теряет. С туристами Юрий слаще своих эклеров, всегда улыбается, кланяется, по-русски разговаривает, а на самом деле он вас ненавидит.

— Мне рассказали, что Фихте из Верных, — кивнула я.

Элиза поморщилась.

— И он, и его мамаша, по той вообще сумасшедший дом давно плачет. Юрий плохой человек, он постоянно скандалы затевает, со многими отношения испортил, мне, например, всегда гадости говорит при встречах. Я к нему в кондитерскую не хожу. К Розамунде тоже не заглядываю, но часто ее на рынке или в супермаркете вижу. Вечно у нее то глаз подбит, то синяк в пол-лица. Всем известно, что Фихте супругу колотит. Госпожа Елена переживала, все говорила:

— Элиза, может, нам вмешаться? Вдруг Юрий Розамунду убьет?

А я ей всегда отвечала:

— Извините, но помогать надо тому, кто просит о помощи, а Фихте к вам не обращается. Наверное, ей колотушки нравятся, кто зуботычинами на самом деле недоволен, тот в полицию бросится.

Элиза уперла руки в бока.

— А потом прошлой весной Розамунда на прием к госпоже Хансон записалась. Такое любопытство меня обуяло! Прямо огнем жечь начало. Не выдержала я, поинтересовалась после ее ухода у хозяйки:

— Неужто аптекарша созрела, чтобы на Юрия пожаловаться?

— Нет, она просила разрешения на сбор лечебных трав в нашем лесу, — ответила Елена.

Ой, думаю, зря хозяйка по доброте душевной бабу пожалела, наделает она нам беды. И точно! Через неделю я Розамунду в коридоре замка поймала.

— Вот это да! — ахнула портье. — Она без спроса вошла?

— Да, Людочка, — подтвердила Элиза, — ладно бы к группе экскурсантов примкнула, хоть как-то объяснимо: желала посмотреть Олаф изнутри.

— Но она его должна знать, — возразила Людмила, — в замке устраивают балы, купить билет любой может, он недорогой. Я приобрела, пойду на сотое торжество. Мне Лиза, сменщица моя, рассказывала, что интерьер впечатляет. Стариной стены дышат.

— Верно, милая, — согласилась Элиза, — но гостей впускают исключительно на территорию для туристов. В покои хозяев им дороги нет.

Люда прикрыла рот ладошкой.

— Аптекарша на половину господ Хансон вперлась? Вау! Как она туда пробралась?

Элиза оперлась о прилавок.

— В замке несколько входов, туристы через один внутрь попадают, те, кто в гостинице живет, другим пользуются, прислуга третьим, а у Хансонов своя дверь, они ее постоянно запирать забывают. И про створку, которая с лестницы вход на их территорию блокирует, не думают, в лучшем случае табличку «Не входить» повесят. Сколько раз я перед уходом домой все тщательно закрывала, но я заканчиваю работу в девять вечера, хозяева еще не спят, они перед сном гулять любят в любую погоду, даже в плохую по саду бродят. Приду утром и нахожу их дверь чуть ли не нараспашку, ну, прямо как дети. Розамунде запретили после того случая даже к воротам Олафа приближаться, привратника предупредили: Фихте без особого распоряжения никогда не впускать.

— Интересно, чего она хотела? — полюбопытствовала портье.

— А, — махнула рукой Элиза, — нацелилась украсть что-то, у хозяев много антиквариата, коллекционеры за старинные вещи грузовик денег отвалят.

— Розамунда и Юрий не нищие, — подначила я

управляющую, — у них кондитерская, аптека. Сами говорили, что торты Фихте популярны.

— Оно так, — кивнула Элиза, — но у Юрия мать совсем разум потеряла, одну ее оставить нельзя. Физически Сельма крепче многих, а ум уехал, скандалит вечно, может камнем в прохожего кинуть. Сначала кондитер мамашу у себя поселил. Но у бабки такой вздорный характер, что даже сын не выдержал, назад домой ее отправил, нанял ей двух сиделок. Одна днем пашет, вторая ночью. Недешевое удовольствие. Прибавьте сюда дорогие лекарства, плату за визиты врачей. Можно много плохого о Фихте сказать, но сын он образцовый, все старается мамашу от маразма вылечить. Все деньги на старые мощи тратит. Мне тут Анетта из банка нашептала, что у него на счетах почти ничего нет. Вот Розамунда и решила покрысятничать.

— А я с гостьей согласна, — неожиданно встала на мою сторону Людмила, — покупаю в аптеке успокаивающий чай, знаю Розамунду, она на воровку не смахивает, лицо у нее порядочное.

— У всех преступников приличный вид, — отрезала управляющая, — иначе им никого не обокрасть.

— Бедная женщина, — сказала Людмила, — она мне рассказала, как Эдмунд, старший сын Хансонов...

Договорить девица не успела. Элиза стукнула ее по спине.

— Ой! Больно! — взвизгнула портье.

— Выпрямись, — приказала управляющая, — скрючилась, как у себя дома. Ты на работе. Гостье чай-кофе предложила? А ну, живо организуй!

Девушка в мгновение ока унеслась в служебное помещение.

— Вот она, современная молодежь, — разозлилась Элиза, — учим ее, учим, а знания в уши влетели, через нос вывалились. Рада бы дорогу в домик вам показать, да нет его давно. Сейчас вам напитки подадут.

Я начала отступать к двери.

— Спасибо, лучше подышу свежим воздухом.

— Отличной вам прогулки! — воскликнула Элиза, — полюбуйтесь на наш мост, очень интересное сооружение. Около будки охраны есть его макет, увидите, как в древности цепи работали.

Глава 19

Я вышла на крыльцо, постояла минуту, потом на цыпочках вернулась в небольшой тамбур, где в круглой подставке стояло несколько зонтиков, присела около двери и приложила ухо к большой скважине старинного замка́, похоже, современника Олафа. Понятное дело, я не видела, что происходит в помещении ресепшен, но разговор присутствовавших там женщин слышала распрекрасно.

— Что ты себе позволяешь? — злилась Элиза.

— А что я сделала? — пролепетала Людмила.

— Сколько в Олафе служишь?

— Три месяца.

— Знаешь сколько людей на место за стойкой претендовало?

— Ну... немало.

— Очень много, — уточнила управляющая, — госпожа Хансон уж не знаю за какие заслуги тебя выбрала.

— У меня диплом исторического факультета, — затараторила девушка, — Елена обещала, что через год меня в экскурсоводы переведет.

— Не Елена, а госпожа Хансон, — ледяным голосом произнесла Элиза. — Я тебя сама к службе готовила. А ты!

— Что?!

— Хотела передать туристке глупую сплетню про Эдмунда? Процитировать брехню Розамунды?

Молчание.

— Пересказать бред аптекарши? — не утихала Элиза.

— Но...

— Она сумасшедшая!

— Но...

— Еще раз возразишь, вылетишь из Олафа вон! — пригрозила Элиза.

— Розамунда до сих пор по дочке плачет, — прошептала Людмила, — она меня попросила...

Девушка замолчала.

— Продолжай! — велела Элиза.

— Посмотреть в кладовке в подвале, который под покоями господ...

— Говори живей, не жуй сопли!

— Что там лежит...

— И ты согласилась!

— Нет, нет, нет, она мне денег обещала, если сфоткаю плитку.

— Плитку? — удивилась Элиза. — Какую?

— Которую на пол кладут или на стены.

— Кафель?

— Да.

— В замок его не привозили.

— Розамунда сказала, что Карл затевает ремонт, — пустилась в объяснения девушка, — покупает отделочный материал. У аптекарши есть брат...

— Нет у нее родственников, — перебила Элиза.

— Она сказала: есть брат, — возразила Людмила, — он торгует стройматериалами. Хочет от замка заказ получить, сюда ого-го сколько всего надо. Чтобы родственник Фихте мог Карлу точь-в-точь такую плитку, как тот уже приобрел, предложить по более выгодной цене, мне надо ее сфоткать там, где написано название, цвет, штрихкод. Хозяин услышит, что ему достанется аналогичный товар, но на треть дешевле, сдаст ранее купленную, и у брата Розамунды кафель возьмет, сделает его своим поставщиком.

— Надеюсь, ты этого не проделала!

Молчание.

— Сфотографировала! — возмутилась Элиза.

— Нет, нет, нет, — без особой уверенности в голосе пролепетала портье, — я только...

— Только что, отвечай, идиотка!

— Не имеете права так со мной разговаривать, — отважилась качать права Людмила, — вы управляющая, не хозяйка.

— Отлично, — протянула Элиза, — сейчас узнаешь, каковы мои полномочия. Пойду к господину Карлу...

— Ой, не надо, — испугалась девушка, — меня выгонят.

— Не выдам, если честно расскажешь, что сделала.

— Плитку я не сфоткала, — всхлипнула портье, — побоялась. И как я от стойки отойду? Наврала аптекарше: «Ой, там полумрак, снимок не получается!» Она спросила: «Пачки видела? Они там есть?» Я опять солгала: «Ага, лежат, штук сорок или пятьдесят, не считала. Что за цвет, кто кафель произвел, не поняла, все ярлыки с упаковок сняты, там одна бумага и синтетические веревки». Розамунда расстроилась, но потом повеселела и попросила разузнать, что за машина стройматериалы привозит. Я пообещала, но у меня времени нет на двор бегать. Она все время спрашивает про автомобиль, а я говорю, что он пока не прикатывал.

— Общаешься с Розамундой, значит, — протянула Элиза, — а ведь тебя предупредили: никаких контактов с Фихте. Наплевала на приказ хозяев? Как теперь с тобой поступить?

Послышались всхлипывания, потом рыдания.

— Не рассказывайте никому, меня выгонят, я кредит за обучение в университете выплачиваю, квартиру снимаю. Госпожа Хансон разозлится, хорошей характеристики не даст. Она очень влиятельная, начну в другой замок пристраиваться, Елене...

— Госпоже Елене!

— Да, да, да, госпоже Елене позвонят, она расскажет, что я ее указаний не выполнила.

— Раньше о последствиях думать следовало! Сколько денег тебе Розамунда, тварь гадючая, заплатила?

— Нет, нет, нет, ни копеечки! Я просто помогла ей из жалости! Дочку ее Эдмунд изнасиловал и убил. Она мне всю правду открыла.

— Прекрати чушь нести! Старший сын Мартины в самолете погиб, когда в Нью-Йорк летел.

— А-а-а, вам можно ее просто Мартиной звать, а на меня орете.

— Сравнила кирпич с бриллиантом. Я в Олафе с детских лет и ни одного замечания не заработала, а ты без году неделя и уже в историю влипла. Денег не брала у Фихте?

— Нет, нет, нет!

— Что тогда? Чем тебя соблазнили?

— После работы я в аптеку захожу, — прошептала Людмила, — Розамунда мне коробочку с ужином-завтраком дает. Там булочки, пирожные, пицца... всякое такое. Обедаю в Олафе бесплатно. Теперь на еду вообще не трачусь, быстрее кредит выплачу.

— Мерзавка, — с чувством произнесла Элиза, — продалась за плюшки! Кто ты после этого? Как могла общаться с Фихте, которая семью Хансон оболгала из беспричинной ненависти?

За моей спиной послышались шаги, потом топот. Кто-то на крыльце счищал снег с подметок. Я выпрямилась, толкнула входную дверь и увидела Кирилла Григорьевича, отца противной девчонки Гали.

— О! — попятился он. — Здрасте! Как себя чувствуете? Говорят, у вас грипп. Почему вы без маски? Хотите всех заразить?

— Желудок у меня болел, — ответила я, — овсяной каши Беаты не выдержал. Вашему здоровью ничто не угрожает.

— Лампа, вы поправились, — обрадовалась Ирина, поднимаясь на крыльцо, — отличненько! После обеда едем в замок Брюгге. Вам там ужасно понравится. А сейчас ням-ням!

— Замечательно, — воскликнула я и отправилась в столовую.

«Ужасно понравится!» Забавное словосочетание.

* * *

Замок Брюгге оказался огромным. Когда наша группа обошла первый этаж, я не чувствовала ног, села на скамеечку, но меня тут же подняла Ирина.

— Скорей, скорей, на втором уровне потрясающая коллекция гобеленов.

Делать нечего, пришлось тащиться вверх по лестнице с высокими ступенями и еще почти три часа шататься по разным залам, рассматривая ковры, люстры, столы-стулья и слушая безостановочную болтовню Ирины. Ладно бы она просто рассказывала, нет, экскурсовод решила прикинуться строгой учительницей — встав около какого-нибудь экспоната, она смотрела на меня и заявляла: «А сейчас Евлампия вспомнит, чем был знаменит король Филипп Красивый». Или: «Лампа, кто придумал коридор?» «Не знаю», — бормотала я, и Ирина пускалась в объяснения. В конце концов она притормозила у большой витрины и завела:

— Перед вами копия ларца княгини Беатрисы. Подлинник, увы, не сохранился. Оригинальную вещь сделали в одна тысяча триста пятнадцатом году. Сейчас госпожа Романова нам расскажет, что тогда случилось, ну... ну... что же вы, Лампа! Ладно, подскажу. В ноябре власти Флоренции заочно приговорили поэта Данте Алигьери к сожжению, так как не могли заставить его вернуться на родину.

Когда я услышала это выступление Ирины, мне, уставшей от роли главной двоечницы, захотелось ущипнуть ее побольнее за нос. Но, как вы догадываетесь, я только мило заулыбалась. И тут вмешалась Галя:

— Чего вы к Лампе приматываетесь постоянно? Завидуете ее красивой дорогой сумке? Чё, она вам экзамен сдавать приехала? Отдохнуть хочет. За фигом нам про этого Панте Амилери слушать? Я б ваще на родину не поперла, если бы меня там поленом для костра сделать решили. Я устала! Хочу чаю с пирожными. В замке противно воняет! Ма-а-ма! Ты где? Ма-а-ма!

— Не кричи, ты в музее, — сделала ей замечание Мэри.

Галина наклонила голову, подняла указательный палец и начала вертеть им перед лицом госпожи Лесиной.

— Вы мне не тыкайте! Я с вами из одного корыта не хлебала. Права не имеете замечания мне делать.

— Деточка, ты не умеешь себя вести, — процедила сквозь зубы Мэри.

— А вы, бабушка, краситесь по-уродски, — не осталась в долгу Галина, — похожи на Марфушу, щеки румяные, морда белая, ресницы забором торчат. На хорошую косметику жадитесь? Дерьмо по каталогу берете? Сразу видно, какого говна взяли, тушь комками висит. Зачем перламутровые тени намазюкали? Они в морщины забились, вы стали похожи на жуть ходячую, и ярко-красной губнушкой старухи только в гробу красятся. Вы ваще страшилище и воняете отстойными духами, типа ароматизатора для туалета. Но я же вам замечаний не делаю. А вы пастью щелкаете. И кто плохо воспитан? Как вам мой вопрос?

Лицо Мэри приобрело свекольный оттенок.

— Андре! Прикажи этой твари замолчать.

— Да, — коротко ответил муж и ретировался в другой конец зала, подальше от обозленной жены.

— Бабушка, ваш дедушка трус, — хихикнула Галя.

— А теперь перейдем в другой зал, — опомнилась Ирина, — налево. Перед вами копия греческой статуи. Гермес. И кто он такой? Сейчас на этот вопрос нам ответит...

Взгляд Ирины вновь сфокусировался на моей особе, Галина дернула меня за плечо, я сделала шаг в сторону. Экскурсовод на секунду умолкла, потом добавила громкости голосу:

— Сейчас на этот каверзный вопрос отвечу я! Гермес — бог...

Я приблизилась к стеклянной витрине и стала рассматривать выставленные там тарелки.

— Они, наверное, тоже ненастоящие, — сказала за спиной Галя.

Я обернулась.

— В Брюгге, похоже, ничего подлинного нет, одни копии.

— Мне плевать, — пожала плечами девочка.

— Спасибо тебе, — тихо сказала я, — мне так хотелось ущипнуть Ирину за нос, надоела она мне своими глупыми вопросами.

— Прикольно, — хихикнула Галина, — позовите меня, когда до ее морды доберетесь, я фотку в «Инстаграме» выставлю.

— Мне слабо, — призналась я.

— Если молча гадости слушать, то их еще больше скажут, — протянула Галя, — а дашь по зубам, и сразу заткнутся. Тут такая скука! Сдохнуть можно.

— Не очень интересный музей, — согласилась я.

— Я про город говорю, — на удивление спокойно уточнила девочка, — вы в гостинице остались, а нас после экскурсии по Бр-др... ваще жуткое название, прокатили. Жесть! Один кинотеатр. Один!!! Единственный клуб!!! И тот при церкви. Ну ваще прямо. А как они здесь одеты! Магазины отстой! Еда дерьмо!!! Я в Москву хочу.

— Галина! — прошептала, подходя к нам, Валентина, — отстань от Евлампии. Неприлично мешать человеку наслаждаться экскурсией. Твое поведение возмутило отца. Нельзя так со старшими разговаривать, ты нахамила Мэри.

— Поход по этому замку скучен, — сказала я, — мне намного интереснее общаться с Галей, она умная девочка. И я ей благодарна за то, что она остановила Ирину.

Валентина вскинула брови, дочь рассмеялась и ушла в соседний зал.

— Вы просто хорошо воспитаны, — вздохнула Ручкина, — Галину хвалить нельзя. Едва она услышит похвалу в свой адрес, как начинает еще больше нагличать. Муж считает, что ей розги нужны, и он прав. Ну почему у нас такая дочь родилась? На другие семьи посмотришь, дети замечательные, а у нас прямо беда!

Качая головой, Валентина поспешила к группе, которая медленно выдвигалась в коридор. Я посмотрела вслед Ручкиной. За морем солнце ярче и пряник слаще. Старая пословица не теряет своей актуальности и сегодня. Не надо завидовать чужому семейному счастью, под каждой крышей свои мыши, и твои грызуны не самые злые и жирные. Похоже, Валентина просто не любит Галю. Да, девочка обута, одета, накормлена, поехала с папой и мамой за границу. Но заботиться о ребенке и любить его разные вещи. Увы, многие родители считают, что это одно и то же. Я накормила дочь обедом? Значит, обожаю ее. Нет, дорогая, варить ребенку суп это твоя обязанность, которую ты обрела, когда произвела его на свет. Обязанности надо выполнять. А вот любовь... Она или есть, или ее нет. И, если мать с горечью говорит: «У всех дети как дети, а моя сплошное несчастье», значит, она просто не любит дочь.

Глава 20

Ночью я проснулась от того, что в моем матрасе включилась функция массажа. Первые секунды я лежала, ощущая, как под правой ногой шевелится нечто размером с кулак, потом оно переместилось под спину. Я снова закрыла глаза, массажер неожиданно воткнул в меня иголки. Я ойкнула, села, зажгла свет и взглянула на мобильный. Три утра. Матрас опять пришел в движение, и только тогда до меня дошло: тюфяк, набитый сеном, не может разминать мышцы. Я вскочила, внимательно осмотрела матрас, нашла пуговицы, расстегнула их, начала рыться в набивке и услышала тихий писк. Я перевернула подстилку и резко встряхнула ее, на пол посыпалась сухая трава, в ней копошились серые комочки. Самый большой живо юркнул под стол, остальные громко пищали, но не удирали. Я присела на корточки. Мышата! Полевки часто живут в стогах. Тот, кто набивал тюфяк, случайно прихватил беременную мышь? И что теперь делать? Бедолаги пропадут без матери. Я залезла под стол и сказала:

— Эй, кукушка, вернись!

Но легкомысленной мамаши и след простыл, а ее хвостатые чада верещали все отчаяннее.

— Спокойствие, только спокойствие, — пробормотала я, оглядываясь по сторонам, — сейчас решим проблему. Сколько вас? Раз, два, три, четыре, пять, шесть, семь. Счастливое число, похоже, вы принесете мне удачу.

Я сгребла часть сена в кучу.

— Лежите смирно, сейчас совью гнездо, а потом найду холодильник. Там точно есть молоко, сыр, голодными вы не останетесь.

Соорудив мышатам дом, я отправилась на поиски кухни.

Предположив, что она находится в непосредственной близости от столовой, я двинулась по коридору, который освещался тусклыми фонарями, висевшими на здоровенных железных крюках. Он привел меня в тупик, я уперлась в высокое узкое окно, поняла, что свернула не туда, куда надо, машинально глянула вниз и замерла.

Перед моими глазами предстал двор, в котором сегодня утром стояла «Скорая помощь», вызванная Карлом для Елены. Сейчас там опять находилась машина, маленький микроавтобус. Его двери были нараспашку, какой-то мужчина доставал из салона прямоугольные упаковки. На улице царила темнота, но на минивэн падал неяркий свет, похоже, над ним висел фонарь. Вскоре я поняла, что упаковки кто-то уносит, но рассмотреть этого человека не могла, он появлялся на мгновение, хватал очередную партию и исчезал. К тому же на нем была куртка с большим капюшоном, отороченным пушистым мехом. Пара работала споро, вскоре первый человек освободил автобус, в поле моего зрения снова возник второй незнакомец, теперь уже с непокрытой головой, мне стало понятно: в качестве грузчика выступал сам владелец замка Олаф. Я узнала хозяина по огромным черным очкам, скрывающим большую часть его лица. Супруг Елены заговорил с незнакомцем, я не слышала слов, но беседа казалась мне мирной. Потом Хансон сел около шофера, и минивэн укатил. На белом снегу осталось лежать что-то маленькое, темное.

Сгорая от любопытства, я забыла про мышат и ринулась искать коридор, который ведет ко входу в покои хозяев. Пришлось вернуться к своей спальне и уже оттуда двигаться в нужном направлении.

Оказавшись около двери, я вспомнила слова управляющей Элизы о беспечности господ Хансон.

Уж наверное, аккуратная женщина, уходя домой, как всегда тщательно проверила замки. Но сейчас большая, толщиной с мою ногу, щеколда оказалась отодвинута. Оно и понятно почему, хозяин-то вышел из замка. Я толкнула тяжелую створку. Вот те на! Карл не удосужился повернуть ключ в скважине. Заходи кто хочет!

Я выбежала во двор, холод незамедлительно забрался под пижаму. Ежась, я подняла то, что темнело на снегу. Это оказался кусок самой обычной коричневой оберточной бумаги. Держа его в руках, я вернулась в дом и внезапно ощутила аромат корицы. Не понимая, откуда взялся запах, я спустилась в подвал, подошла к чулану и увидела красный огонек электронного замка. Открыть дверь, не зная кода, не представлялось возможным. Утром в кладовке я видела кусочек разбитой плитки, лужу крови, дверь была нараспашку. Сейчас все тщательно заперто, но по большому количеству мокрых следов на полу, которые тянутся от входной двери на минус первый этаж, мне стало ясно: упаковки, обернутые в темно-коричневую бумагу, Карл носил сюда. Возможно, в Олаф привезли очередную партию облицовочного материала. Но почему глубокой ночью? По какой причине их величество сам исполнял роль грузчика? Ответ один: господин Хансон не желает, чтобы кто-то из дворни знал о доставке плитки. Ну и что плохого в кафеле?

Я потрогала панель замка. На Елену определенно напали в этом подвальном помещении. А муж почему-то отнес ее в гостиную и положил на шкуру. Доктору Карл рассказал про какого-то человека, ударившего его супругу алебардой. Врач удивился, ему показалось, что несчастную ранили ножом, и он определенно понимал, о ком идет речь, потому что, пытаясь успокоить хозяина замка, сказал: «Это невозможно, мы же знаем, что он погиб в авиакатастрофе». Сейчас, пообщавшись с Розамундой и Элизой, я понимаю: речь шла об Эдмунде. Вскоре после исчезновения дочери Фихте Верные заявились к Мартине и открыто обвинили ее сына в убийстве Паулины, а потом ушли, узнав, что с туристкой-нимфоманкой забавлялся Филипп, родственник Элизы, тогда же старший сын Хансонов улетел в США, но, увы, лайнер рухнул в океан. Елена, разговаривая с мужем в библиотеке, тоже вела речь об Эдмунде, говорила, что на обложке журнала точно он, и совсем не изменился. Она опасалась, что старший сын Мартины жив, приехал на родину и может предъявить претензии на трон.

Хорошо, предположим, Мартина знала, что Эдмунд убил Паулину. Перед Верными хозяйка разыграла спектакль, по-собачьи преданная семье Хансонов Элиза подыграла ей. Думаю, тогдашний начальник полиции был полностью под влиянием Хансонов, но в случае изнасилования и убийства он не стал бы покрывать наследного принца Олафа. Мартина боялась, что рано или поздно правда вылезет наружу, и тогда Эдмунду не поздоровится, его надолго посадят. Мало того, что любимый сын очутится за решеткой, так еще и начнется притихшая только в двадцатом веке война между кланами. Члены фамилии Лагер моментально вспомнят о происхождении княжны Натальи, старинная история вынырнет из мрака, и все может закончиться плохо. Хансоны лишатся главенствующей роли в городе, утеряют свое могущество, обнищают. Интересно, чем они зарабатывают?

Я пошла в сторону лестницы, завернула за угол и... налетела на Нонну и Алексея. Молодая пара замерла на месте, я тоже остановилась.

— Что вы тут делаете? — хором спросили Кругловы.

— А вы? — в тон им поинтересовалась я.

— Нам не спится, — защебетала Нонна, — решили погулять, свежим воздухом подышать.

— Я тоже решила пройтись, — соврала я.

— Но вы находитесь в подвале, — мрачно заметил Алексей, — а входная дверь на пролет выше.

— Да ну? — картинно поразилась я. — Надо же! Не заметила ее, пробежала мимо. Но и вы очутились рядом со мной.

— Хотели проветриться в пижаме и тапочках? — осведомилась Нонна. — Не боитесь простудиться?

— Вы тоже не вспотеете в джинсах и футболках, — парировала я.

Алексей сделал шаг назад.

— Евлампия Андреевна, мы знаем, кто вы.

— Я не скрываю свою личность, — хмыкнула я, — простая преподавательница музыки и счастливая жена своего мужа.

— Максима Вульфа, владельца одного из крупнейших частных детективных агентств, — дополнила Нонна, — да, официально вы нигде не служите, но фактически являетесь правой рукой супруга. Зачем вы сюда приехали?

Я взглянула на девушку.

— По какому праву вы задаете мне вопрос? Хотя могу спокойно на него ответить: я решила отдохнуть. Теперь мой черед. Вы кто?

— Молодожены-студенты, — без запинки заявила Нонна.

— Отлично, — кивнула я, — можете отправляться на прогулку. А мне пора на кухню.

— Зачем вам туда? — проявил неуместное любопытство Алексей.

— Я нашла в своем матрасе семью мышей, — ответила я, — их мать-кукушка удрала, бросила голодных детей. Они пищат, я решила накормить сиротинушек, рассчитываю найти в холодильнике молоко и сыр. Вроде грызуны этими продуктами питаются.

— Мыши? — засмеялась Нонна. — Здорово.

— Кухня в противоположной стороне отсюда, — заметил Алексей.

— Я заблудилась, — вздохнула я, — в Олафе легко сбиться с дороги.

— Что у вас в руке? — перебила Нонна.

Я продемонстрировала обрывок.

— Кусок бумаги, я нашла его во дворе, решила поднять и выбросить.

Молодая пара переглянулась, Нонна кивнула, Алексей полез в карман брюк, вынул удостоверение и раскрыл его.

— «Спецбригада по контролю за оборотом наркотиков», — прочитала я. — Никогда не слышала про такое подразделение. Ага! Вы не счастливые молодожены.

Алексей убрал документ.

— Ну почему. У меня есть жена, у Нонны муж, но вы правы, мы не семья, а напарники.

— Наркотики, — с запозданием удивилась я, — они тут при чем?

— А вы при чем? — тут же поинтересовалась Нонна. — На кого работаете?

Я прислонилась к стене.

— Полагаете, я сообщу вам имя клиента? Но заказчика у меня нет. В благодарность за хорошую работу нам с Максом подарили поездку в этот замок. Когда мы приехали в аэропорт, мужа срочно вызвали в агентство, поэтому я полетела одна. Может, поговорим в более удобном месте? Например, в моем номере?

— Здравая идея, — согласился Алексей, — но сначала заглянем в запертое помещение.

— Осуществить задуманное не получится, — засомневалась я, — тут отмычкой не обойтись. Замок электронный.

Нонна добыла из кармана маленькую коробочку и приложила ее к панели замка. На приборе быстро замигала красная лампочка, потом вспыхнул зеленый огонек, и послышался тихий щелчок.

— Отлично, — обрадовалась я, — у нас тоже определитель паролей есть, но он остался в Москве, с собой на отдых прихватить его я не догадалась.

— Хлоркой пахнет, — поморщилась Круглова, — вероятно, отбеливателем недавно пользовались.

— И корицей, — добавил Алексей, — у меня нос чуткий, аромат, скорее всего, идет от клочка, который держит Евлампия.

Я показала в угол чулана.

— Утром тут было пусто, на полу была лужа крови, ее тщательно удалили. И витал какой-то запах. Сейчас здесь упаковки с плиткой и чистота, но в воздухе ясно чувствуется аромат специи.

Алексей подошел к одной пачке.

— Похоже, клочок, с которым вы, Евлампия Андреевна, никак расстаться не можете, оторвался отсюда. Нонна, попробуй.

Девушка вынула из кармана коробочку, вытащила из нее крохотное лезвие, приблизилась к надорванной упаковке, поскребла боковую часть одной плитки, насыпала полученную пыль в коробочку, потрясла ее, снова подняла крышку и сказала:

— Героин.

— Героин?! — подскочила я. — Где? Как он сюда попал?

Алексей шагнул в коридор.

— Давайте воспользуемся вашим предложением, отправимся в вашу спальню.

— Бумажку лучше опять бросить во дворе, — посоветовала Нонна, — раз ее Карл не подобрал, значит, не заметил, что оторвалась. Но...

— Возможно, клочок — это метка, — перебил Алексей. — Утром хозяин проверит, на месте ли обрывок, и, если его не найдет, сообразит, что кто-то его забрал, значит, за ним следили.

— Он дверь за собой не запер, — развеселилась я. — Однако Карл странный человек. Оборудовал чулан дорогим замком, думаю, он не знает об определителе паролей или полагает, что приобрел хитроумный экземпляр, который не по зубам никаким новинкам техники, но, уезжая, он забыл про входную дверь, ключ в скважине не повернул. Странная, если не сказать глупая беспечность. Сомневаюсь, что Хансон разместил во дворе метку, он слишком безалаберен. И упаковочная бумага не лучший сигнальный флажок, ее легко мог унести ветер или утром вместе со снегом счистить дворник. Иногда обрывок — это просто обрывок бумаги, не стоит усложнять.

— И все же вернем его туда, где взяли, — попросил Алексей, — не надо рисковать.

— Ладно, — согласилась я, — но перед тем, как начать беседу в моей спальне, я зайду на кухню и найду еду для хвостатых сироток.

Глава 21

— Ой! Правда мышки! — по-детски восхитилась Нонна, увидев пищащее семейство. — Я думала, вы глупо врете.

— Я лгу исключительно умно, — заверила я, наливая в блюдечко молоко, — но мастерски попадаю в идиотские ситуации, например, нахожу в своем матрасе выводок грызунов.

— Они очаровашки, — засюсюкала Нонна. — Леша, один лапками кусок хлеба держит, прямо как ребенок.

— Забавный, — снисходительно согласился ее напарник, — полюбовалась и хватит. Евлампия Андреевна...

— Пожалуйста, просто Лампа, — попросила я. — Хорошо, так и быть, расскажу вам, что увидела и узнала сегодня утром. Но вы потом ответите на мои вопросы.

— Сюжет закручивается штопором, — пробормотал Алексей, когда я умолкла.

— Как вы догадались, что в плитке героин, и каким образом он там очутился? — задала я свой вопрос.

Пара переглянулась.

— Говори ты, — попросила Нонна и стала гладить мышат.

Леша поерзал на стуле.

— Криминальный мир изощряется. Иногда наркоторговцы такое отчебучат, что и в голову никому не взбредет. Не так давно собака на таможне среагировала на багаж известного модельера. Мужик из Милана возвращался в Москву, в Италии он на неделе моды свою новую коллекцию представлял. Кофры вскрыли, пес бесится, а внутри ничего нет, кроме тряпок.

Сам модельер спокоен как удав. Многие випы, когда их досматривать начинают, вразнос идут, за телефон хватаются, грозят президенту позвонить, руки с ногами таможенникам местами поменять. Этот же просто плечами пожал.

— Ваш пес ошибается, я к запрещенным препаратам отношения не имею. Но, если надо, ищите!

И пошел к начальнику аэропорта кофе пить. Не стану долго трындеть, расскажу конец истории. Помощница модельера, его правая рука, а заодно и племянница, связалась с парнем, большим любителем дорогих машин, часов с турбийоном, брендовых шмоток. Желаний у кавалера было много, но одно отсутствовало напрочь: работать красавчик не хотел. Девушка набрала кредитов, не справилась с выплатами, и на нее наехали банки. И тут любовник подсказал выход. Одежду, сшитую для показа, на одну ночь отдали в Милане интересным людям. Платья и прочее пропитали раствором наркотика, высушили и поместили в кофры. В Москве произвели бы обратную операцию, прополоскали юбки-брюки в воде, ее потом выпарили бы и получили товар.

— Креативно, — кивнула я, — но не сработало. Собачка молодец! Надеюсь, ей досталась лишняя банка мясных консервов.

Алексей пересел на мою кровать и продолжил рассказ.

Некоторое время назад в бригаду поступила информация, что на склад фирмы, торгующей отделочными материалами, приходят партии героина. Наркотик замаскирован под обычную плитку для отделки помещений. Алексей не стал объяснять мне технологию процесса превращения смертоносного порошка в невинное с виду изделие. Сказал лишь, что если не знать, то никогда и не догадаешься, что в плитках запрещенный препарат. А на фабрике, производящей кафель, для клиентов придумали феньку. По желанию заказчика плитку пропитывают любым ароматом. На сайте заводика, на главной странице, написано: «Только у нас! Вам не понадобится освежитель. Воздух в санузле всегда будет приятным. Аромат устойчив, можете мыть кафель постоянно, он станет пахнуть еще сильнее». И героиновые плитки тоже выпускали с отдушкой. Надо ли объяснять, что собаки, натасканные на наркотики, терялись. Грейпфрут, корица, жасмин и много других запахов дезориентируют пса. Разобраться с делом велели Алексею, Нонне и паре их коллег. Ребята довольно быстро установили конечного получателя отделочного материала, им оказался владелец сети магазинов Москвы. Но арестовывать его не спешили, следовало выявить всю цепочку. Плитка поступала в столицу России из-за границы...

Алексей не стал объяснять, каким образом особая бригада вышла на Хансонов, но в конце концов Карл и Елена попали в зону внимания сотрудников и выяснилось следующее.

Пять лет назад семья находилась на грани банкротства. От Мартины сыну достался большой капитал и несколько успешных предприятий. Карл получил в наследство не только тучный счет в банке, но и рыбообрабатывающий завод, несколько супермаркетов, медицинский центр, ну и конечно, замок. Надо было очень постараться, чтобы лишиться всего. Но Карлу это удалось.

Долгое время Хансоны жили на широкую ногу. Сын Петер учился в самой дорогой школе Англии, затем поступил в престижный университет, где прославился как самозабвенный гуляка и кутила. Парень денег не считал, оплачивал в трактире еду за всех, ни разу не спустился в подземку, рассекал по Лондону на дорогом спортивном автомобиле. Пару раз Петер влипал в не очень приятные истории, и Елена спешно вылетала в Великобританию, чтобы замять скандал. Как она это делала? Ну с тех пор, как придумали деньги, многие вопросы стали решаться просто. Когда Петер вернулся домой, мать хотела женить его на Евдокии Кригер, девушке из богатой знатной семьи. Парень вроде не возражал, даже объявили о помолвке, но тут наследник Хансонов поехал в соседний город и там в кафе увидел официантку Катю. Свадьба с Евдокией расстроилась. Отец Екатерины давно умер, мать была дворянских кровей, носила знатную фамилию фон Киршен, имела титул баронессы, но жила в маленьком домике. Госпожа фон Киршен в свое время обвенчалась с владельцем замка Штоль и первые годы супружеской жизни провела в царской роскоши. Потом супруг неожиданно увлекся рулеткой, стал летать в казино, расположенные в Европе и Америке, и ухитрился спустить все, что имел: крепость Штоль, окружающие ее земли, накопления. Игроман не думал о будущем, его не волновала судьба жены и дочери, он отнес ростовщикам драгоценности супруги, подаренные ей родителями, и вскоре умер. Когда кредиторы отобрали замок, вдова вместе с ребенком перебралась в маленький дом и стала вести скромную жизнь. Она любила говорить о нехватке средств, Катя подрабатывала в кафе официанткой, объясняла подругам: «Надо выплачивать кредит, взятый на обучение в колледже». Отвергнутая Петером Евдокия Кригер была намного богаче Кати. Но у Екатерины имелся звонкий титул, древняя фамилия. И потом... любовь, любовь... Петер потерял от юной фон Киршен голову. Елена и Карл обожали сына и не стали рушить его счастье.

Все вокруг считали Хансонов сказочно богатыми, и разрыв помолвки с Кригер подтвердил это мнение. Семья, испытывающая материальные трудности, настояла бы на браке с Евдокией, за которой в приданое давали гектары земли, фабрику, производящую мыло, и еще много чего другого. А Катюша получила к свадьбе лишь материнское благословение, она была бесприданницей.

Внешне Хансоны выглядели крезами. Но на самом деле Елена и Карл находились в незавидном положении, у них ничего, кроме неоплаченных кредитов, не было. Хозяйка предпринимала отчаянные попытки удержаться на плаву, она открыла Олаф для туристов, уволила большую часть прислуги, сама водила экскурсантов по залам, сократила количество балов до одного в год, пересела на бюджетную иномарку и постоянно твердила:

— На планете глобальный кризис, каждый человек обязан сократить расходы. У нас финансы в порядке, мы можем позволить себе все. Но мы должны подавать пример простым людям, показать им, что в трудные времена нужно жить скромно. Неприлично ходить в соболином манто. Берите пример с меня, я прекрасно обхожусь пуховиком. И тепло, и животные не страдают.

Очевидно, бедных гусей, с которых ободрали перья, Елена не считала живыми существами.

Хансоны балансировали на грани банкротства. А потом неудачливый бизнесмен Карл, под чьим мудрым руководством и рыбозавод, и прочие предприятия семьи прогорели, приобрел небольшую фабрику по производству керамической плитки. Где он взял деньги? Ну, это особая история.

Глава 22

Будучи студенткой, Елена посещала в университете занятия по реставрации картин, но никогда не бралась за реанимацию полотен Олафа. Наверное, понимала, что у нее для этого нет необходимого навыка. И, если уж честно, коллекция полотен замка славилась только тем, что их нарисовали несколько столетий тому назад. Большинство картин украшали таблички «Неизвестный художник. 1645 г.». Злые языки сплетничали, что основную часть собрания намалевал далекий предок Карла, обладавший небольшим талантом рисовальщика. Иначе почему пейзажи и натюрморты были созданы в промежутке между тысяча шестьсот тридцатым и шестьдесят пятым годами? Позднее коллекция пополнялась скудно, в основном за счет портретов новых Хансонов. И, будем откровенны, все они не отличались особым изяществом.

И тут вдруг Елена решила самостоятельно привести в порядок одну потускневшую от времени старинную картину. Купила все необходимое, засела в мастерской и... Вот уж чудо! Вот удача! Под работой неизвестного художника оказалось полотно великого Веласкеса. Хансоны продали картину коллекционеру, пожелавшему остаться неизвестным. Газеты некоторое время кричали о находке, но потом появились другие сенсации, и о Веласкесе забыли.

С помощью денег, полученных за произведение великого мастера, Карл расплатился со всеми кредитами, купил заводик, занялся плиткой, и неожиданно дело у него пошло, нет, понеслось на всех парах. Предприятие сразу стало приносить немалый доход, на счетах Хансонов появились деньги.

Алексей замолчал, потом почесал переносицу.

— Плитка отправляется в разные города, но больше всего ее уходит в Москву, Питер и еще несколько российских мегаполисов. Заказчик всегда один и тот же.

— А получатели — разные торговые центры и стройрынки, — перебила его Нонна, возившаяся с мышами. — Маленькая деталь: все они принадлежат фирме «Омс». Карл не только производит отделочный материал, он еще импортирует его из-за границы, покупает товар в Италии и перепродает все через ту же фирму «Омс». Клиенты с помощью Хансона могут заказать в Милане кафель, который сделают специально для них. И таких людей хватает. Примерно раз в два-три месяца Карл получает небольшие партии отделочного материала для тех, кто заказал эксклюзив. Интересный момент, все такие заказы ароматизированы, популярностью пользуются отдушки: корица, грейпфрут, лимон, кофе. Карл переправляет их в Москву и Питер, никогда в другие города. И это объяснимо, в провинции у людей вкус попроще, всех устраивает выбор в магазинах. А в двух мегаполисах много эстетов. Сам Хансон не общается с индивидуальными заказчиками, он направляет эксклюзив в три дизайнерских бюро. Последние принадлежат... брату владельца фирмы «Омс». Хансон не нанимает перевозчиков, у него есть собственное автопредприятие. Фуры и минивэны Карла снуют туда-сюда по маршруту Гард — Милан — Гард, Гард — Москва — Гард, ну и так далее. Работа кипит.

— Понимаете? — подняла брови Нонна. — Мы уверены, что никакого Веласкеса в помине не было. Карл получил большие деньги от наркобарона Диего Диаса, быстро построил фабрику и на самом деле производит кафель. Но есть и побочная ветвь бизнеса, к Хансону приходят партии героина, которые замаскированы под отделочное покрытие. Наркотик доставляют прямо в Олаф, а уж оттуда он уезжает в Россию. На таможне у Карла определенно есть свои люди, наверняка имеются доверенные водители, которые работают только на героиновом маршруте. Остальные шоферы возят из Милана обычную плитку, кое-какие расходные материалы и ни о чем не подозревают. Кто из семьи, кроме Карла, в курсе происходящего? Не знаю. Вероятно, Елена, она активно рассказывала про Веласкеса. Сомневаюсь, что Петер и Катя в деле. Хотя девушка... Вы ее видели?

— Не довелось, — ответила я. — Из разговора супругов в библиотеке я поняла, что невестка Хансонов беременна, наверное, она предпочитает проводить время подальше от туристов. И Петера я не встречала.

Нонна потерла глаза кулаком.

— Возможно, вы правы. Младшая часть семьи занимает восточный флигель замка. Туда экскурсантов не водят. Вскоре после свадьбы Петер заболел, диагноз был серьезный: рак крови. Лечиться дома он не стал, улетел с Катей в США. Хансоны не хотели, чтобы окружающие узнали, что у их наследника онкология. Всем вокруг насвистели в уши, что молодая пара отправилась получать второе высшее образование. Петер вылечился, но остался бесплодным. Врачи считали, что это последствие лечения молодого мужчины. Навряд ли он когда-нибудь станет счастливым отцом. Представляете, как нервничали Елена и Карл? Через несколько лет молодые Хансоны полетели в Америку на отдых, назад Катя вернулась беременной. Информацию об онкологии Петера и его бесплодии нам удалось получить. А вот про Катю и ее беременность мы ничего не разузнали. У меня есть подозрение, что было сделано ЭКО, правда тщательно скрывается, никто в городке понятия не имеет, что Петер имел проблемы и что они были решены с помощью ЭКО. Наверное, Карл и Елена боятся досужих сплетен о применении донорской спермы. В этом случае младенец Кати никак не может считаться кровным родственником Хансонов.

— Супруги упоминали о проблемах со здоровьем сына, беседуя в библиотеке, — кивнула я. — Они считают, что Петер способен сделать еще одного малыша.

Нонна пожала плечами и ничего не сказала.

Алексей положил передо мной свой телефон.

— Вот фото Кати.

— Красавица, — восхитилась я, — понятно, почему Петер влюбился в нее с первого взгляда, яркая брюнетка, роскошные вьющиеся волосы, огромные карие глаза, настоящая Кармен.

— Вы правы, — согласился напарник Нонны, — в девушке кипит страстная кровь. Ее отец из знатного древнего рода фон Киршен.

— Уже слышала это, — остановила я Алексея, — именно из-за фамилии и состоялся брак Петера. Ничего, что за невестой приданого не дали, зато у нее прекрасная родословная.

— Так, да не так, — усмехнулась Нонна. — На первый взгляд вы правы. Вроде денег нет, папа фон Киршен давно умер, мама вдова, живущая в скромном домике. Но Катя училась на дизайнера в Колледже Святого Мартина в Лондоне. Из этого совсем недешевого вуза вышли многие великие модельеры, а преподают там гуру фешн-бизнеса. Обучаться и жить в столице Англии недешево. А Екатерина задержалась на Туманном Альбионе на несколько лет, открыла в центре Лондона магазин, в котором продает пуловеры, сделанные по собственным эскизам.

Я подняла руку.

— Стоп, стоп. Ранее вы сказали, что девица подрабатывала официанткой, чтобы оплатить кредит, взятый на учебу. Петер познакомился с ней, когда она подошла к его столику с подносом. А теперь говорите об Англии и собственном магазине.

Нонна положила ногу на ногу.

— Ну да, верно. Но мы, хорошо изучив семью фон Киршен, теперь понимаем, Катерина, будучи студенткой, приезжала к матери на каникулы, устраивалась в харчевню и говорила о выплате кредита, потому что не хотела, чтобы местные кумушки удивлялись, откуда у вдовы деньжата на зарубежное образование дочурки. А так вопросы сняты: Катюша взяла ссуду и работает, чтобы отдать банку долг. Откуда народу знать, сколько в действительности за семестр в Сент-Мартин и за съемную квартиру в Лондоне заплатить надо? Бедные студенты живут на краю города, селятся в апартаментах по пять-шесть человек, чтобы дешевле было, а Катюша живет в уютных комнатах одна, ходит в театр, посещает рестораны. Выплачивая кредит, так не пошикуешь. И про лавочку свою Катюша не распространяется, а она существует и поныне, сейчас из-за беременности жена Петера не летает в Лондон, но и не собирается сворачивать бизнес, хотя тот не приносит больших барышей. Весной и осенью госпожа Хансон демонстрирует свои коллекции. Катя не претендует на место в первой пятерке модельеров, она скромна, хорошо воспитана, и поэтому к ней на банкет после показа спешат все сливки местной тусовки. Ведущие гламурные журналы мира публикуют фото манекенщиц в свитерах от Кати. Правда, это никак не сказалось на продажах пуловеров, они по-прежнему не очень велики. И возникает вопрос: откуда у красавицы деньги? Без постоянных финансовых вливаний лавка никому не нужных изделий давно бы накрылась медным тазом. Кстати, за снимок в печатном издании надо отстегнуть нехилую сумму.

— Хансоны поддерживают невестку? — предположила я.

— Нет, торговая точка у Кати появилась до знакомства с Петером, — отвергла мою версию Нонна, — и богатого любовника у нее никогда не было.

— Зато есть мама, — улыбнулся Алексей.

— Она же бедная вдова, — удивилась я.

— Александра вышла замуж за барона фон Киршена и стала знатной дамой, — пояснил Круглов, — сменила свою девичью фамилию, она была Диас.

— Намекаете, что Александра родственница наркобарона Диего Диаса? — уточнила я. — Но это одна из самых распространенных испанских фамилий.

— Мы знаем точно: Александра — младшая сестра Диего, — пояснила Нонна, — и наркобароном его назвать нельзя. Официально он крупный импортер кофе, уважаемый бизнесмен, благотворитель, жертвует немалые суммы на детские приюты и, между прочим, из своего кармана платит пенсию вдовам полицейских, погибших на службе. Все в курсе, что Диего один из крупнейших торговцев дури. Одной рукой он спонсирует городские школы, а другой направляет к их воротам дилеров, потому что знает: подростки быстро подсаживаются на иглу. Но не пойман — не вор. Никаких улик против Диего Диаса нет, он окружен плотной толпой адвокатов, способных представить сатану в образе розового плюшевого зайки. После свадьбы Катя, Петер, Карл, Елена и Александра фон Киршен поехали в Латинскую Америку. Немного странно проводить медовый месяц вместе с родителями, но ведь это не запрещено.

Нонна замолчала и снова начала гладить мышат, которые, наевшись, теперь мирно спали в гнезде из сена.

— А через месяц после возвращения домой Елена нашла полотно Веласкеса, и в рекордно короткий срок была построена фабрика по производству кафеля, — договорил за напарницу Алексей. — Теперь у вас сошелся пазл?

— Да, — кивнула я. — Вы хотите найти в Олафе какие-то улики, указывающие на связь Хансонов с Диего?

— Да, — кивнул Круглов, — нас интересует, как работает канал поставки, надо пройти по всей цепочке, чтобы понять, кто в России замешан в деле. Действовать здесь открыто мы не имеем права. Местная полиция о нас ничего не знает, с ней опасно сотрудничать, тут же доложат Карлу.

— За неделю такую информацию невозможно нарыть, — вздохнула я.

— По-разному бывает, — возразила Нонна, — иногда рыба сама в руки плывет. Но мы планируем задержаться. У нас не туристические визы. Версия такая: молодая бездетная пара, он компьютерщик, она переводчик русской литературы на английский язык, очаровалась городом Гард... дальше не выговорю, и, поскольку молодожены могут работать удаленно, решили пожить вдали от родины, сняли домик...

— Вам надо осторожно поговорить с Розамундой, — посоветовала я, — аптекарша стала персоной нон грата из-за того, что была поймана в коридоре у личных покоев Хансонов. Но она не сдалась, попросила Людмилу, недавно приехавшую сюда и ставшую портье в замке, сделать снимки упаковок плитки в чулане. Пообещала девушке бесплатные ужины. Но Люда не смогла выполнить задание, ее остановил электронный замок. Розамунда ненавидит Хансонов, она считает Эдмунда убийцей своей дочери Паулины и, несмотря на то что девушка погибла много лет назад, а старший сын Мартины стал жертвой авиакатастрофы, не верит в его кончину и до сих пор мечтает отомстить за смерть дочери. Розамунда владеет аптекой, ее муж — кондитер, они постоянно общаются с жителями городка и туристами. Госпожа Фихте определенно в курсе всех местных сплетен, она кладезь информации. Попробуйте с ней подружиться.

— Спасибо за совет, — поблагодарила Нонна, — непременно им воспользуемся.

— Подозреваю, что вы тщательно проверили всех членов группы? — спросила я. — Собрали досье на каждого. Можете поделиться со мной этими сведениями? В Москве или в любом другом месте, где нормально работают сотовая связь и Интернет, я сама легко все выяснила бы, но здесь большие сложности и с мобильным телефоном, и с ноутбуком, сколько ни пыталась, так и не смогла до сих пор поговорить с мужем. И от него ни звонки, ни эсэмэс не проходят.

Нонна посмотрела на Алексея.

— Мы были с вами откровенны, — сказал он, — теперь ваш черед. Чем вы занимаетесь?

Я прижала руки к груди.

— Честное слово, я прилетела просто отдохнуть, случайно подслушала разговор хозяев замка в библиотеке. Сейчас расскажу вам о нем.

Я описала, как лежала в диване, передала диалог Елены и Карла, потом сказала:

— Теперь у меня в голове роятся вопросы. Кто напал на Елену? Почему Карл перенес ее из подвала в гостиную и положил на шкуру у камина? Судя по тому, что говорили владельцы замка, жена, увидев кого-то, похожего на Эдмунда, сказала: «Он совсем не изменился», боялась, что старший сын Мартины потребует отдать ему Олаф, опасалась какого-то «вселенского скандала, который потопит Хансонов навсегда». Но ведь Эдмунд разбился в самолете, он был в списках пассажиров! Мертвые не возвращаются! Или парня в лайнере не было? Мне просто интересно узнать, что случилось.

— Любопытная, как мисс Марпл? — хихикнула Нонна.

— Да, — кивнула я, — кроме того, наша группа очень странная. Нормальными в ней мне казались только вы.

— Но теперь и мы попали в разряд психов, — усмехнулся Алексей.

— Нет, — возразила я, — просто вы выглядели как обычные новобрачные. А остальные... Софья Гурманова представилась мне агентом Интерпола, предъявила сувенирный значок американской полиции вкупе с фейковым удостоверением сотрудницы ФБР, где она на фото в очках от солнца и панамке.

— Люди в черном, — пробормотала Нонна.

— Только мопса-помощника не хватает, — фыркнула я. — Софья пыталась нанять меня для обыска спальни Мартины. Она сохранилась нетронутой после смерти дамы, тщательно охраняется, там якобы спрятано ее завещание. Ну да я вам уже это все только что рассказала.

Алексей рассмеялся.

— Интерпол — это круто. Но Гурманова на самом деле имеет отношение к розыску.

— Да ну? — поразилась я. — Шутите?

Нонна встала.

— И как только люди в древности на такой жесткой мебели сидели? У меня через пять минут общения с местными стульями-лавками все тело начинает болеть. Софья работает на частного детектива Леонида Рогова. Слышали о нем?

— Вроде имя кажется знакомым, — вздохнула я, — сейчас столько сыщиков развелось! В Интернете тьма предложений. Многие бывшие сотрудники полиции, выйдя на пенсию, ведут слежку за неверными супругами, берутся узнать подноготную жениха или невесты. Последней услугой часто пользуются родители тех, кто собрался идти в загс.

— Рогов был журналистом, — пояснил Алексей, — писал криминальные новости, обзавелся связями в разных точках мира, общается как с полицейскими, так и с преступниками. Жук. Проныра. Но дорого не берет, иногда соглашается пахать бесплатно.

— Не от доброты душевной, — быстро уточнила Нонна, — а за бартер. Он вам доклад, куда и с кем женушка таскалась, а вы за это его с нужным человеком знакомите, добываете для пройдохи информацию...

— Странную он себе помощницу подобрал, — продолжала я удивляться. — Или Гурманова нарочно исполняла роль идиотки?

— Нет, — сказала Нонна, — Софья всего лишь секретарша Рогова.

— Вообще-то, она уборщица, которая подает клиентам чай-кофе, — уточнил Алексей, — до того как начать мыть полы в крохотном офисе Леонида, Гурманова служила в супермаркете мерчендайзером, попросту говоря, товар на полки выкладывала. Рогов жадный, а хорошо обученной секретарше надо платить нормальные деньги. Вот он и приголубил Соню. Она заказчику на подносе чай притянет, а вечером офис вымоет, и все дела.

Глава 23

— А потом детектив решил привлечь ее к оперативной работе, выдав Соню за агента Интерпола и снабдив сувенирным жетоном полицейского из Нью-Йорка? — изумилась я.

— Рогов не самый приятный представитель человеческой породы, — поморщился Алексей. — Один раз я с ним столкнулся на профессиональной почве. Леонид произвел на меня не лучшее впечатление, но дураком его назвать нельзя. Сомневаюсь, что это он послал на задание Гурманову.

— Думаю, она решила самостоятельно затеять какое-то расследование, — заметила Нонна, — денег заработать. Леонид мог кому-то в услугах отказать, занят, например, был, он один пашет, без команды. А Софья услышала и предложила клиенту: «Готова помочь. Не сомневайтесь, я правая рука Леонида Николаевича, имею нужный опыт, связи и беру дешевле Рогова». Некоторые люди, прочитав три детектива, уже считают себя мегасыщиками.

— Интересно, что она пытается найти на самом деле? — оживилась я. — Версия про завещание не выдерживает никакой критики. Хорошо хоть Софья не скандалистка, как Мэри.

— Лесины, — протянула Нонна, — баба, в голове которой складирована масса знаний по истории, живописи, архитектуре, и произносящий только два слова «да, дорогая» Андрей. Они представляются как художники Лесински, пишут психоделические полотна, которые Мэри неустанно рекламирует, утверждая, что эти картины способны оздоровить карму, ну и тому подобное. Несмотря на старания супруги, мазня не продается. Зато они снискали успех на ином поприще. Андрей — известный в России и имеющий много читателей за рубежом блогер. Он пишет только о гостиницах, санаториях, пансионатах, его сайт носит название «Не скрыть правду».

Я накинула на плечи шерстяную кофту.

— Слышала о нем. Одна наша сотрудница собиралась в отпуск и не знала, какой отель предпочесть. Кто-то ей посоветовал почитать сайт «Не скрыть правду», она мне потом сказала: «С ума сойти! Там даже про форму ножек у кроватей сообщается и о том, какой мусор под ковром нашелся».

— В дотошности Андрею не откажешь, — согласился Алексей, — они с женой работают в паре, надо отметить, что оба прекрасные актеры, роли свои исполняют мастерски. Мэри прикидывается стервозиной, патологически всем недовольной гостьей. То, о чем другие постояльцы из вежливости молчат, грубиянка вслух говорит, не стесняется. Когда супруга бушует, все внимание на нее переключено, муж спокойно своим делом занимается, фото исподтишка нащелкивает. Или шепчет официантке в ресторане:

— Сделайте одолжение, проведите меня на кухню, очень хочу стакан ледяной колы выпить, а жена не разрешает, совсем она меня затравила, разводиться хочу.

Подавальщица слышала, как Мэри мужа прессует, ей чисто по-бабски жалко мужика, вот она и соглашается помочь. Едва Андрей с девушкой договорится, Мэри в туалет уйдет и застрянет там. А супруга ее на кухню сопроводят, колой угостят, он повосхищается: ах, ах, какие у вас кастрюли большие, можно посмотреть? И через несколько дней появляется очередной спич в блоге: «В гостинице N на кухне бардак. Я сам видел, как мясо и зелень повар на одной доске резал. Плиты старые, от баллонного газа пашут. Если емкость взорвется, всех посетителей на улицу вышвырнет». За пять минут успевает компромат нарыть, детали разглядеть и еще сострадательную официантку походя пнуть: провела туда, где еду готовят, постороннего человека, ни халата, ни колпака не дала, прямо в уличных ботинках в кухню притопал.

Мне стало жалко совершенно незнакомую официантку.

— Девушку уволить могут.

Алексей потянулся.

— О таких пустяках Лесин не парится. Чем больше негатива, тем больше толпа читателей. И, как следствие, отличный доход от рекламы. Андрей вовсю пиарит посуду, продукты, постельное белье, и некоторые гостиницы он с грязью не смешивает. Лесин даже в самом фешенебельном отеле Лондона недостатки нашел: отогнул коврик в ванной, а под ним дохлый таракан обнаружился. Но кое о каких отелях он благожелательно отзывается. Понятно, что ему за розовый комментарий приплачивают.

— Элитная у нас группа подобралась, — вздохнула я, — не удивлюсь, если узнаю, что Ручкины китайские шпионы.

— Нет, — засмеялась Нонна, — вот они обычные люди. Скопили деньжат и прилетели, чтобы Олаф посмотреть. Кирилл несколько раз в году семью за границу возит. Он преподает и репетиторствует, прилично зарабатывает. В случае с Ручкиными ничего особенного. И Арсений Рурин обычный человек, он негр.

— Кто? — удивилась я.

— Литературный негр, — уточнил Алексей, — пишет книги за других людей. Уже много наваял, вроде издано тридцать его романов.

— Зачем Арсению отдавать славу и деньги в чужие руки? — не поняла я. — Может свою фамилию на обложке ставить. И вроде он журналист, пишет о путешествиях, так его Елена всем представила.

Алексей встал.

— Рурин пробовал сам на писательской ниве вырасти, но не вышло, как автор саг Арсений на рынке не нужен. Он пишет не по заказу издательств, берет работу у частных лиц. Последний его труд: любовная история, сколоченная для олигарха Приснова. Книга вышла под именем его жены. Ну надоели ей шубы из леопарда и сумки из крокодила, захотелось славы, фимиама, восхвалений. Обидно же видеть в журналах подпись под своим фото: «Госпожа Приснова, светская дама», то есть бездельница. Другие-то супруги у богатых фотографы, стилисты, модельеры, магазинами цветочными обзавелись. «Папа, а я хочу писательницей стать! Хочу!!!» И добрый супруг кликнул Арсения, тот живо накатал роман. Рурин их по шаблону ваяет. Олигарх за свой счет тираж с фамилией женушки на обложке издал, презентацию бабенке устроил, та автографы раздала, восхищенные речи выслушала и через день на свои фото с подписью: «Писательница госпожа Приснова представила читателям новую книгу» — полюбовалась. Арсений приехал отдохнуть от трудов, он любитель по замкам зашастать. И, конечно, не рассказывает всем, чем зарабатывает, представляется журналистом. Слушайте, я очень спать хочу!

Алексей сделал шаг, и тут дверь в мою комнату без стука распахнулась, на пороге показался Кирилл Григорьевич Ручкин, секунду постоял молча, потом ноги преподавателя подогнулись в коленях, и он упал навзничь.

Мы все бросились к поверженному Ручкину.

— Вам плохо? — засуетилась я. — Кирилл, отзовитесь. Надо вызвать «Скорую». Нонна, знаете номер ресепшен?

Алексей подошел к столу, взял трубку местного телефона и сказал:

— Дежурная? В спальне госпожи Романовой мертвый человек. Вызовите полицию.

— Он умер?! — попятилась я.

— Похоже на то, — подтвердила Нонна, вставая с коленей, — врачи ему не помогут. Боитесь покойников?

— Нет, — прошептала я, — просто как-то неожиданно. Ввалился без спроса и рухнул.

— Мог тромб оторваться, — поставил диагноз Андрей, — или аневризма лопнула.

В коридоре послышались быстрые шаги, в мою спальню вбежала управляющая Элиза.

— Что случилось?

Нонна показала на лежащего ничком Ручкина.

— Вот. Умер.

Бывшая верная горничная Мартины перекрестилась.

— Вы уверены, что он скончался? Надо «Скорую» вызвать.

— Не думаю, что врачи поднимут его на ноги, — пробормотал Алексей, — до сих пор исцелять мертвых удавалось лишь одному человеку на Земле, но его сейчас точно в Олафе нет. Это дело полиции.

— Нет, нет, — испугалась Элиза, — ни в коем случае.

— О подозрительной смерти принято сообщать правоохранительным органам, — отрезала Нонна, — до появления специалистов нужно блокировать вход в комнату и оставить в ней все, как есть. Евлампии необходимо предоставить другую спальню.

— Нет, нет, нет, — причитала Элиза, — мы поступим иначе. Сейчас я позову доктора Андерсена, он увезет несчастного в свою клинику и скажет, что бедняга у него в палате скончался. Пожалуйста, не говорите никому ни слова, надо сохранить спокойствие гостей. Ясно же, что это несчастный случай, Ручкин умер от сердечного приступа.

— Да ну? — усомнился Алексей. — У вас медицинское образование? Можете с ходу определить причину смерти человека?

— От чего еще ему к Господу отправиться? — перекрестилась управляющая, — у меня так мама отошла, чаю выпила, чихнула, и все!

Дверь в комнату снова распахнулась, я увидела красную растрепанную Люсю, сотрудницу ресепшен, форменная блузка на ней была надета наизнанку.

— Посмотри на себя, — без задержки налетела на подчиненную Элиза. — Опять спала на дежурстве? Уволю. Надоела. Плохо работаешь. Зачем прибежала?

— Так... вот... звонили... умер вроде... никого нет... ночь, — принялась путано оправдываться Людмила, — мне инструкции по поводу мертвяков не давали, объясняли, как с живыми работать... ой, ой, ой... Он совсем окочурился? Навсегда?

— Нет, — зашипела Элиза, — все хорошо, господин Ручкин заболел, он поправится.

— Но... сказали... — лепетала Люся, — говорил... мужчина... полицию... просил... очень...

Управляющая изменилась в лице.

— И ты позвонила в участок?

— Не-е-ет, — всхлипнула портье, — номер не нашла... от страха забыла...

Элиза сжала кулаки.

— Листок с необходимой информацией прямо перед носом у дежурной висит.

— Не увидела-а-а-а, — простонала Люся, — я испугалась.

Управляющая, явно хотевшая надавать глупой сотруднице затрещин, взяла себя в руки и даже придала голосу мягкости.

— Люся, возвращайся на рабочее место. Умойся, приведи себя в порядок, не болтай ерунды. Ручкин жив.

— Правда? — всхлипнула дурочка. — Чего тогда он молчит, лежит, не шевелится.

Элиза потеряла ласковый тон.

— Ты небось даже во сне языком мелешь. Гость вирус подцепил, грипп у него, плохо ему, мы «Скорую» ждем. Хочешь заразиться?

— Нет, — затряслась Людмила, — извините, я прибежала, не знала, как быть, не думала, что вы тут, а почему домой не ушли?

— Успокойся, все хорошо, — пропела Элиза, — отправляйся на ресепшен. Никому ни слова об инфекции, не смей гостей пугать. Откроешь рот — вытурю тебя на улицу с волчьим билетом. Промолчишь — через месяц станешь экскурсоводом в Олафе. Выбирай, что лучше.

Людмила стала пятиться в коридор.

— Ей-богу, ни одного звука не издам! Онемею, как Валерия, ваша родственница. Будут резать саблей — промолчу.

— Молодец, — похвалила Элиза, — а теперь галопом отсюда.

Глупышку сдуло, словно сухой лист со скамейки. Элиза начала расшаркиваться перед нами.

— Примите от лица гостиницы извинения. У меня есть предложение. Смерть господина Ручкина случайность, сердце у него могло в любой момент отказать, но, к нашему невероятному сожалению, это произошло в комнате Евлампии. Хочу компенсировать вам моральный урон. Вы оплатили недельное проживание в замке, предлагаю еще семь дней за наш счет. Все включено: номер, питание, экскурсии.

Велю Беате готовить для вас блюда по желанию, какие хотите: итальянские, французские, китайские. Поселю не в номерах, которые стилизованы под прошлые века, а в гостевых комнатах замка, где останавливаются друзья и родственники господ Хансонов. Вам выделят по личной машине, бензин за наш счет. Проведут по помещениям замка, которые никогда не демонстрируют посторонним. Увидите зал рыцарских доспехов, много чего другого, будете не клиентами, а дорогими гостями семьи Хансон, потому что в трудный час пришли ей на помощь.

— И в чем будет заключаться эта помощь? — деловито осведомилась Нонна. — Что нам делать или не делать ради этих благ?

Элиза сложила руки на груди.

— Не рассказывайте никому, что господин Ручкин умер в номере Евлампии, сделайте вид, что вы вообще ничего о случившемся не знаете.

Нонна опустила голову.

— Мы с Алешей планируем остаться в городе на какое-то время. Можете помочь нам найти маленький домик? Деньги у нас есть, но их на шикарное жилье не хватит.

Управляющая замахала руками.

— Милая, зачем вам тратиться? У ворот стоит сторожка, в ней три комнатки, кухонька, ванная, туалет. Там жил привратник, но месяц назад он уволился, я никак на его должность достойного человека не подберу. Если не сочтете за труд утром и вечером двор мести и кое-какие совсем несложные обязанности исполнять, то живите бесплатно, ни копейки ни за воду, ни за электричество, ни за отопление не заплатите, да еще деньги хорошие получите.

— Отлично, — быстро согласилась Круглова.

Я села на кровать. Сотрудникам спецбригады смерть Кирилла Григорьевича оказалась на руку. Нонна и Алексей намеревались поселиться в городке и предпринять попытку подружиться с кем-то в Олафе, чтобы установить, кто привозит героиновый кафель Карлу и как его потом переправляют в Москву. Сейчас Кругловы получили предложение стать привратниками замка. Это ли не удача?!

Элиза повернулась ко мне.

— А вы, Евлампия? Если откажетесь, сниму свое предложение молодоженам насчет сторожки. Бессмысленно предлагать жилье им за молчание, если вы направо и налево будете рассказывать о ночном происшествии в своей спальне.

Нонна молитвенно сложила руки.

— Лампа, пожалуйста! Мы только поженились, хотим ребеночка, не намерены воспитывать его в безумной Москве. Мечтаем жить здесь. Снимать жилье дорого. Раньше, чем через пять лет, не сможем себе сыночка позволить. Если же будем привратниками... Не погубите нашу мечту!

— Да, — подхватил Алексей, — мы за вас каждый день молиться будем.

— Хорошо, — согласилась я, — ничего не видела, спала камнем. Но что будет с останками Кирилла Григорьевича? Он приехал не один. С ним дочь, жена. Вы о них подумали?

— Не беспокойтесь, — зачастила Элиза, — я решу все проблемы наилучшим образом. С вас только обещание молчать. Так как?

— Я не отличаюсь болтливостью, — сказала я, — можете на меня рассчитывать. Пожалуйста, дайте стеклянную банку для мышат.

— Для мышат? — растерянно повторила Элиза. — Откуда они взялись?

— Из моего матраса, — ответила я, — похоже, они в тюфяк вместе с сеном попали.

Элиза всплеснула руками и, сказав «сейчас», быстро ушла.

— Вас же не надо просить хранить в тайне наш разговор? — осведомилась Нонна.

— Нет, — ответила я, — желаю удачи, надеюсь, вам удастся благополучно выполнить задание. Разрешите дать совет? В следующий раз, когда придется изображать влюбленную пару, не скупитесь на кольцо, купите украшение с настоящим бриллиантом. Всегда может найтись какая-нибудь чересчур глазастая и бесцеремонная Мэри, которая примется вещать, что жених решил сэкономить. Окружающим будет наплевать на скаредность Алексея, но среди тех, кто услышит язвительное замечание о скопидомстве, может находиться некто, кто начнет задавать себе вопросы: «Даже очень бедный парень в лепешку расшибется, но приобретет обожаемой невесте брюлик, пусть маленький, но настоящий. Почему Алеша обошелся цирконием? Может, он вовсе и не влюблен в свою супругу?» Все провалы агентов начинаются с маленьких недоразумений.

Глава 24

Из-за того что ночь оказалась почти бессонной, я проснулась около одиннадцати утра и сразу пошла в ванную. Чтобы не вызывать подозрений у членов группы, Нонна и Алексей пока остались в своем номере. Но в моей спальне находилось тело Ручкина, поэтому меня устроили в комнате, которой пользуются гости Хансонов, и она оказалась выше всяких похвал, с удобной кроватью, пуховыми подушками и одеялом. Санузел сверкал чистотой, в нем были нормальные ванна-унитаз. Не успела я от души поплескаться в горячей воде, как в дверь деликатно постучали и появилась немая племянница Элизы с подносом в руках. Она поставила его на маленький столик и сделала реверанс.

— Спасибо, Валерия, — поблагодарила я, — вы замечательно сервировали завтрак.

Девушка, еще раз сделав книксен, убежала, не забыв плотно закрыть за собой дверь.

Я устроилась в кресле и начала изучать, что предлагали мне на завтрак. Омлет, мягкий белый хлеб, свежее сливочное масло, сыр, ветчина, джем, бриоши, пара кусков кекса, чашка капучино, чайничек с кипятком, пакетики разного чая и в качестве апофеоза — крохотная коробочка шоколадных конфет, а на ней открытка с надписью: «Олаф желает вам прекрасного дня». Да уж! Это вам не каша из дробленой овсянки и странный напиток, пахнущий деревом. И в ванной жаба не встретилась, и в матрасе мыши не живут. Детям полевки повезло, им выдали аквариум, на дно которого насыпали опилки.

Я налила в блюдечко немного молока, взяла кусочек сыра и занялась кормежкой малышей. Надо, наверное, найти в центре города зоомагазин и купить им мисочку, подстилку, понятия не имею, на чем спят грызуны, но подозреваю, что им, как всем, нравится мягкая постелька.

Минут через сорок я вышла из комнаты и растерялась. Где я нахожусь? Куда идти? Вправо уходит длинный коридор, слева тянется подобие галереи, одна стена которой была зеркальной. Поколебавшись, я пошла по галерее, оказалась в круглом зале с колоннами, увидела Валерию, протиравшую пол шваброй, и громко спросила:

— Лера, если я пойду прямо, попаду в столовую?

Девушка сделала отрицательный жест рукой.

— Можете показать мне дорогу? — попросила я.

Девушка кивнула, и мы двинулись в обратную сторону, миновали дверь моей новой спальни, дошли до поворота, и я ощутила цветочный запах. Моя спутница чихнула, от высокого воротничка-стойки ее платья отлетели сразу три пуговицы.

Прежде чем Валерия опомнилась, я наклонилась, подобрала их и протянула горничной. Она взяла пуговки, прижала руки к сердцу и поклонилась мне в пояс.

Я смутилась.

— Не делайте так больше.

Валерия кивнула и опустилась в реверансе. Теперь, когда ее воротник был расстегнут, я заметила у нее на шее довольно большой квадратный пластырь. Валерия поймала мой взгляд и разразилась серией звуков.

— Шшш, шшш... фффф... ой... ой...

— Вы поранились? — догадалась я.

Спутница кивнула, потом вынула из кармана фартука блокнот, карандаш и начала быстро рисовать.

— Да вы художница, — восхитилась я, наблюдая за крепкой широкой ладонью, которая сжимала карандаш. Очень скоро передо мной появилась жанровая сценка: кухня, плита, чайник, из носика которого вылетает пар, девушка, наклонившаяся над ним...

— Вы обожглись, когда хотели заварить чай, — догадалась я.

Валерия дотронулась пальцем до пластыря.

— Очень больно, — вздохнула я.

Лера кивнула.

— Мне вас жаль, — протянула я. — Были у врача?

Племянница Элизы улыбнулась, ее губы зашевелились, по артикуляции стало понятно, что она благодарит меня за сочувствие. Мы пошли вперед и вырулили в галерею, где висело множество портретов.

— Покажите мне, в какую сторону идти, чтобы оказаться в столовой, — попросила я, — не буду вас задерживать, хочу посмотреть на картины.

Валерия снова сделала реверанс и вытянула вперед руку.

— Спасибо, — улыбнулась я.

Девушка присела в книксене, видно было, что она очень старается. Мне стало жалко милую Леру. Не очень-то счастливая судьба выпала на ее долю. Образования получить не удалось, драит паркет в чужом замке. Может, Валерия найдет себе любящего мужа? Очень надеюсь, что ей повезет, правда, она совсем не красавица, слишком высокая, худая, угловатая, с крупными руками, и размер ноги у нее вовсе не Золушкин. Лицо у моей провожатой самое обычное, оно не отличается правильностью черт, рот слишком пухлый, можно заподозрить, что в губы вкачали гель, настолько ненатурально они выглядят. Но я понимаю, что у Валерии на пластического хирурга нет денег, она такой родилась. А вот волосы у нее редкой красоты, копна блестящих вьющихся локонов. Похоже, девушка ими гордится, поэтому носит распущенными, хотя от горничной требуется или аккуратная стрижка, или, если волосы длинные, хвост, пучок, укладка. Но Элиза закрывает глаза на нарушение, позволяет Лере демонстрировать роскошную гриву. Фигура у девушки стройная, если не сказать тощая, сейчас на ней темно-серое платье с плиссированной юбкой до середины лодыжки. Такая одежда зрительно увеличивает бедра, но горничная все равно выглядит зубочисткой.

Лера убежала. Я шла по галерее, рассматривая портреты разных Хансонов. Да уж, в семье редко рождались красивые дети. А взрослых, если бы не богатая одежда, украшения, замысловатые прически, можно было принять за простых крестьян. У них были маленькие глаза, тонкие длинные носы, карикатурно толстые губы. И у мужчин, и у женщин широкие ладони, массивные запястья. В супруги мужчины-Хансоны брали женщин, которые походили на них, как сестры. А девушки из этой семьи сочетались браком с теми, кто внешне напоминал их отца или братьев. Ну почему никто не догадался съездить куда-нибудь в Италию и привезти оттуда супругу-красавицу, чтобы улучшить породу? На первом портрете в галерее изображался Фридрих Хансон, он выглядит вполне симпатичным. Но спустя столетие у его потомков черты лица меняются. Я остановилась у последней картины. Карл Хансон в подростковом возрасте. У него ладони-лопаты, огромный рот и крошечные глаза, нос, смахивающий на пилу, и весьма угрюмый вид.

Я пошла вперед. Странно, но ни одна из женщин древнего рода Хансонов не была изображена в декольтированном платье, хотя все дамы облачены в парадные наряды. Фотография появилась не так давно, и до середины двадцатого века, чтобы сделать снимок на память, приходилось идти в студию.

Поэтому люди всегда старались одеться понаряднее. А еще раньше, когда дама или кавалер садились позировать художнику, они надевали на себя все самое лучшее и не считали это проявлением дурного вкуса. Портрет останется будущим поколениям, пусть потомки узрят, какая у них была богатая, роскошная прапра... бабушка. Давайте вспомним женские портреты разных художников. Декольте там не редкость. А в этой галерее все дамы с красивыми прическами, в жемчугах-диадемах-ожерельях, но... платья у них с высокими воротниками. Может, религиозные убеждения не позволяли им демонстрировать плечи?

Глава 25

В столовой оказалось пусто, я заглянула в гостиную и там в углу дивана увидела Галю. Она смотрела телевизор, на экране бурно выясняло отношения семейство Симпсонов. Я хотела уйти, но девочка повернулась и заметила меня.

— Добрый день, — пробормотала я, — сочувствую вашему горю. Как мама?

Десятиклассница пожала плечами и снова уткнулась в экран.

— Извини, — сказала я, — глупый вопрос задала.

— Ничего, — мрачно отозвалась Галина, — я давно привыкла к тупостям.

— Хочешь, принесу тебе чаю? — предложила я. — С конфетами?

— Нет, — буркнула девочка.

— Могу тебе чем-нибудь помочь?

— Да, — неожиданно ответила Галя.

— Скажи чем, с удовольствием выполню.

— Отвалите на фиг со своим сочувствием. Не приставайте.

Я вынула из сумочки визитку и протянула Гале.

— Понимаю, тебе сейчас очень тяжело. У меня тоже умер папа, правда, я была тогда старше, но от этого горе меньше не стало. Если тебе понадобится какая-то помощь, смело звони по всем указанным на карточке телефонам. К сожалению, тут мобильные практически не работают, но в Москве сразу со мной соединишься.

— Ладно, — устало сказала Галя, — успокойтесь. Вы оказали сочувствие несчастной сиротке, можете восхищаться собственным милосердием. А теперь отстаньте, я не сидела бы тут, но в номере телека нет. Пришла же отцу в голову идея сюда припереть.

Я молча ушла из гостиной. Каждый человек по-своему переживает стресс. Одним надо плакать на глазах у всех, слышать слова поддержки от каждого встречного, другие предпочитают остаться наедине с собой. Если я продолжу разговор с Галей, ей станет только хуже.

Я постояла в коридоре, потом решила найти Элизу и спросить ее о причине смерти Кирилла Григорьевича. Понимаю, что эксперт еще не произвел вскрытие, но у него точно уже есть какие-то соображения. Сделав несколько шагов, я остановилась. Лампа, Элиза сделает все, чтобы из-за кончины Ручкина не поднялся шум. Она тебе соврет, сообщит про тромб или инфаркт.

— Евлампия, — раздался за спиной голос Гали.

Я обернулась.

— Слушаю.

— Вы владеете частным детективным агентством? — спросила девочка.

— Хозяин структуры мой муж, — поправила я. — А откуда ты про агентство знаешь?

Галя привалилась к стене.

— Сами дали только что визитку. Маразм разбушевался? Не помните, что минуту назад делали?

Вот незадача! Я вытащила из сумки не ту карточку. У меня их два вида, на одной указано, что я правая рука Макса Вульфа, на другой напечатано: «Евлампия Романова, преподаватель музыки». Последнее абсолютная неправда, но поскольку я по образованию арфистка, то легко могу прикинуться учителем музыки. Обычно на отдых я рабочий вариант не беру, но, вероятно, в сумке завалялась одна «честная» визитка. Я вздохнула.

— Галя, очень тебя прошу, не рассказывай никому про сыскное агентство. Я приехала отдохнуть, поэтому представилась всем педагогом. Когда люди слышат, что среди них сыщик, они сразу настораживаются, думают, что я кого-то выслеживаю.

— Очень даже хорошо вас понимаю, — совсем другим тоном произнесла школьница, — сама никогда никому не говорила, кем мой отец работал. У меня был парень, все у нас хорошо складывалось, прямо отлично. Поэтому я Виктору правду про папу выложила. Витя выслушал и... все. Больше я его не видела, он по телефону объявил: «Твой отец полезет в мою биографию, начнет в ней копаться, чтобы досконально узнать, с кем его дочка общается, в микроскоп меня изучит и в дальнейшем глаз с меня не спустит. Мне такого счастья не надо». На том мы и расстались. Игорю, с которым сейчас встречаюсь, я солгала, что отец преподаватель, кандидат наук. Это правда, он на самом деле преподавал в техникуме и до сих пор там числится как сотрудник. Но в реальности он совсем другим занимается. И он мне не отец, а отчим. Женился на маме, когда я еще в детский садик ходила, удочерил меня официально. Пожалуйста, помогите нам. Больше, честное слово, мне обратиться не к кому.

— Не могу ничего обещать, — осторожно сказала я, — но сделаю все, что в моих силах.

— Не волнуйтесь, денег у вас не попрошу, — пояснила Галина, — наоборот, вы их от меня получите. Мама в шоке, она Кирилла обожала, но у меня, хоть я отца сильно любила, мозг работает. Говорить в коридоре глупо. Не на пять минут беседа. Поступим так: в центре города есть здоровущий музей. Мы можем ходить по залам, изображая туристов, и спокойно все обсудить.

— Немного странно, что девочка, внезапно потерявшая родителя, на следующее утро после гибели отца отправилась осматривать экспозицию, — отвергла я эту идею. — У меня альтернативное предложение: пошли в мою спальню. Если кто-то туда заглянет, я всегда могу сказать, что утешаю тебя. Значит, Кирилл Григорьевич не тот, за кого себя выдавал?

Галя прищурилась.

— Он был гений, меня всему научил. Вы сможете вытащить у человека в метро кошелек, незаметно сделать фотки его кредиток, а потом засунуть портмоне назад? Можете провернуть такое, чтобы объект ничего не заподозрил?

— Нет, — честно ответила я.

— А я легко справлюсь, — хмыкнула Галя. — Отец навыки карманницы мне преподал, и еще много чего другого я от него узнала, он иногда говорил: «Развивай ловкость ума и тела, передам тебе свой бизнес. Сам на подхвате буду».

— Галочка, — раздался сзади голос Элизы, — деточка, ты как?

Глаза девочки мигом наполнились влагой, по щекам покатились слезы, губы затряслись, руки задергались. Картина всеохватывающего, беспредельного горя была так убедительна, что у меня перевернулось сердце.

Галя протянула ко мне руки и зашептала:

— Тетя Лампа, я хочу уйти... все лезут... говорят... уведите меня в свой номер...

Девочка сделала пару шагов и упала мне на грудь. Я машинально обняла ее и ощутила, что она дрожит и сильно вспотела.

— Господи, — перепугалась Элиза, — я сказала что-то не так? Не хотела бедняжку расстроить. Ах я старая глупая корова. Галюша, ты любишь домашние вафли? С ванильным кремом? Беата их лучше всех в мире делает. Сейчас прикажу для тебя их испечь.

— Тошнит, — простонала Галя, — тетя Лампа! Мне плохо, голова кружится.

Я повернулась к управляющей:

— Девочка в состоянии стресса, я отведу ее в свою комнату и посижу с ней.

— Да, да, конечно, — закивала Элиза, — вот ужас! Беда! Катастрофа. Велю сварить какао и подать вам в спальню вместе с миндальными бисквитами, которые сегодня приготовили для господина Карла.

— Не стоит лишать хозяина замка еды, — запротестовала я, — и Галочка жалуется на тошноту. В этом случае лучше поголодать.

— От какао сплошная польза, — отрезала Элиза и убежала.

Глава 26

— Ты гениальная актриса! — воскликнула я, переступив порог комнаты. — Встречала людей, которые пытались изобразить разные эмоции, но все они тебе и в подметки не годятся! Ты умудрилась в секунду зарыдать настоящими слезами, вспотела. Никогда не думала о карьере актрисы?

Галя села в кресло.

— У вас тут роскошно. Когда я окончила школу, собралась подать документы в театральный, но Кирилл запретил. Я начала спорить, а он маму привлек, та свою песню завела: «Доченька, мы семья, работаем сообща, без тебя никак».

— После окончания школы, — повторила я, — значит, тебе не пятнадцать лет?

— Двадцать два, — ответила Галя, — внешность удачная, очень молодо выгляжу, маленькая, худенькая, если соответственно оденусь и начну вести себя, как наглый тинейджер, легко за девочку сойду.

— У вас получилось, — пробормотала я, — ни на секунду не усомнилась, что вижу перед собой дурно воспитанную нахальную ученицу. И зачем вам такой прикидываться?

Галя закатала рукава свитера.

— Придется издалека начать. Иначе не поймете. Не стоит называть меня на «вы».

— Хорошо, — кивнула я, — слушаю тебя.

Галина положила ногу на ногу и завела обстоятельный рассказ.

Когда пятилетняя Галочка догадалась спросить у мамы, почему у нее нет отца, Валентина сообщила ей, что ее муж был исследователем Северного полюса, уважаемым человеком. Он погиб при исполнении служебных обязанностей, улетел в командировку на полярную станцию и не вернулся. Галя, конечно же, поверила в это, а другой вопрос: «Где же фото папочки, почему их у нас дома нет», девочке в голову не пришел. Она считала папу героем и с этим убеждением пошла в школу. На весенних каникулах первоклашка Галя отправилась на день рождения к своей однокласснице и услышала, как бабушка Алисы сказала ее матери:

— Зачем Ручкину пригласили?

— Неудобно не позвать, — объяснила мамаша подруги, — Алиса с ней за одной партой сидит.

— Что? — возмутилась старуха. — Немедленно потребуй, чтобы нашу девочку отсадили, и разрушь эту дружбу.

— Почему? — удивилась дочь.

— Неужели не знаешь? — не успокаивалась старуха. — Отец Ручкиной был алкоголик, наркоман, он в пьяной драке человека убил, а потом его самого на зоне зарезали. Весь двор в курсе, а тебе неведомо?

Галя не поверила словам бабки, убежала с праздника, примчалась домой и со слезами на глазах налетела на свою маму:

— Пойди скажи гадкой старухе, что мой папочка герой. Пусть она не врет!

— Ладно, ладно, — забормотала Валентина, — завтра.

— Нет! Сейчас, — затопала ногами дочь, — она Алиске расскажет, та со мной дружить не захочет. Прямо сейчас ступай.

Но Валентина никуда не пошла, и маленькая Галя внезапно поняла: не было никакого ученого-полярника, мама ей соврала.

Галочка разрыдалась. Валентина бросилась к дочери и сообщила правду. Да, ее муж оказался очень плохим человеком, он пил, сидел на игле, тратил все заработанные ею деньги на наркотики, бил Валю. Она оформила развод, но лучше не стало, жить с мерзавцем по-прежнему приходилось в одной квартире, а тот продолжал измываться над теперь уже бывшей супругой. Слава богу, его посадили, и совсем не жалко, что негодяя убили в бараке.

— Все знают, чья я дочь? — плакала Галя. — Мамочка, давай уедем отсюда!

— Куда? — печально спросила Валентина. — Денег у нас нет, квартира двухкомнатная распашонка в плохом районе, ее ни продать, ни обменять.

Галя молча ушла в свою комнату, утром она отказалась идти в школу, не стала завтракать-обедать-ужинать, не разговаривала, не просилась гулять, не смотрела телевизор, не взяла трубку домашнего телефона, когда ей позвонила Алиса. И назавтра девочка вела себя так же. Валентина перепугалась и потащила дочь к врачу. Тот осмотрел малышку, выставил мать из кабинета в коридор, спустя полчаса позвал ее назад и сурово заявил:

— У ребенка психологическая травма. Ей очень стыдно из-за отца. Если любите дочь и хотите сохранить ее здоровье, немедленно меняйте местожительство и школу.

Валентина растерялась, а врач оказался сердобольным человеком, посоветовал ей умелого риелтора, который провернул обмен. И мама с дочкой оказались в однокомнатной квартирке в очень старом доме, правда, почти в центре Москвы. Жилплощадь была крохотной, не было ванной, мыться ходили в баню, а кухней служила ниша в коридоре, где с трудом поместилась двухконфорочная плита. Валя устроилась дворничихой, Галя отправилась на занятия в новую гимназию, никто вокруг понятия не имел об ее отце-уголовнике, и девочка ощущала себя счастливой. Через несколько месяцев после переезда за Валентиной неожиданно начал ухаживать сосед с пятого этажа, дело быстро закончилось свадьбой. Кирилл Ручкин жил один в двухкомнатной квартире, ездил на хорошей машине, работал преподавателем, был щедр, купил Вале шубу, ее дочке красивую одежду, игрушки. Мать Гали без памяти влюбилась в Ручкина, была готова целовать землю, по которой он ходил. И Гале новый папа очень понравился, наконец-то у нее появился отец, которым можно похвастаться, ну, например, показать подружке браслетик и гордо сказать:

— Папа в командировку летал, вот привез, он учитель, кандидат наук!

Через год после свадьбы Кирилл Григорьевич купил квартиру в новом доме, семья перебралась в просторные четырехкомнатные хоромы, Галина снова сменила школу. И ни новые соседи, ни учителя, ни одноклассники не сомневались, что Кирилл Григорьевич родной отец девочки.

Когда Галочке исполнилось десять лет, Ручкины улетели отдыхать на море. Один раз, выйдя на пляж, папа спросил у Гали:

— Видишь вон ту тетю?

— Толстую, в красном купальнике? — уточнила дочь.

— Да, — подтвердил Кирилл, — она приехала с сыном. Подружись с ним.

— Фу, он противный, толстый, — закапризничала девочка, — жрет все время.

— Сделаешь, что прошу — получишь в подарок розовые туфли, которые вчера в магазине на набережной у меня просила, — пообещал отец.

Ради обновки Галя завязала с мальчиком дружбу, получила за это босоножки и новое задание: ей нужно унести из номера нового приятеля его зубную щетку, отдать ее отцу, вопросов не задавать и навсегда забыть о том, что сделала.

Вот так и началась Галина служба. В тринадцать лет она уже знала, что папа только числится преподавателем, на самом деле он никого не учит. Кирилл Григорьевич выполняет разные поручения. Кто их ему дает, Галя понятия не имела. Но она стала помощницей Ручкина. Тот научил девочку врать людям в глаза, не теряться ни в какой ситуации, быстро оценивать собеседника и мгновенно начинать играть соответствующую роль, чтобы тому понравиться. Галочка умела воровать, пользоваться отмычками, могла часами сидеть в засаде, залезать через форточку в чужую квартиру, вскрывать без ключа машины... Кирилл Григорьевич требовал от падчерицы молчать о том, чем занимается семья, и отлично учиться.

— Никаких проблем в школе, — повторял он, — идеальное поведение, одни пятерки за знания. Четверки нам не нужны. Помни, ты лучшая ученица, это твоя роль в гимназии. Играй ее так, чтобы все вокруг аплодировали.

И Галя старалась. Ей нравилось, что учителя и одноклассники понятия не имеют, кто она на самом деле. Девочка ни разу себя не выдала. Однажды одноклассница Маша пригласила ее после уроков к себе в гости. Девочки вместе поднялись на второй этаж блочного дома, остановились у входа в квартиру. И тут Маша обнаружила, что потеряла ключи, заплакала, испугавшись наказания родителей, и убежала на улицу. Галя пошла следом за ней, остановилась на крыльце и вздохнула, глядя на окно Машиной кухни. Рядом с ним по стене дома шла водосточная труба. Залезть по ней до второго этажа, а потом проникнуть через беспечно распахнутую форточку в квартиру было плевым делом для Ручкиной, она не раз проделывала такие фокусы. Маша очень нравилась Гале, она была ее лучшим товарищем, а сейчас рыдала, как заведенная, и повторяла:

— Папа меня выпорет!

Галочке было жалко Машеньку, но она не пошла к трубе, не сказала, что может сбегать домой и принести отмычку. Да и вообще, можно было обойтись заколкой, вытащить ее из волос и вскрыть ерундовый замок в двери квартиры Маши. Но Галя ничего подобного не сделала, она понимала: о своих талантах и умениях следует молчать. В школу ходит одна Галя, дома живет другая девочка, а на работе она третья личность.

Гале очень нравилось выполнять задания отца. Кирилл Григорьевич не забывал подчеркивать, что они с дочкой партнеры, без нее он не справится ни с одним делом, не получит денег. А платили Ручкину очень щедро. Валентина не ходила на службу, ее трудовую книжку Кирилл просто пристроил в какую-то фирму. Галя и мама одевались в лучшие бренды, квартира у них сверкала дорогой отделкой. Но в гости к себе семья никого не приглашала, отец катался на хорошей машине среднего класса, а со всех своих шмоток Валя всегда срезала ярлычки. Папа велел не демонстрировать материальное благополучие, чтобы не вызвать зависти и, как ее следствие, вопроса: откуда у преподавателя техникума столько денег? Более того, когда Ручкины перебрались из городской квартиры в дом в Подмосковье, тот был куплен в ипотеку, Кирилл ее исправно выплачивал.

— Лучше потерять проценты, чем вызвать к себе интерес, — объяснил он дочери.

Валентина, конечно, знала, на каком поле ее муж собирает золотые кочаны капусты, но в подробности ее не посвящали. Иногда Кириллу требовалось изобразить семейный отдых на курорте, и тогда они улетали все вместе, но маме муж и дочь деталей не докладывали. От Вали требовалось одно: быть самой собой, любящей женой и мамой.

Думаете, Гале хотелось иногда взбунтоваться? Она переживала, что, блестяще окончив школу, не поступила в институт, не стала учиться на актрису? Вовсе нет. Галочке очень нравится ее работа, а заботливый папа организовал для дочки диплом без посещения вуза. Галя стала специалистом по пиару и рекламе. Отсутствие задушевных подруг и любимого человека совсем не угнетало девушку. К тому же, став полноправным партнером Кирилла по бизнесу, она насмотрелась на женщин и мужчин, которые, состоя в браке, терпеть не могли друг друга...

Галя неожиданно рассмеялась:

— Вы, конечно же, знаете, что в случае убийства человека первым под подозрение полиции попадают его жена или муж. И в половине случаев эти подозрения оправдываются. Думаю, это все, что нужно знать о семейной жизни. Она не для меня.

— Хорошо, — кивнула я, — поняла. Сюда вы приехали по работе?

Галя начала ковырять пальцем подлокотник кресла.

— Можно подумать, что вы явились сюда просто отдыхать.

Ну почему никто не верит, что я решила развеяться, походить на экскурсии? Даже жена и правая рука владельца детективного агентства может стать подчас простой туристкой, не надо искать двойное дно там, где его нет.

Глава 27

— Да, — продолжила Галя, — у нас дело, но сейчас его выполнение под угрозой. Я очень благодарна Карлу, он рано утром позвал нас с мамой к себе и сказал: «Понимаю, вы в шоковом состоянии. Не волнуйтесь. Вечером улетите в Москву, я взял на себя оформление бумаг. Вас доставят в аэропорт, вы сядете в самолет, проблем не будет, вот билеты. Вы оплатили пребывание в Олафе, но в связи со скорбными обстоятельствами вынуждены прервать отдых раньше срока. Держите ваучер на двухнедельное проживание по системе «все включено» в замке. Он бессрочный, можете использовать его в любое время, когда захотите расслабиться».

Галя начала ломать пальцы.

— Местный врач сказал, что у папы случился инфаркт. Мне придется улететь в Москву, бросив дело. Не смотрите так, я любила Кирилла Григорьевича, но мне сейчас некогда горевать. Папа совсем недавно сказал: «Галюня, если со мной чего случится, ты за Валю отвечаешь, она слабая, ей опора нужна». Прямо как чувствовал, что скоро умрет. Специально для поездки в Олаф мне сделали загранпаспорт, в котором указан возраст: пятнадцать лет. Мне часто приходится изображать малолетку, проблем не бывает. Но сейчас возникла. Остаться здесь одна я не могу. Мама не сможет организовать похороны, и представляете, как это будет выглядеть, если несовершеннолетняя дочка покойного продолжит отдых? Я очень хочу выяснить правду о кончине отца. Если подтвердится сердечный приступ, сочту это божьей волей. Ну а если обнаружится криминальный след...

Галя стиснула пальцы в кулаки с такой силой, что у нее побелели костяшки.

— Тогда, клянусь, я из-под земли добуду того, кто лишил меня самого лучшего на свете отца.

— Понимаю вас, но что вы хотите от меня? — спросила я.

Галина втянула ноги в кресло.

— Не могу бросить дело, из-за которого мы приехали в Олаф. Отец всегда брал за работу деньги вперед. Это было его условием. У него безупречная репутация, ему верили. И он никогда никого не подводил. Мне придется вернуть клиенту значительную сумму, но не это самое неприятное. Слух о том, что Кирилла Ручкина убили (а так будут считать все, связанные с папой деловыми отношениями, этих людей не убедит мое заявление об инфаркте), а его дочь не смогла одна справиться с работой, вмиг разлетится среди своих. Отец постоянно выполнял поручения для нескольких частных сыщиков, крупных адвокатов, серьезных представителей бизнеса. Я намерена продолжить его дело, но, узнав о возврате денег, клиенты посчитают меня неумехой и более никогда ко мне не обратятся. В нашем деле женщинам труднее, чем мужчинам, я потеряю авторитет и не верну его. Хочу вас нанять для выполнения нашего задания. Надеюсь, оно никак не пересекается с делом, которым сейчас занимаетесь вы. Согласны? Оплата достойная.

Я сложила руки на коленях.

— Повторяю: я хотела просто отдохнуть. И не могу согласиться на работу, не зная ее сути.

— А я не имею права ничего разглашать, пока вы не ответите «да», — воскликнула Галя.

Я развела руками.

— Тупик. Кто-то должен рискнуть. Скажите, ваше дело связано с Эдмундом Хансоном?

На лице девушки появилось выражение искреннего любопытства.

— Откуда вы знаете?

Я встала, взяла из шкафа кофту и набросила ее на плечи.

— Тогда я буду той, кто рискнет. Да, я согласна! Рассказывайте.

Галина потянулась к пледу на диване.

— Я уже упоминала: папа постоянно сотрудничал с частными детективами. Но один раз он имел дело с вашим мужем.

— Не помню такого факта, — удивилась я.

— Наверное, вы тогда еще не поженились, — пояснила Галя. — Вульф только контору открыл, у него сотрудников еще не было, он один работал. Папа был о Максиме высокого мнения и часто его потом вспоминал как честного человека и отличного специалиста. Но не о вашем супруге речь, это я так, к слову вспомнила. Зимой к нам обратился Леонид Рогов.

— Кто? — не удержала я возгласа.

— Леонид Рогов, — повторила Ручкина, — мы с ним никогда ранее не пересекались.

— Так, — пробормотала я, — забавно. Софья Гурманова именуется его секретарем, хотя в действительности она убирает офис Рогова да подает кофе клиентам.

— Офис, — усмехнулась Галя, — роскошное название. Это крохотная квартира на первом этаже, убогая до слез. Я там одновременно задохнулась и замерзла. Леонид постоянно курит, в помещении воняло, как в заполненной окурками пепельнице. Чтобы выгнать дым, детектив держит окна полуоткрытыми. Погодите, вы имеете в виду Софью, которая с нами в Олаф приехала?

— Ну да, — кивнула я. — Только сейчас это поняли?

— Зачем она тут? — насторожилась моя собеседница.

Я рассказала о встрече с Гурмановой.

— Черт, — расстроилась Галя, — блин. Нехорошо. Думаю, дело в дневниках, она за ними охотится. И как только о них узнала! Судя по тому, что вы рассказали, Софья полная идиотка. Сувенирный жетон! Фото в панаме на фейковой ксиве сотрудника ФБР! Ха! Но дуракам часто везет. Вдруг она их нашла?

— Дневники? — уточнила я.

Галина стукнула кулаком по подлокотнику.

— Да!

Я взяла со стола бутылку минералки.

— Хотите воды?

Ручкина скривилась.

— Нет.

— Пожалуйста, четко и внятно расскажите суть дела, — попросила я. — Что за дневники? Чьи?

Галина развернулась спиной к одному подлокотнику кресла, перевесила ноги через другой и заговорила.

Рогов предложил Кириллу Григорьевичу работу и назначил встречу в своем офисе. Отец с дочерью приехали в неуютную квартиру, но не удивились обстановке. Ручкиным приходится бывать в самых разных местах, их трудно поразить или шокировать.

Леонид рассказал, что к нему обратилась иностранная гражданка Элиза Гант, она всю жизнь работает в замке Олаф, начинала она уборщицей, но быстро понравилась тогдашней хозяйке дворца Мартине Хансон и стала сначала ее горничной, а потом управляющей. После смерти Мартины адвокат огласил завещание. Элизе отошел принадлежавший Мартине небольшой дом в центре города. Кроме того, она получила неплохую денежную сумму и в своей последней воле Мартина указала, что Элиза должна занимать должность управляющей замком до самой своей смерти.

Госпожа Хансон наградила еще нескольких людей. Ветеринар Эклунд и его жена-кастелянша тоже получили дом и счет в банке. Недвижимость вкупе со звонкой монетой досталась и поварихе Беате. Немалую сумму обрел доктор Андерсен. «Элиза, Беата, Хельга и Георгий Эклунды были всегда верны семье Хансон, — читал адвокат, — за это их наградила хозяйка. Карл и Елена обязуются никогда их не увольнять. Доктор Гарри Андерсен и его сын Курт получают сумму, достаточную для строительства собственной клиники. Если хоть один пункт из моего завещания будет не выполнен, все мое состояние перейдет в благотворительный фонд». Юрист огласил бумагу, оглядел присутствующих и сказал сыну покойной:

— Вы можете оспорить документ, но он составлен с учетом всех формальностей.

— Нет, нет, — живо возразил Карл, — мамино слово закон для нас с женой. Ведь так, дорогая?

— Да, — подтвердила Елена, — не позаботься Мартина об Элизе, Беате, семье Эклунд и врачах, мы бы с мужем сами подарили им и дома, и деньги. Эти люди наша опора, они больше чем служащие. Их никогда ни при каких обстоятельствах не лишат работы.

Так чего же Элиза хотела от Рогова? Вам ни за что не догадаться, зачем управляющей понадобился детектив. Она задумала снять фильм о семье Хансон.

— Фильм? — переспросила я. — В смысле кино?

Галя кивнула.

— Да.

— Почему она обратилась к Леониду? — недоумевала я. — Он же не режиссер, не сценарист!

Ручкина не успела ответить. В дверь постучали.

— Войдите! — крикнула я.

В комнату вошла Беата с подносом в руках.

— Принесла вам какао и вафли, — ласково запела она, — это лучшее средство от стресса. Бедная девочка! Очень тебе сочувствую.

— Спасибо, — всхлипнула Галя, — вы так добры, не знаю, как вас благодарить.

— Ну что ты, ангел мой, — нежно проворковала повариха, — хочется тебя поддержать. Скажи, что закажешь на ужин?

— Я не голодна, — прошептала девушка.

— Загляну попозже, — пообещала Беата, — авось у тебя аппетит разыграется. Только вырази желание, я сделаю все. Куриные котлетки с грибами, крабы под соусом васаби, арбузный фреш, все, что твоя душенька пожелает.

— Арбуз в марте? — удивилась я. — В принципе его можно достать, но за большую цену.

— Деньги ничто, когда речь идет о ребенке, потерявшем отца, — вздохнула Беата. — Галочка, уважь меня, выпей какао. Давай налью.

Повариха наполнила чашку и протянула девушке.

— Уважь тетю Беату, глотни. Ну, давай, сразу станет легче.

Галя поднесла чашку ко рту.

— Ой! — воскликнула я.

Беата взглянула на меня.

— Что?

— Мышь! — взвизгнула я.

— Где? — всполошилась повариха.

Я показала пальцем на дверь.

— Там, там.

Беата обернулась и затопала ногами.

— Убирайся, пакость. Уж простите, как мы грызунов ни травим, они все равно заводятся.

— Очень вкусное какао, — прошептала Галя.

Повариха снова повернулась.

— Ах ты моя умница! Весь бокал осушила! Побежала я, хлопот много. Завтра бал, надо кучу дел переделать.

Глава 28

Когда повариха удалилась, Галя вскочила, взяла чайничек и показала на дверь в стене.

— Унитаз там?

Я кивнула. Девушка поспешила в туалет, оттуда вскоре раздался звук спускаемой воды.

— Может, напиток и не содержал ничего плохого, — улыбнулась я, когда Галина вернулась в комнату.

Девушка поставила пустой чайник на столик.

— Как говорит наша домработница: «Лучше перебдеть, чем недобдеть». Чем активнее кто-то малознакомый начинает потчевать меня разными вкусностями, тем меньше мне хочется их пробовать.

— Может, не стоит везде видеть злой умысел? — вздохнула я. — Вероятно, Беата искренне пожалела тебя, решила, что какао — лучшее утешение...

— И какао просто какао, — договорила Галя, — но вы тоже заподозрили неладное, иначе б не закричали про мышей, чтобы Беата отвернулась, а я вылила содержимое из своей чашки в чайник.

— Ну да, — согласилась я, — повариха показалась мне излишне настырной в своем желании напоить вас. Но, возможно, так она проявляла заботу. А у нас с вами активно развивается болезнь профессиональных сыщиков: неуемная подозрительность. Зачем ей что-то подсыпать вам в питье?

— Ответа нет, — призналась Галя, — но пока точно не выяснена причина папиной смерти, нужно быть осторожной. Врач-абориген говорил про инфаркт, но кто-то из местных мог узнать, какой сюрприз Элиза подготовила на столетний юбилей, и решил помешать его осуществлению. Управляющая крепко держит язык за зубами, но многие люди наблюдательны, любопытны. Элиза это понимала и опасалась, что задуманное ею может сорваться.

Я начала сыпать вопросами.

— Что за фильм собралась снимать Элиза и почему она обратилась к Леониду? Зачем прилетела в Москву? Неужели здесь нельзя найти человека, способного держать в руках камеру?

Галя опять завернулась в плед.

— Папа тоже удивился, узнав, что управляющая обратилась к Леониду. Начав работать с Элизой, он сказал: «Вы просите соблюдать полнейшую тайну. Боюсь, что это условие выполнить сложно».

— Почему? — испугалась она. — Я специально не стала искать исполнителей там, где живу, боялась, что они разболтают секрет. Поэтому и направилась в Москву.

— И никто из ваших хозяев не удивился, что вы улетели в столицу России? — продолжал недоумевать Кирилл Григорьевич.

— В марте будущего года состоится большой праздник, — пустилась в объяснения Элиза, — сотый бал. Ровно век назад хозяева Олафа впервые устроили костюмированное представление с угощением для простого народа, раскрыли двери замка для всех желающих. Деньги, вырученные тогда за билеты, пошли на строительство школы. В честь юбилея Елена решила устроить пышное торжество, с памятными медалями, эксклюзивной посудой. А я ломала голову, как свой сюрприз подготовить, услышала про сервиз, который хозяйка заказать хочет, и поняла, как поступить. Я посоветовала Елене изготовить его в Москве, там лучше и дешевле сделают, чем в Германии, где она сначала тарелки и прочее покупать собралась. Госпожа Хансон согласилась, я получила возможность туда-сюда летать, надо же приглядывать, как заказ выполняют.

— Понятно, — кивнул Ручкин, — но тот, кто порекомендовал вам Леонида, знает, что вы искали детектива, и может проболтаться. К чему я это говорю? Если раньше времени узнают про съемки фильма, то это не я растрепал, а кто-то другой.

— Нет, Леонида я сама нашла, — пояснила управляющая, — прибыла в Москву, залезла в Интернет, сделала запрос: выполнение особого заказа с соблюдением полной секретности. И получила много предложений. Стала звонить по указанным номерам, один не отвечает, на другом автоответчик, третий уже не принадлежит тому, кто объявление давал. А Рогов отозвался сразу и меня обнадежил:

— Проблем нет. Что хотите, когда хотите, как хотите. Я готов решить любую поставленную задачу, дам вам десятипроцентную скидку. Приезжайте.

Я Москву не знаю, спросила, как до него добраться, Рогов понял, с кем имеет дело, и предложил:

— Садитесь в такси и просто скажите адрес. Машина за мой счет.

Очень приятный оказался человек, произвел прекрасное впечатление, на самом деле заплатил шоферу и принялся за работу. Через три дня познакомил меня с режиссером, мы обговорили детали. Спустя две недели я опять прилетела в Москву, Рогов готовый сценарий показал, и съемки начались.

— Дорогое удовольствие, — покачал головой Ручкин, — нужны режиссер, оператор, осветитель, звукоинженеры, гримеры, артисты, декорации. Сюрприз влетает в копеечку.

Элиза объяснила Кириллу Григорьевичу, что Мартина Хансон оставила ей по завещанию крупную сумму. Управляющая не замужем, детей не имеет, живет на зарплату. Капитал она не трогала, он лежал в банке под хорошие проценты. И Рогов не нанимал мэтров кинематографа. Он нашел съемочную группу за скромные деньги, а в качестве артистов привлек лицедеев из массовки, отнюдь не тех, кто играет главные роли. Декорации взяли напрокат, все получилось вполне бюджетно.

— Не блокбастер стряпаем, — потирал руки Рогов, — снимаем кино в манере комикса. Актеры молчат, текст читает закадровый голос. Ясно, доходчиво, убедительно получилось, как вы и хотели. Идиот поймет, о чем речь.

Когда ленту окончательно смонтировали, Элиза ее посмотрела и осталась очень довольна.

У Гали запершило в горле, она закашлялась, а я получила возможность прокомментировать услышанное:

— Управляющая живет в маленьком провинциальном городке, где все друг друга знают. Наверное, поэтому она наивно верит в то, что человек, опубликовавший объявление в газете, профессионал. Мы склонны подозревать людей лишь в том, что можем совершить сами. Если кто-то твердит: кругом одни воры, значит, он сам способен украсть. Элиза не обманщица, не лгунья, она честно служит хозяевам Олафа, поэтому и посчитала Леонида отличным специалистом. И ей повезло, детектив ее не обманул, выполнил весьма непривычное для него задание. Странно, что он взялся за такое дело, это не его профиль... Леонид — мастер по слежке за неверными мужьями-женами и трудными подростками.

Галя усмехнулась.

— Папа сразу сообразил, отчего мелкий сыщик в заказ Гант зубами и ногтями вцепился. Как только Элиза, рассказывая о поисках исполнителя, бросила фразу: «Рогов единственный из всех сразу трубку снял», отец понял, что к чему. Клиентов у Леонида тогда вовсе не было, он у телефона сидел, надеялся, вдруг заказчик объявится. И, бац, Элиза на проводе. Ну и пусть она не совсем по адресу обратилась. Сыщик решил не упускать куш и сделал то, что нужно. Думаю, он съемочную группу в Интернете нашел: наберите в поисковике «снять кино по заказу», тьма предложений посыплется. И сценарий напишут, и артистов найдут, и режиссер прибежит с оператором, только заплатите. Леонид выступил в роли посредника, взял себе за работу процент. У папы не возникло недоумения по поводу того, почему Леонид схватился за эту работу, другое удивило, он спросил у Элизы:

— Фильм у вас есть. Зачем я понадобился?

Та объяснила:

— Есть две проблемы, с которыми не мог справиться Рогов. Нужна специальная аппаратура для показа ленты. Ее продемонстрируют в главном зале Олафа, там есть большой экран. Его повесили пять лет назад, когда праздновали девяносто пятый бал, тогда Елена показывала документальное кино об истории замка, его местное телевидение подготовило. Я слизала идею хозяйки, но в моем фильме много шокирующих фактов. Лента рассказывает об Эдмунде, старшем сыне Мартины, он погиб в авиакатастрофе, его имя Карл и Елена запрещают упоминать при туристах. Эдмунд вычеркнут из семейной памяти, его портрет из галереи убран. Думаю, господа Хансоны захотят прервать показ, но сделают это элегантно, например, вырубят электричество, и все! Нужен такой проектор, который не выключится без моего согласия. Леонид сказал, такие существуют, но он агрегат достать не может.

— Понял, — кивнул Кирилл Григорьевич.

Элиза понизила голос.

— И еще. Мартина вела дневники. Каждый вечер она скрупулезно записывала, как у нее прошел день, с кем она виделась, разговаривала, ну и так далее. Мартина умерла дома от инфаркта. Так уж случилось, что в момент, когда ей стало плохо, я находилась рядом. Сердце у Мартины стало сдавать после гибели Эдмунда, в ее покоях всегда было лекарство. Я кинулась к шкафчику, схватила шприц, сделала хозяйке укол и бросилась к телефону вызвать «Скорую». Мартина меня остановила, ей было очень плохо, но она прошептала:

— Дневники... убери их... спрячь... они не должны попасть в чьи-то руки... Ты все знаешь... храни... там... прядь волос Эдмунда... храни...

Я спросила:

— Где спрятаны записи? Простите, я не знаю.

Мартина показала взглядом влево.

— Там... лежат... почисти зубы, раскрой глаза. Еж. Он убивает.

— И все! Умерла, не успев назвать место. Вы должны его найти.

— Если за много лет, прошедших после кончины Мартины, никто не обнаружил дневники, то, возможно, их нет, — заметил Кирилл Григорьевич.

— Про ее записи никто понятия не имел, их не искали, но они есть! — отрезала Элиза. — Хозяйка строчила в тетрадях довольно большого формата, как лист А-4. Я о ее привычке узнала случайно. Один раз зашла в спальню госпожи, она за столом сидела, было тридцать первое декабря, полдвенадцатого. Я сказала: «Все собрались, вас ждут». Она захлопнула тетрадь и произнесла: «Фенечка сегодня умерла в десять вечера, я должна об этом упомянуть!» Феня была любимой собакой Мартины, она ушла в праздничный день, гости в замок съезжаться стали, а Фенюша у хозяйки на коленях заснула и не проснулась, старая очень была. В последние месяцы жизни Фенечки Мартина ее на руках носила, у той лапки отказывали и разум у бедной мопсихи помутился. А первого января госпожа мне про свои дневники рассказала, но не объяснила, где их держит, просто сказала: «Тетрадей много, по одной на год. Это летопись Олафа, они не предназначены для чужих глаз». Никто, кроме меня, понятия о них не имел, ни Карл, ни Елена. В противном случае нынешние хозяева отыскали бы и уничтожили ежегодники, там содержится страшная для них правда. Мартина ведь все-все в тетради заносила. А в завещании она указала, что ее спальню необходимо закрыть и вызвать мастера, который включит сигнализацию, код ее должна знать только я, трогать ее вещи нельзя. Все должно остаться так, как при госпоже до момента появления истинного наследника Олафа. Видели бы вы, как перевернулись лица Карла и Елены, когда адвокат слова про «истинного наследника» прочитал, они прямо замерли. Елена первая очнулась:

— Ну что ж, подождем рождения на свет нашего с мужем сына.

Выступила она для адвоката, остальные присутствовавшие поняли, что Мартина имела в виду.

— А что она имела в виду? — повторила я.

Галя пожала плечами.

— Папа тоже поинтересовался, а клиентка ответила:

— Вам эта информация для работы не нужна. Найдите дневники. Уверена, что Карл и Елена объявят фильм выдумкой, бредом, но ежедневники подтвердят мою правоту. Я пыталась их обнаружить, но не могла. Мартина перед смертью пробормотала: «Там лежат. Почисти зубы. Раскрой глаза. Еж! Он убивает». Смотрела она налево. Думаю, про глаза-зубы-ежа — это предсмертный бред был. Вот вам ключи, сигнализацию я отключу. Можете каждую ночь по ее спальне ходить без опаски.

Галина сбросила плед.

— Папа догадался, где тайник. Слева в спальне, куда перед смертью смотрела хозяйка, стоит узкий шкаф. Отец внимательно изучил его и заметил на полу царапины, такие появляются, если гардероб отодвигать. Он предположил, что за шифоньером есть потайное помещение. В ночь, когда папа скончался, он отправился искать механизм, приводящий гардероб в действие.

Галя замолчала.

— Мне надо выяснить, как попасть в тайник, взять дневники и отдать их Элизе? — уточнила я.

— Верно, — сказала Галя, залезла под свой свитер и сняла с шеи цепочку, на которой висел серебряный прямоугольный кулон с красным камнем посередине. — Держите, это пульт. Если во время демонстрации кино вырубится электричество, нажмите на имитацию рубина и держите. Включится автономный режим, и трансляция продолжится, прервать ее может лишь тот, кто снова надавит на камень. Ни одна живая душа не будет знать, что пульт у вас. Спрячьте его, как я, под одежду, на виду не носите. Аппаратуру папа установил, она в рабочем состоянии, протестирована, все подготовлено. Элизе надо ее только включить, и фильм начнется, а вам надо страховать процесс. Понятно?

Я надела на шею цепочку.

— Мне не все понятно. Вы рассказали, как управляющей удалось тайком снять фильм. Ясно, зачем ей записи Мартины и почему их никто не ищет. Нельзя искать то, о чем не знаешь. Но как Элиза смогла тайно оборудовать зал проектором?

Галина с сожалением посмотрела на пустую чашку.

— Какао бы мне сейчас не помешало. Управляющая сказала Елене, что хочет сделать от себя подарок на юбилей, она наняла журналиста с местного телевидения, тот опрашивает местных жителей, задает им два вопроса: «Какую роль играет в вашей жизни Олаф?» и «Что хорошего сделала вам и вашим предкам семья Хансон?» Интервью смонтируют, и покажут кино. Элиза на самом деле договорилась с корреспондентом, тот ходил по городу с камерой, общался с народом и приготовил фильм. В пригласительных билетах указано: «Программа праздника. Съезд гостей, конкурс «Королева Олафа», сюрприз от Элизы: фильм о крепости, фуршет, танцы».

— Остается позавидовать сообразительности госпожи Гант, — заметила я, — теперь все ясно.

Галя посмотрела на меня.

— Пальма из Антарктиды.

— Прости? — не поняла я.

— Это пароль. Подойдите к Элизе, та небось в большой тревоге, отец умер, управляющая боится, что показ фильма сорвется. Скажете ей: «Пальма из Антарктиды», и она поймет, что вы помощница Кирилла Григорьевича, отец ее предупредил, что работает не один. Если возникнет необходимость, его правая рука скажет кодовую фразу, этому человеку можно доверять, как ему. Элиза не знала, что подручная я. Прямо сейчас ступайте. Объясните ей, что жена и дочь Ручкина не в курсе происходящего, Кирилл Григорьевич их с собой для прикрытия взял, мол, семейный мужчина не вызывает подозрений. Мы договорились?

Я кивнула.

Галя улыбнулась.

— Забыли спросить, сколько денег вы хотите за эту услугу.

— Финансовыми вопросами в нашей семье занимается Макс, — пояснила я, — документы тоже он оформляет. Сейчас нет возможности составить бумагу. Когда прилетите домой, обратитесь к Вульфу.

— Вы так наивны? — вздернула брови Галина. — Вдруг я вас обману? Элиза получит дневники, а вам не достанется ничего. Договора нет, с меня взятки гладки.

Я встала.

— Я привыкла доверять своей интуиции, она у меня прекрасно развита и сейчас говорит, что вы не мошенница.

— Не беспокойтесь насчет гонорара, отец вел дела честно и меня такой воспитал, — заверила Галя.

Я улыбнулась.

— И не думала тревожиться. Сочувствую вам, хочу помочь, да и заработать тоже не помешает. А еще меня терзает вульгарное любопытство. Что за сюжет у фильма?

Галя развела руками.

— Никаких подробностей отец не знал, Элиза ему сюжет не сообщила, сказала лишь, что кино произведет эффект гранаты, брошенной в деревенский сортир. Сообразили, что в разные стороны после взрыва полетит?

Я забеспокоилась.

— Судя по вашему рассказу, фильм может взбудоражить Хансонов. Вдруг Карл велит всем покинуть зал? Если отключат электричество, я активирую пульт. Но хозяин может объявить: «Немедленно уходите отсюда!» Тогда как? Все подчинятся владельцу замка, люди привыкли исполнять его требования. Фильм продолжит демонстрироваться, а смотреть его будет некому.

Галя взялась за ручку двери.

— Вы с папой одинаково мыслите. Он задал точь-в-точь такой вопрос Элизе. Та ответила: «Хансоны очень хитрые, они умеют владеть собой. Кино их поразит, но вскакивать, кричать в негодовании: «Уходите, не смотрите» — они не станут. Это же будет воспринято как подтверждение того, что фильм правдив. Думаю, господа изобразят, что их показ не волнует, но постараются его прекратить. Тихо. Я говорила про отключение электричества или еще что-нибудь случится. Открытой агрессии Хансоны не выкажут».

— Вы уверены? — спросил отец. — На все сто?

— Нет, — заколебалась Элиза, — вдруг у них крышу снесет? Там такой сценарий! Они не ожидают ничего подобного.

Галина перевернула пустую чашку.

— Отец решил учесть такую возможность. Елена находится в больнице, она не сможет присутствовать на торжестве. А Карл с почетными гостями усядется в ложе. Простой народ устроится на стульях. Сначала все посмотрят выход участниц конкурса «Королева Олафа». Это примерно час. Мероприятие простое, каждая женщина демонстрирует свой наряд. Туристки, как правило, молча проходят перед жюри, местные жительницы готовят песню или стих. Есть регламент, долго выпендриваться на сцене нельзя, прозвенит звонок, и попросят уйти. Затем быстро подсчитают очки, вручат корону победительнице, а потом покажут фильм. Карлу и ВИП-гостям во время конкурса подадут шампанское, в бокал хозяина Элиза бросит таблетку, она парализует Хансона.

— Глупая затея, — перебила я Галину, — он упадет со стула...

— Там кресла!

— Какая разница! — возмутилась я. — Главное, он окажется в беспомощном состоянии. Гости в ложе переполошатся, закричат: «Врача, господину Хансону дурно», праздник прервется. Гениальная идея с таблеткой! Из-за нее все сорвется.

— Нет, — возразила девушка, — лекарство окажет другое действие. Карл временно потеряет дар речи, встать он не сможет, но сидеть будет прекрасно, сознание не отключится, он услышит и увидит все. А вот отреагировать на происходящее никак не сумеет. Поверьте, это лекарство особенное, в аптеке его не купишь, оно никогда не подводит. Пилюли эти используют спецслужбы, например для перевозки преступников в самолете. В авиалайнере невозможно оборудовать охранную зону. Поэтому выкупаются кресла в хвосте, уголовника и сопровождающих раньше всех заводят в салон, преступнику дают таблетку, и он сидит несколько часов молча, не двигается, в туалет ему не надо, наручники можно снять. Если кто из обычных пассажиров неподалеку на мужчин в последнем ряду посмотрит, ничего особенного не увидит. Летят парни, телек смотрят. Это не наркоз, не снотворное, объект в полном сознании, все слышит, видит, но шевелиться и говорить не может.

— Не слышала о таком медикаменте, — удивилась я.

— Если вы о лекарстве понятия не имеете, то это не означает, что его нет, — заметила Галя, — идите к Элизе, а я поспешу к маме.

Уже очутившись в коридоре, я сказала Ручкиной:

— Мне очень жаль вашего отца. Держитесь.

— А у меня есть альтернатива? — хмыкнула девушка. — Людей, которые рыдают у гроба, как правило, поддерживают те, кто организовал похороны, поминки и держит руку на пульте. У меня помощников нет. Потом поплачу, когда все дела улажу.

Я вздохнула, а Галина продолжала:

— В душе каждой маленькой слабой девочки прячется крепкий мужик, способный решить все сложные жизненные проблемы. Некоторые девушки потеряли пульт активации этого парня, а я нет, у меня он всегда в рабочем состоянии.

* * *

Найти Элизу оказалось не так уж просто. Замок активно готовился к завтрашнему празднику, по нему бегали толпы рабочих. В огромном зале расставляли стулья, в банкетной зоне накрывали скатертями столы. Когда я, услышав в очередной раз от какого-то служащего: «Элиза только что здесь была и ушла», снова пошла по коридорам, меня чуть не затоптала орда в белых комбинезонах, она тащила несметное количество цветов.

— Эй, подвинься! — заорал один из садовников.

Я вжалась в стену.

— Лампа! — обрадовалась Ирина, шагавшая за «комбинезонами». — Обыскалась вас! Выучили книксен? Стишок?

— Нет, — призналась я, — совсем забыла.

На лице Эклунд появилось сердитое выражение, но оно тут же сменилось нежной улыбкой:

— Ерунда. Вмиг освоите. Пошли ко мне.

— Я ищу Элизу, — засопротивлялась я.

— Зачем она вам? — проявила любопытство Ира.

— Хочу попросить лишнюю подушку, — соврала я.

— Нет проблем, считайте, что она уже есть, — воскликнула девушка, — прикажу кастелянше сию минуту притащить ее вам.

Я предприняла еще одну попытку избавиться от приставучей наставницы:

— Управляющая обещала... э... э...

— Что? — нетерпеливо осведомилась Ира.

— Дать мне билет в первый ряд, — нашла я наконец-то нужные слова.

Эклунд всплеснула руками.

— Неужели вам не сказали? Группа, живущая в Олафе, займет места в ВИП-ложе вместе с господином Хансоном и почетными гостями. Поспешим на репетицию.

— Мне надо встретиться с Элизой, — отбивалась я.

— Да зачем?

— Нужно!

— Скажите, какая проблема, я в секунду разрулю ее.

Стало понятно: избавиться от Ирины мне не удастся.

Едва мы оказались в нужном помещении, как Эклунд затараторила:

— Вот ваше платьице. Я ушила его, где надо, погладила. Супер, да?

— Восхитительно, — похвалила я наряд.

Ирина по-свойски подмигнула мне.

— Хочу предложить вам не гибкий, а настоящий кринолин.

Я, больше всего мечтавшая как можно быстрее завершить дурацкую репетицию и отправиться на поиски Элизы, решила во всем с ней соглашаться:

— Отлично.

— Умеете ходить в жесткой конструкции?

Отличный вопрос! Каждый день спускаюсь в метро в платье с юбкой-абажуром! Но если скажу «нет», процедура затянется.

— Да!

— Пройдете элегантно сквозь арку? Ее установят на сцене.

Ну уж точно не застряну. У меня не те объемы, чтобы задеть боками косяки, или как там называются боковые части арки.

— Да!!!

— Наверное, в Москве участвуете в костюмированных балах? — предположила Ирина. — Знаю, они у вас сейчас очень популярны.

Я заулыбалась изо всех сил. Ну конечно, моя жизнь состоит из тусовок, посещений СПА-салонов, ресторанов, поездок в Милан за шмотками и кофепитий с такими же подружками-бездельницами!

— Да! Я обожаю подобные вечеринки.

Ирина вдруг вспомнила нашу первую встречу:

— Но с корсетом вы не были знакомы.

— Да! Нет! Вернее, да! В смысле, корсета в моих туалетах нет, а вот кринолинов полно! Обожаю их! И чем они жестче, тем лучше!

— Чудесно, — обрадовалась Ира, — войдем в нашу красоту, стоим смирно, вдох, не дышим... опля!

Боже! Вы роскошны! Восторг! Ах, какая я молодец. Нравится? Гляньте в зеркало.

Я повернула голову и увидела нечто, смахивающее на кочан капусты, из него торчала палка, на конце которой сидела моя голова с разнесчастным выражением лица. Затянутый корсет сделал верхнюю часть моего тела похожей на ручку от швабры.

— Восторг! — захлопала в ладоши Ира. — Но... Лампочка... э... э... у вас... э... э... спортивная фигура. Декольте... э... э... требует... только не подумайте, что я хочу вас обидеть. Нет! Не дай бог! Обожаю, когда женщина стройная, но... э... оно... ну...

Я решила помочь Ирине:

— Нужен бюст.

— Да! — выдохнула моя наставница. — Чтобы он так аппетитно смотрелся. Сейчас немного не тот эффект получился.

Я опять посмотрела в посеребренное стекло, окантованное вычурной резной рамой. «Немного не тот эффект». Деликатно сказано. У меня минус первый размер груди.

— Пуш-ап нам тут не поможет, — задумчиво протянула Эклунд.

— Верно, — хихикнула я, — нельзя поднять то, чего нет.

— Ой, простите, — смутилась дочь ветеринара, — я имела в виду другое. Вы стильная дама, и...

— Да ладно вам, — отмахнулась я, — совершенно не переживаю из-за отсутствия форм. Что выросло, то и донашиваю.

Ирина метнулась к шкафу и вытащила оттуда нечто похожее на две полусферы.

— Думаете, вы одна такая? Ха! Каждая вторая, включая меня, стиральная доска. Вот вкладки. Сейчас...

Ира распустила корсет, я сделала судорожный вдох.

— Видите два кармашка? — вещала Эклунд. — Кладем в них волшебные приспособления, шнуруем и... опля! Волшебно! Гламурно! Исторически верно! Многие подлинные старинные наряды снабжены пазухами для фальшивой груди. Не надо полагать, что в давно ушедшие времена все дамы походили на кормящих. Да никогда. Вкладки наше все! Главное — прочно их на липучках присобачить, чтобы не вывалились. Ну! Любуйтесь. Вот!

Ира подкатила зеркало почти впритык ко мне.

— Размер четвертый, не меньше, — засмеялась я, — может, найти формы поскромнее?

— Никогда, — не согласилась наставница. — Зачем нам убожество? Ой, простите!

Я сделала вид, что не слышала последней фразы, а Эклунд засуетилась.

— Теперь паричок. Упс! Красота!

— Прямо башня, — вздохнула я, рассматривая свое отражение. — Не упадет?

— Шпилечками подколю, — пообещала Ирина, — клей есть специальный. Намертво присобачу. Ну-с! Начнем. Особый реверанс дам из семьи Хансон никто, кроме них, не исполнял. Левое колено согнули, правую ногу отвели в сторону по диагонали. Руки вверх, соединяем указательные пальцы, наклоняемся вперед, одновременно присев... Повторяем за мной.

Ира начала медленно опускаться, я попыталась исполнить ее маневр и зашаталась.

— Очутились в нижней точке, — пела Эклунд, — одной рукой коснулись пола, вторая отведена в сторону, как нога и... вот она фишка! Прыжок! Опля! Встали, выпрямились, улыбочка! Еще разок попытаемся?

Через полчаса я взмолилась.

— Больше не могу.

— Устали, — посочувствовала тренер, — у вас уже шикарно получается, перед сном непременно потренируйтесь и утром тоже. Во время вашего выступления я встану сбоку в кулисе и буду подсказывать, куда руки-ноги девать и очередность позиций. Выполнив реверанс, вам нужно повернуться к ВИП-ложе и продекламировать: «О великий Зигфридгеборенер, приветствую тебя и муттер Брунгильдафраугеертеунзе, которая Кримгильдамэдщенгеборенхат и всегда зоннентагмитмуттерундшвестербрудер[1].

— Мне это никогда не запомнить, — приуныла я.

— Пустяки, получится.

— Не понимаю, о чем стих.

— И не надо, главное, продекламировать его без запинки, быстро, четко. Я вам из-за кулисы подскажу, не волнуйтесь.

— Хорошо, — пробормотала я.

— Вы победите!

— Ага, — кивнула я.

— Станете первой.

— Ну да!

— Весь вечер повторяйте: я лучшая. Это приманит победу, — не успокаивалась Ирина, — я верю в вас! Не сомневаюсь в успехе! Платье, парик, накладки — все принесут в вашу спальню. Вы красавица! Умница! Гений!

---

[1] Текст состоит из набора немецких слов, но не имеет никакого смысла.

Дверь в костюмерную распахнулась, появилась Элиза.

— Где у тебя... — начала она и осеклась. — Извините, не постучала. Не хотела вам помешать. Еще раз прошу прощения.

Управляющая закрыла дверь, я схватила свои кроссовки и босиком бросилась за ней.

— Подождите!

Глава 29

Элиза, успевшая пройти несколько метров, притормозила.

— Слушаю вас. Чем могу помочь?

— Ель в Африке, — выпалила я.

Глаза управляющей округлились.

— Вам нужна елочка? Искусственная? Хотите ее в качестве сувенира домой привезти? Или в спальне поставить?

— Фу, — выдохнула я, — Ирина репетицией меня замучила, от платья с корсетом голова кружится. Пальма в Антарктиде.

Элиза молчала.

— Забыли пароль? — занервничала я. — Пальма в Антарктиде. Я помощница Кирилла Григорьевича. У меня пульт активации кинопроектора на случай отключения электричества.

Управляющая сделала шаг назад.

— Покажите.

Я бросила кроссовки на пол, полезла под пуловер. Пусто.

— И где он? — спросила Элиза.

— Сняла, когда платье мерила, — вспомнила я и ринулась назад в костюмерную.

— Лампочка, — обрадовалась Ира, — вернулись! Давайте еще разок стишок и реверанс повторим!

Я молча схватила висевший на спинке стула пульт, выбежала в коридор и продемонстрировала устройство Элизе.

— Вот.

Управляющая выдохнула.

— Слава богу. Я до смерти перепугалась. Кирилл умер, что теперь будет?

— Все получится, — заверила я Элизу и стала надевать кроссовки.

— Мне нужны дневники, — прошептала управляющая, — в них вся правда. Они доказательство.

— Чего? — спросила я.

— Всего, — ушла от прямого ответа Элиза.

— Давайте ночью пойдем в спальню Мартины, — предложила я, — мы сдвинем шкаф, вероятно, тайник за ним.

— Очень надеюсь на это, — пробормотала управляющая, — зайду к вам в номер в полночь. Могу попросить вас кое-что сделать?

— Да, если это в моих силах, — кивнула я.

Элиза вынула из кармана фартука конверт.

— Пожалуйста, отвезите приглашение Розамунде и Юрию, из моих рук они ничего не возьмут. Убедите Фихте прийти. Их места в ВИП-ложе.

— Постараюсь, — пообещала я, — но не уверена в успехе. Аптекарша и кондитер ненавидят Олаф и всех, кто там живет-работает. Розамунду, может, удастся уговорить, но ее супруга... Вы же знаете, он лидер движения Верных, в придачу отец убитой Эдмундом Паулины. Не смотрите на меня так, я знаю правду про старшего сына Мартины.

Элиза одернула фартук.

— Правду? Вы о ней понятия не имеете. И Розамунда тоже, и все остальные. Посмотрите фильм и прозреете. Думаете, потолкались в Олафе пару дней и все выяснили? Вы ошибаетесь насчет Фихте. Вроде в семье Юрка атаман, орет на жену, оплеухи ей раздает, а та глазки вниз и хнычет. Да не так все однозначно. Розамунда рукоприкладство терпит, супругу подчиняется, не спорит с ним, но если надо, она на него глянет, нужное слово отыщет, и Юрий поступит так, как баба велит. Объясните Розамунде, что в день столетнего бала Карл предложит зарыть топор войны, сделает Юрия рыцарем, а всех Верных наградит медалями Хансонов. Но не это главное. Мать узнает о судьбе Паулины. Фильм рассказывает о ней и Эдмунде. Там святая правда. Одна правда и только правда.

— Попробую, — кивнула я, — вызовете мне такси, пожалуйста. Сигвеем больше не хочу пользоваться, от первой поездки остались слишком сильные впечатления.

Элиза улыбнулась.

— Сама его побаиваюсь. Возьмите мою машину. Красная малолитражка припаркована за зданием ресепшен. Ключи Людмила даст, я позвоню ей, документы в бардачке. Умеете водить?

Я кивнула.

— Катайтесь сколько надо, — разрешила управляющая.

* * *

Услышав от меня фразу:

— Можно ли поговорить с вами наедине? — Розамунда позвала Игоря и, велев парню: — Отпускай товар, если трудности возникнут, зови, — отвела меня на уже знакомую мне кухню.

Я села за стол, протянула ей конверт, рассказала про ВИП-ложу, рыцарство и медали. Розамунда расхохоталась.

— Вон оно как. Зарыть топор войны. Карл решил моему мужу дворянство преподнести?! Анекдот! Понимаю, что в нашем городе время затормозило, до сих пор как в семнадцатом веке существуем. Интернета почти нет, мобильные с трудом работают, основная часть населения Хансонов королями считает, готова следы их ботинок целовать. Но Фихте не идиоты. Зачем нам рыцарство? Смешно, право слово! Карл совсем спятил, заигрался в монарха. Он на самом деле считает себя самодержцем, а Юру вассалом, который от радости, что благородным станет, на коленях к его трону приползет?

Розамунда задохнулась от возмущения, схватила с подоконника бутылку воды и начала пить прямо из горлышка.

Я воспользовалась моментом и попыталась сказать доброе слово о Хансонах:

— Карл и Елена много делают для города, они построили больницу, помогают малоимущим. Карл не виноват в том, что совершил Эдмунд. Паулину убил старший брат, младший ни при чем. Сотый бал — подходящее событие для примирения. Хансоны делают шаг вам навстречу, рыцарство они предлагают не для того, чтобы подчеркнуть: мы короли. Нет, они просто очень хотят завершить войну с Верными. Вы умная женщина, понимаете, что в населенном пункте, где жители тесно связаны с Россией, не стоит ненавидеть русских. Вы-то не вступили в ряды Верных.

Муж — предводитель воинствующей оппозиции, а вы в стороне. Попросите Юрия принять приглашение. Война порождает войну, агрессия вызывает агрессию, злоба плодит злобу, сколько можно раздувать костер? Сами сказали, не семнадцатый век на дворе. Кстати, проблемы с Интернетом, телевидением и мобильной связью в городе появились не из-за владельцев Олафа. Населенный пункт окружен горами, образно говоря, он вырос на дне чаши, стены которой образует каменная гряда. В древности это спасало население от набегов врагов, а сейчас приносит неудобства.

Розамунда швырнула пустую бутылку на пол, та отскочила и укатилась под шкафчик.

— Приехала на неделю и решила уму-разуму меня учить? Хансоны тебе нравятся?

Аптекарша приблизилась ко мне и схватила за плечи.

— Хочешь здесь остаться? Выслуживаешься перед господами? Недолго им царствовать, ох, недолго. Скоро им конец!!!

Я попыталась вывернуться из цепких пальцев Розамунды, но она не отпускала меня. Аптекарша побледнела и, похоже, перестала владеть собой. Она скомандовала:

— А ну вставай!

Спорить с женщиной, которая потеряла самообладание, глупо и опасно. Я покорно поднялась и хотела сказать, что Фихте узнают правду про Паулину, но Розамунда потащила меня к двери, вытолкнула в коридор и поволокла вперед, бормоча:

— Сейчас увидишь! Поймешь! Рыцарство! Ага! Нам не нужен титул от убийцы!

Маленькая худенькая аптекарша неожиданно оказалась очень сильной, в конце концов она допинала меня до дубовой двери с резной филенкой и приказала:

— Сюда! Входи!

Было бесполезно говорить о Паулине, нужно подождать, пока Фихте немного успокоится и начнет нормально воспринимать мои слова.

Я покорно вошла в комнату, поняла, что очутилась в спальне хозяйки, и испугалась. Кухонька находится сразу за торговым залом, если там закричать, Игорь и покупатели услышат мой вопль, пойдут посмотреть, что случилось, и вырвут меня из лап совсем потерявшей голову аптекарши. Но спальня расположена в дальнем углу дома. Как поступить, если Розалинда накинется на меня с кулаками? Драться? Очень не хочется, но придется. Ох, наверное, все же надо использовать козырь, сообщить аптекарше про то, что во время бала она узнает о Паулине правду. Я открыла рот...

— Вот! — выкрикнула Розамунда, вставляя в компьютер флешку. — Интернета нет, но запись работает. Гляди!

Хозяйка неожиданно подняла обе руки вверх и застыла. Выглядела она жутко. У меня в горле застыла невысказанная фраза, а из ноутбука полетел дрожащий голос.

— Эдмунд, это ты? Слышу, ходишь внизу! Топаешь по лестнице!

Серый монитор изменил цвет на голубой, появилась фигура в халате. Я узнала госпожу Хансон, она спускалась по лестнице, той самой, где я видела капли крови.

— Эдмунд, — бормотала Елена, — зря меня Карл успокаивал! Я поняла, что ты жив. Журнал специально на ресепшен оставил, чтобы мы догадались: ты в Австралии. Мартина тебя спрятала. Точно. Спасла любимого сыночка. Что ты хочешь? Стать хозяином Олафа? Злишься на нас за Карла? Кто тебе правду рассказал? Кто в замке с тобой отношения поддерживает? Беата? Элиза? Или Курт? Мы не виноваты! Мартина все придумала. Не хотела, чтобы Лагеры царствовали. Она! Она все затеяла! Мы ей подчинились. Я беременна тогда была! Куда деваться. Сейчас все тебе объясню!

Я смотрела, как Елена, беседуя с невидимым Эдмундом, медленно тащится по ступенькам. Лежа в диване в библиотеке, я стала свидетелем беседы супругов Хансон. Елена рассказала Карлу, что нашла на ресепшен журнал, на обложке было фото мужчины, очень похожего на старшего брата Карла. Владелица Олафа была сильно напугана, она полагала, что издание в домике бросил сам Эдмунд, он чудом выжил в авиакатастрофе, или его вообще не было в том злосчастном самолете, который летел в Нью-Йорк и рухнул в океан.

— Это он, — в панике говорила тогда Елена, — я слышала шаги на лестнице. Эдмунд тут ходит, мечтает нас убить!

Карл попытался всеми возможными способами успокоить жену. И та вроде пришла в себя и легла спать. Но, похоже, под утро Елена проснулась, услышала звуки, доносящиеся от двери, ведущей во двор, и, впав снова в истерику, отправилась навстречу Эдмунду, чтобы что-то ему объяснить. Почему она пошла одна? Не бросилась к мужу? Не испугалась? Я бы в таком случае опрометью кинулась к Максу!

— Эдмунд, Эдмунд, — повторяла Елена, — Карла в спальне нет! Ты его увел. Отдай моего мужа! Верни! Я все объясню!

А вот и ответ на мои вопросы. Хансон таки побежала к супругу, обнаружила, что его нет в комнате, решила, что старший брат задумал убить младшего, и захотела спасти свою мужа.

— Мы не виноваты, — всхлипывала владелица Олафа, — Виктор эту чехарду затеял, про Сержа никто не знал.

Я сделала стойку. Виктор? Так звали отца Карла. А кто такой Серж?

Экран мигнул. Теперь перед моими глазами была кладовка. У стены громоздились упаковки с плиткой, спиной к входу стояли двое мужчин. Камера, ведущая съемку, похоже, висела в коридоре, я видела не все помещение, а только его часть.

— Эдмунд! — закричала Елена. — Отпусти Карла! Он не виноват!

Обе фигуры одновременно обернулись. Хансон попятилась.

— Карл! Кто с тобой? Что ты здесь делаешь?

— Ну... э... — не нашел сразу ответ супруг, — плитку для ремонта привезли.

— Ремонта? Какого? — не поняла Елена и сделала шаг вперед.

— На первом этаже, — соврал муж, — это шофер, он упаковки уносит, нам не тот цвет доставили, надо поменять.

— Мы не обновляем помещение! — воскликнула Елена. — А-а-а! Поняла, его Эдмунд за тобой послал. Он хочет тебя увезти. Нет! Убирайся прочь!

Елена бросилась к незнакомому мужчине, ударила его по лицу, закричала:

— На помощь! Карла убивают! Кто-нибудь!

Карл попытался оттащить вопящую жену, пару секунд на экране мелькал комок дерущихся тел, потом Елена упала.

— Что ты сделал! — ахнул Карл, отпрыгивая к стене и натыкаясь на пирамиду упаковок.

Верхняя шлепнулась на пол.

— Что?.. — спросил незнакомец. — Собирай теперь.

— Олег, ты убил Лену, — прошептал Хансон.

— А чего она орала? — пожал плечами второй участник битвы. — Хочешь, чтобы сюда народ примчался? Хватай товар, тащи в машину.

— Она истекает кровью!

Олег наклонился.

— Жива! Поправится! В другой раз будет знать, что визжать не следует!

— Что делать? — затрясся хозяин замка.

— ...! ...! — лениво произнес Олег. — Плитку грузить.

— Ты ранил мою жену! — стонал Карл.

— Да ниче с... не будет!

— Скажу Диего, что Елену ножом пырнули! Плевать на плитку!

— ...! Хочешь партию сам оплатить?

— Что мне делать? — впал в истерику хозяин Олафа. — Надо «Скорую» вызвать. Доктор спросит, почему она тут? В чулане.

— ...! ...! — мирно сказал Олег. — Тащи груз сам. Я все с бабой устрою.

— Как?

Олег наклонился и легко поднял Елену.

— Не трогай ее! — взвизгнул хозяин Олафа. — Не прикасайся! Боже! Ты ударил Елену ножом! За что?

— Она орала! Могла нас выдать.

— Лена ничего про героин не знает! И тебе об этом хорошо известно. Она согласилась на историю с картиной Веласкеса, которую якобы нашла, реставрируя старое полотно, чтобы у людей вопросов не возникало, на какие деньги фабрика построена! Не следовало удивляться банкам, где я большие суммы на оплату кредитов взял. Жена о наркотиках понятия не имеет! Диего запретил ей правду сообщать, он Лене сказал: «Я тесть Петера, поэтому даю по-родственному беспроцентный кредит. Когда фабрика кафеля заработает, половина всей прибыли пойдет на уплату долга».

Лена нас выдать никак не может!

— ...!

Олег понес жену Карла в коридор.

— Куда ты направился? — еще сильнее перепугался Хансон. — Надо врача вызвать! Положи Лену!

Олег не послушался.

— Совсем ...? Ум потерял? Нашел из-за чего!..

— Ты чудовище, — простонал Карл.

— ...! — спокойно ответил Олег. — ...! ...! Ща весь испачкаюсь!

— Монстр, — не успокаивался Хансон, — живую женщину ножом!

Олег заржал и обернулся.

— А мертвую есть смысл чикать? ...! Орать ей не следовало. Кто визжит, тому перо в бок. ...! Дай чистую рубаху, эту... всю из-за тебя.

— Боже, боже, — твердил Хансон, — боже, лезвием... сразу...

Олег выругался и ушел, держа Елену на руках. Экран снова мигнул, теперь те же мужчины стояли на улице у микроавтобуса.

— Она умрет, — сказал Карл.

— И чё? Новую заведешь! — пожал плечами Олег. — Хорош ... Слушай сюда. Я хорошо к тебе отношусь, поэтому помогаю. Елене это урок. Не лезь! Не боись, она выживет!

— Сколько крови!

— Заткнись. Приедет доктор, ему скажешь: в дом вошел вор через незапертую дверь, баба спала в гостиной у камина. Парень хотел спереть что-то, она проснулась. А на стене оружия до ...! Мужик схватил топор, хренакнул хозяйку и ушел. Ты отлить встал и нашел жену! Конец истории.

— Ты еще ударил Лену алебардой! — попятился Карл.

— Не, — лениво протянул Олег, — на ... это? Рядом ее бросил. У вас тут одни придурки в полиции, им что рана от ножа, что от топора ...! Усек песню? Спой без запинки!

Монитор погас.

Розамунда продолжала стоять, не шевелясь, с поднятыми руками.

Я выдохнула. Испуганный Карл выполнил приказ Олега, но он рассказал врачу, что в Олаф приходил Эдмунд. Почему Хансон соврал доктору? Ничего не понимаю!

— Я с этой флешкой поеду в полицию, — засмеялась Розамунда, раскачиваясь. — Но не в нашу, которая Карлом куплена, в столицу подамся. Пусть займутся там Хансоном. Засадят его за решетку. Славный конец династии Хансонов! Отправлюсь через четыре дня, на прием утром сегодня записалась. Давно подозреваю, что их величество чем-то противозаконным занимается. Одна из Верных в налоговой служит, она мне шепнула, что Карл с Еленой в ноль разорились, а потом, упс, картина старинная нашлась, Хансоны завод построили. Ага! Веласкес! Что же они шедевр никому не показали? Не похвастались? И где он сейчас? Говорят, в частной коллекции, хозяин которой свое собрание никому не демонстрирует. У жителей нашего города ума совсем нет, что услышат, в то и верят. А я призадумалась, вопросы возникли. Впервые слышу, чтобы Елена реставрацией картин занималась. Почему Карл кафельную фабрику построил? У Хансона разный бизнес был, достался он ему от отца Виктора и матери Мартины. Те хоть и сволочи были, но дела вести умели, а сыночек раздолбай, наследство распылил. Хансоны занимались гостиницами, ресторанами, магазинами, кафель не их профиль. Почуял мой нос запах жареного, решила я правду узнать. Сначала попыталась на фабрику попасть. Куда там! Повсюду охрана, словно не кафель лепят, а алмазы гранят. Завела дружбу с Верой Дуркленд, она на предприятии в бухгалтерии работает. Долго ее обхаживала, чаем поила бесплатно, пирожными угощала, любые лекарства, травы просто так давала. Потом начала потихоньку про производство расспрашивать. Ничего интересного. Облицовочный материал штампуют, в магазины, в основном российские, отправляют. То ли Вера не в курсе, то ли глупой прикидывалась. Я совсем приуныла, и тут приходит в аптеку Андрей, привратник замка. Они там постоянно меняются, денег платят мало, работы наваливают много, и жить надо в домике у ворот, а там никакого покоя, окон не открыть, туристы вечно толкутся. Мрачный такой заявился. Я сообразила, что произошло, спросила:

— Выгнали тебя?

Он давай обиду выплескивать:

— За желание помочь турнули. Не спалось мне ночью, вышел во двор покурить, гляжу, минивэн через ворота едет, шофер сам шлагбаум открыл, брелок у него имелся. Время четыре натикало. Проехал пикап к хозяйской двери, оттуда Карл вышел, и начали они с водилой какие-то упаковки таскать. Разгрузили все, водитель укатил, хозяин сам давай тяжесть в дом заносить. Я подумал, если помогу господину Хансону, он на чай даст. Приблизился к нему, говорю:

— Разрешите пособить?

Он спиной ко мне стоял, аж подпрыгнул, когда мой голос услышал, обернулся и спросил:

— Вы кто?

— Привратник, — отвечаю, — новый, три недели всего на службе, не запомнили меня пока. Вижу, вы упарились совсем, давайте оттащу куда надо.

Взял одну, к ней ярлык приклеен. Фонарь над дверью яркий, ну я и прочитал: «Плитка для облицовки стен». Карл ее у меня из рук выдрал и послал такими словами... Предположить не мог, что господин Хансон их знает. Утром мне расчет дали, сказали: испытательный срок не выдержал. Вам помощник не нужен? Могу что хотите делать. Я в городе недавно, друзьями пока не обзавелся, только вас знаю.

Госпожа Фихте опустила руки.

— Очень хитрый Карл, а про сторожа у ворот забыл или не подумал, что тот бессонницей страдает. Меня как стукнуло. Что за плитка? Почему местный король сам ею занимается? Не царское это дело руки мозолить, и обычно Хансоны на черную службу рабочих кличут. Задумали они что-то плохое! Ну я их на чистую воду выведу. Давно хочу господ прищучить. И начала действовать. Сумела получить разрешение от Хансонов на посещение их сада. Выждала подходящий момент, вошла в ту дверь, про которую привратник говорил, она незапертой была. Хотела вычислить, куда Карл плитку таскает, поднялась на второй этаж, и... меня поймали, вон выставили. Но не такова Розамунда, чтобы сдаться! Договорилась с Людмилой, девчонкой с ресепшен, она недавно там служит, еще обожать Хансонов не начала, я пообещала ей бесплатную еду за фото всех покоев хозяев. Она поклялась все сделать, но пока никак, еду берет исправно, а снимков нет. Говорит, отойти во время смены трудно. Сегодня в шесть утра, только я в аптеку спустилась, звонок по телефону. Неудивительно, многие лекарства заказывают, я их готовлю, а Игорь развозит. Но в трубке мужчина незнакомый басом сказал:

— Розамунда, я за Хансонами давно слежу, камеры повсюду повесил. У вас в почтовом ящике на двери флешка лежит. Слышал, как Элиза Людмилу за провинность отчитывала, а та рассказала, что вы хотели фото личных покоев Хансонов получить. Ищете компромат на хозяина Олафа? Карл торгует наркотиками. Героин поступает под видом кафеля. Носитель содержит информацию, которая вас шокирует. Можете ее использовать.

Розамунда осеклась, ее лицо приняло растерянное выражение.

— Где я? Вы кто?

— Меня зовут Евлампия, — ответила я.

Хозяйка начала тереть ладонями виски.

— Плохо слышу вас, голова болит.

Я молча ждала, пока аптекарша придет в себя. Несколько лет назад мы с Максом беседовали с одним человеком. Разговор стал напряженным, и вдруг наш оппонент вспотел, поднял руки и выложил о себе такое, что и я, и муж растерялись и впали в недоумение. Почему клиент разбалтывает о себе такое, что даже близкому другу нельзя доверить? Он вещал долго, а потом повел себя так же, как сейчас Розамунда, опустил руки и стал спрашивать:

— Где я? Кто вы?

Спустя пару дней мы пошли в гости, в компании оказался опытный психиатр, я рассказала ему о странном поведении клиента. Но врач не удивился, он объяснил, что с некоторыми людьми от излишнего волнения случается самогипноз. Человек без помощи психолога впадает в транс. В этом состоянии он может двигаться, разговаривать, отвечать на вопросы. Но начинает выкладывать перед посторонними то, что никогда бы им в обычном состоянии не сообщил. А потом, очнувшись, не будет ни о чем помнить. Психиатр не мог объяснить, почему это случается, но он знал, что чаще в подобное состояние впадают женщины, испытывающие длительный душевный дискомфорт. Те, кто внезапно потерял близких, услышал от врача о смертельной болезни, узнал об измене мужа. Один из признаков того, что ваш собеседник сам себя вогнал в транс, это его поднятые вверх руки, которые не опускаются до того момента, как измененное сознание станет нормальным. Розамунда сегодня получила флешку, здорово разнервничалась, посмотрев ее, потом явилась я с приглашением на бал, и нервная система женщины, которая каждый день думает об убитой дочери и мечтает за нее отомстить, не выдержала. Розамунда впала в транс, притащила меня к себе в спальню... Не думаю, что она бы в нормальном состоянии продемонстрировала едва знакомой женщине запись, которую решила отвезти в полицию. Но аптекарша собой не владела, а сейчас она очнулась.

— Почему мы тут? — спросила Розамунда.

Мне стало бесконечно жаль госпожу Фихте.

— Я принесла вам приглашение на бал в Олаф.

— А-а-а-а, — протянула Фихте, — точно!

— Вы сказали, что не пойдете...

— Конечно, нечего мне там делать.

— Потом у вас заболела голова, — придумала я, — вы пошли по коридору, я отправилась на всякий случай за вами. А вы сели на диван и заснули ненадолго. Минут на пять.

— Да? Я ничего не говорила? — испугалась Розамунда.

— Нет, — заверила я. — Как вы себя чувствуете?

— Все нормально, — устало произнесла она. — В последнее время со мной что-то странное происходит. Вчера очнулась в мясной лавке, а не помню, как туда шла...

— Обратитесь к невропатологу, — осторожно посоветовала я, — и к психологу.

— Незачем мне по врачам шляться! Здорова я, — отрезала собеседница.

Я сказала:

— Госпожа Фихте, во время праздника в большом зале замка покажут фильм. Вам лучше не пропустить премьеру. В ленте будет рассказана вся правда о том, что случилось с Паулиной.

Аптекарша отшатнулась к стене.

— Не верю! Зачем им эту историю ворошить!

— Я не видела кино, — ответила я, — просто являюсь гонцом от Элизы. Она просила вам передать, что в фильме пойдет речь о Паулине и Эдмунде, откроется некая шокирующая информация. Мой вам совет: упросите мужа прийти и получить звание рыцаря. Фильм покажут после конкурса на звание «Королевы Олафа». Управляющая клянется, что вы наконец-то выясните истину. Вы положили конверт с пропуском в карман фартука, не потеряйте его.

Розамунда вынула приглашение.

— Ишь ты, ВИП-ложа! Нас с Юрой причислили к сонму небожителей. Муж подумает, как он решит, так и будет.

Глава 30

В начале первого ночи мы с Элизой вошли в спальню госпожи Мартины и начали осматривать шкаф. Мы задержались из-за того, что Гант была занята подготовкой к торжеству, потом я подробно рассказала ей о своем визите к Розамунде.

— Сколько счастливого времени я провела в этих покоях, — вздохнула управляющая, — и вот теперь они навсегда заперты.

Я встала на четвереньки и стала осматривать пол.

— Вы всегда можете войти сюда.

— Хозяйка запретила, — вздохнула Элиза, — а так хочется порой заглянуть в ее опочивальню. Чувствуете, чем пахнет?

Я потянула носом.

— Пылью.

— Да нет же, — неожиданно обиделась Элиза, — розовым маслом. Мартина его очень любила, говорила, что ее мама и бабушка им пользовались. Видите керамический домик на консоли? Это аромалампа, не такая, как сейчас делают, а самая простая. Внутри подставочка, на ней емкость с водой, туда капают масло, а внизу зажигают маленькую свечку. Огонь нагревает жидкость, и комната наполняется приятным запахом.

Спутница сделала глубокий вдох.

— Ощущаю его всем сердцем.

Я потрогала пальцем царапины на полу.

— Элиза, когда вы приводили паркет в порядок?

Бывшая горничная Мартины подошла ко мне.

— Очень давно. В последний раз за пару дней до смерти Мартины. С помощью воска. Пока была жива моя хозяйка, полы в замке только им натирали, ну, кроме тех помещений, где плитка. Жена Карла по своей моде жить решила. При ней полы лаком замазали. Новая метла по-новому метет. Очень уж ей продемонстрировать хотелось: нынче на троне Карл и Елена. Они с мужем стали экскурсантов пускать.

Лицо Элизы исказила гримаса.

— Бедная Мартина, наверное, в склепе ворочается в ужасе от того, что по Олафу не пойми кто ходит. При ней-то только раз в году чернь сюда войти могла. Паркет, покрытый лаком, отвратительно выглядит. Убита красота дерева. Новая госпожа Хансон, мда...

Управляющая замолчала.

Я встала.

— Вы их не любите. Карла и Елену.

— Не за что! — отрезала Элиза. — Служу им верно, потому что приказ от настоящей госпожи получила, от Мартины. Велено мне Олаф не покидать. Ангелом-хранителем она меня назначила. Это большая честь. Но и послушание тяжелое. Да только от него не отказываются. Серафим Саровский говорил: «Можешь не молиться, можешь не поститься, а послушание исполняй».

Я стала обходить спальню, рассматривая иконы, висевшие над узкой кроватью.

— А Мартину вы любили? Что она была за человек?

— Да зачем вам это знать, — грустно вздохнула Элиза, — теперь уж все равно.

Я остановилась около картины, изображающей волка в лесу.

— Чем больше я выясню о Мартине, тем быстрее пойму, как открывается тайник. Один раз мне пришлось искать выход из запертой комнаты. Когда я уж совсем было отчаялась обнаружить ключ от замка, вспомнила, что владелец дома — бывший капитан дальнего плавания, взяла с камина модель парусника и там нашла связку.

— Мартина... она мне вместо матери была, — протянула Элиза, — я пришла совсем юной в Олаф, нанялась уборщицей. Чем глупенькая девчонка привлекла внимание хозяйки? Понятия не имею. Но через пару месяцев Марк, тогдашний управляющий, выдал мне форму горничной и приказал наводить порядок на половине хозяйки. Помнится, я, дурочка, перепугалась и стала просить его: «Можно я откажусь? Боюсь, что не справляюсь!» Но мне велели идти в покои Мартины, вот так я и стала ее прислугой.

Я молча слушала Элизу.

Несмотря на отсутствие образования и воспитания, девочка понимала, что болтать о том, как живет госпожа, нельзя. Сначала местные сплетники пытались расспросить Элизу, но она уходила от разговоров. Мартина поняла, что прислуга умеет хранить тайны, и приблизила девушку к себе. У Элизы не было возможности окончить гимназию, ей пришлось идти работать с четырнадцати лет, чтобы помогать больному отцу, мать ее давно умерла. Мартина давала горничной книги, альбомы с картинами, научила ее правильно говорить, объяснила, как надо одеваться, чтобы выглядеть уместно в разных обстоятельствах. Хозяйка стала для прислуги наставницей, подчас суровой. Элизе крепко доставалось от нее, если она, накрывая на стол, путала приборы или подавала к красному вину фужер для белого. Мартина потребовала от горничной вызубрить назубок массу вещей, но она никогда не злилась, не кричала просто так, из-за дурного настроения.

Один раз Элизу обидел Марк, девушка решила ему отомстить и подмешала к нюхательному табаку управляющего черный молотый перец. Табакерка полдня стояла на кухне на столе, испортить ее содержимое мог кто угодно, Элизу не заподозрили в хулиганстве. Но Мартина, услышав оглушительное чихание Марка, позвала камеристку и сказала:

— Если кто-то тебя ущемил, не делай в ответ гадость, потому что, поступив так, ты ставишь себя на одну доску со своим обидчиком, становишься похожей на него.

— Просто проглотить обиду, да? — заныла девушка. — Он про меня пакости говорит, врет, что я продукты ворую.

— Я разберусь, — пообещала Мартина. — А ты в другой раз просто скажи: «Ненавидящих и обижающих меня помилуй Господь Человеколюбец, не дай их душам погибнуть из-за меня грешной».

— И все? — удивилась Элиза.

— Да, — кивнула Мартина, — сразу станет легче.

За несколько лет хозяйка сделала из неловкой, не очень умной Элизы воспитанную, способную общаться на равных с людьми разных сословий, прекрасно разбирающуюся в этикете, замечательно ведущую хозяйство и никогда не опускавшуюся до выяснения отношений девушку. Мартина любила Элизу и в конце концов назначила ее управляющей замком Олаф. А Элиза обожала Мартину, прикажи та прыгнуть в огонь, Гант бы, не задумываясь, шагнула в костер.

У владелицы Олафа было двое сыновей. Старший, Эдмунд, был бонвиван, безобразник, большой любитель разных удовольствий. Элиза только диву давалась, глядя на то, как умная Мартина, которая чуяла ложь за версту, верила обманщику. Эд постоянно под благовидным предлогом просил у матери деньги и всегда их получал. Однажды управляющая не выдержала и решила открыть госпоже Хансон глаза. Прямо сказать ей то, что вертелось на языке, Элиза не могла, поэтому она пошла обходным путем. В субботу девушка, как всегда, пришла с амбарной книгой, куда записывала расходы на хозяйство, и, доложив о финансах, забормотала:

— Госпожа Мартина, вы выписали Эдмунду денег на покупку редких книг в антикварной лавке.

— Да, — подтвердила хозяйка, — мальчик увлечен историей, он начал собирать старинные учебники, составляет коллекцию. Каждый раз, откопав и купив раритет, Эд мне его показывает. В среду принес потрясающей красоты атлас птиц, его сделали монахи в тысяча пятьсот двенадцатом году. Текст — просто образец каллиграфии, рисунки восхитительны. Да что я тебе рассказываю! Эд при тебе это чудо демонстрировал.

— Да, — согласилась Элиза, — а еще неделю назад молодой хозяин приобрел анатомический атлас.

— Удивительная вещь! — восхитилась Мартина. — Эд умеет найти уникум.

— У нас в доме завелся вор, — пробормотала девушка, — роскошное издание про птиц, атлас и другие фолианты, которые господин Эдмунд в этом месяце принес, исчезли из библиотеки.

— Не может быть, — изумилась Мартина, — ты ошибаешься.

— Их там нет, — уже твердым голосом заявила управляющая, — я вчера проверила, на полках пусто. Осматривать наши шкафы я отправилась после того, как увидела в антикварном магазине соседнего городка книги господина Эдмунда. Кто-то их сдал на продажу.

Лицо Мартины не дрогнуло, но Элиза поняла: хозяйка догадалась, что происходит. Старший сын берет у матери немалые суммы на свою коллекцию, показывает ей фолианты, а потом... снова относит их в лавку и получает неплохие деньги на кутежи. Он решил, что Мартина никогда не заглянет к букинисту в соседнем городке. Что ей там делать? Но владелец лавки выставил одно издание в витрину, и его случайно заметила Элиза.

Управляющая понятия не имела, как мать разобралась с отпрыском, но Эдмунд не выглядел смущенным, гулял по-прежнему с приятелями, в доме постоянно кутила его компания. Утром в спальне старшего сына часто обнаруживались разные девушки, иногда их в его постели бывало несколько. Чтобы по городку не поползли нехорошие слухи, Элиза сама убирала покои безобразника. Один раз парень ущипнул ее пониже спины. Девушка развернулась, изо всей силы отвесила нахалу пощечину и четко сказала:

— Я не твоя шлюха! Еще раз позволишь себе подобное, расскажу все госпоже Хансон.

— Эй! Охамела? — возмутился Эдмунд. — Ты половая тряпка! Мать вмиг вытурит тебя вон. Как ты посмела ударить хозяина?

— Ты не хозяин, — ринулась в бой девушка, — а прожигатель жизни. Противно на тебя смотреть.

— Едва мать умрет, я тебя пинком под зад вон выставлю, — пообещал Эд.

— Если Мартина скончается, я вместе с ней в гроб лягу, чтобы не видеть, как дурак Олаф разоряет! — отчеканила Элиза и убежала.

Вечером того же дня Эд принес ей коробку дорогих конфет и вроде искренне сказал:

— Я и правда идиот. Ты нам как родственница, извини. Сам не знаю, что на меня нашло. Мир?

Элиза кивнула.

— Кто старое помянет, тому глаз вон.

Гант очень любила сладкое, но тот презент даже пробовать не стала, передарила подружке.

У Мартины был еще один сын, младше брата, и у него был другой характер. Тихий, молчаливый юноша, вечно читавший книги или писавший что-то в толстой тетради. В университете Карл не имел и сотой доли популярности Эда, не играл в футбольной команде, не отличался хорошими знаниями, не умел поддержать разговор, и у него всегда потели ладони. Сидел Карл в последнем ряду, если его вызывали к доске, конфузился, начинал заикаться. Но педагоги все равно ставили ему хорошие отметки, потому что Карл очень старался, задания выполнял аккуратно и был сыном Хансонов. Друзей Карл не имел, девочки не хотели на него даже смотреть. Эд подсмеивался над братом, никаких родственных чувств он к нему не испытывал. Мартина старалась социализировать Карла, в детстве она всегда устраивала пышные балы на его день рождения, приглашала толпы детей с родителями. Ребята приходили на торжество, потому что им так велели взрослые, но настоящего веселья никогда не получалось. Будь юноша классическим ботаником в очках, просиживающим брюки в библиотеке и знающим ответы на любые вопросы профессоров, ему бы простили неумение плавать, бегать, улыбаться, мрачный вид и вечно потные руки. Карл мог прибиться к таким же слишком умным студентам, найти себе толстенькую девочку в очках, с рюкзаком, набитым книгами великих древних авторов, и жить счастливо. Но нет! Местные знайки считали Карла глупцом, а веселое студенчество думало, что он идиот. После занятий Карл ехал домой, закрывался в своей комнате и собирал пазлы. Он проводил часы за этим занятием, сидел в тишине, не включая музыку, просто подбирал кусочки, чтобы получилась картина. Когда очередное изображение было закончено, младший Хансон аккуратно наклеивал его на доску и нес матери.

— Милый, это шедевр, — слишком бурно радовалась Мартина и приказывала повесить поделку в гостиной.

— Почему не у себя в покоях? — прервала я рассказ Элизы.

Она показала на стены.

— Мартина была по-настоящему религиозна. Не напоказ. Демонстративно крест поверх одежды не носила, ни с кем бесед на церковные темы не вела. Когда был жив господин Виктор, семья ходила по воскресеньям на литургию. Но в церкви все, кроме Мартины, откровенно скучали и лишь изображали, что участвуют в службе. Думаю, Мартина боялась, что грехи мужа утянут его в ад, вот и таскала того на исповеди да причастия. Надеялась, что Господь простит грешника.

— Виктор сделал что-то нехорошее? — поинтересовалась я.

Элиза потупилась.

— Женщины. Эд в отца удался. Просто Виктор старше был, умнее, хитро концы в воду прятал, никто про его походы налево не знал, кроме меня. Белье господ стирать надо, многое понятно делается, когда исподнее разбираешь. У Виктора оно частенько в губной помаде было испачкано, пахло дешевыми духами, которыми Мартина отродясь не пользовалась. Но я госпоже Хансон о своих открытиях не докладывала. Она и так все понимала, у супругов давно раздельные спальни были, и муж Мартину по ночам никогда не навещал. Постель тоже я меняла. Понимаете, да? Вот Карл обладал другим темпераментом. У него до Елены ни одной девушки не было. Думаю, поэтому она его и окрутила, взяла на секс. Почему Мартина не вешала картины Карла у себя? Он складывал пазлы с изображением военных действий: солдаты, пушки, оружие. Мартине это совсем не по душе было. Посмотрите на стены.

Я кивнула.

— Уже видела. Повсюду библейские сюжеты, над кроватью иконы. Но вот тут слева от шкафа висит небольшая жанровая сценка. Волк с оскаленными зубами наступает на охотника, у того в руках ружье, но оно опущено, похоже, закончились патроны. Это не сцена из Нового или Ветхого Завета.

— Почему? — удивилась Элиза. — Из-за злого зверя, который стоит с обнаженными клыками? Из-за жестокости?

Я показала на противоположную стену.

— «Святой Себастьян, пронзенный стрелами». Ну никак не назовешь это полотно милым. Или вон там копия скульптуры «Битва Геракла с немейским львом», оригинал, если я не ошибаюсь, в Эрмитаже, это уже греческая мифология, но неважно. В спальне нет ни одного простого произведения, все, здесь представленное, копии известных картин. Кроме волка с охотником. Почему я думаю, что сия картина не имеет отношения к Библии?

— Да, — кивнула Элиза, — по какой причине? Вы же не можете помнить всю книгу наизусть, вдруг там где-то упомянут хищник, а некто великий его нарисовал?

Я показала на охотника.

— В давние времена не было стрелкового оружия, причем такого. В руках у человека винтовка Мосина. Она появилась в России где-то в тысяча восемьсот девяностом году и в общей сложности, с незначительными модернизациями, находилась на вооружении войск России и СССР около шестидесяти лет.

— Господи, откуда вы это знаете? — поразилась Элиза.

— Мой папа был генералом, — пояснила я, — правда, доктором наук, ученым, но все равно военным. Он любил оружие, дома его не держал, мама не разрешала, боялась, вдруг выстрелит. Зато книг с рассказами о пистолетах-револьверах-пушках-саблях-мечах в библиотеке была масса, все с картинками, фотографиями. И посмотрите на одежду охотника, она не старинная, такую куртку носил на рыбалку мой отец. Думаю, полотно, выбивающееся из общей стилистики, здесь неспроста. Что вам прошептала Мартина перед смертью и куда она смотрела? На шкаф?

Элиза кивнула.

— А может, на картину с волком? — не утихала я.

— Она впритык к шкафу висит, — пробормотала управляющая.

— Что тоже странно, — подхватила я, — на стене много свободного пространства, а сцена с хищником прижата к стенке шкафа. «Почисти зубы. Раскрой глаз. Еж. Он убивает». Так?

— Вы не ошиблись, — подтвердила Элиза. — Много лет прошло, а голос хозяйки в ушах звучит.

Я прикоснулась к нарисованным клыкам серого разбойника и воскликнула:

— Под холстом колесико.

Мой палец сделал несколько движений, у волка открылся глаз.

— Мама, — попятилась управляющая, — он смотрит.

— Вопрос: куда? — пробормотала я. — Если проведем воображаемую линию от зрачка волка, то где она закончится? Под большой елью.

Элиза подошла к холсту и потрогала изображение дерева.

— Под стволом тоже что-то типа шестеренки.

— Поворачивайте, — велела я. — О! Ежик! Он высунулся из кучи хвороста. Живая картина. Забава детей в докомпьютерную эпоху. Во времена моего детства продавались такие книги, потрешь в одном месте иллюстрацию, человек руку поднимет, тронешь окно дома, оно откроется. Нужно было догадаться, где находятся колесики, которые надо вертеть, этакий прообраз электронных игр.

— Глядите, охотник ружье поднял, — воскликнула Элиза, — когда ежик вылез!

Я начала водить пальцем по дулу винтовки, нашарила пупочку, нажала...

Шкаф совершенно бесшумно сдвинулся с места, открылось узкое пространство. Я без проблем прошла в него, поводила рукой по стене, нащупала выключатель.

— Вот это да! — ахнула управляющая. — Понятия не имела, что здесь такое есть.

Я оглядела тесное помещение. Три стены заняты полками, на одной лежат тетради, совершенно одинаковые, на корешках указаны годы. Мартина, похоже, всю сознательную жизнь вела записи. На другой полированной доске стояли альбомы с фотографиями, на третьей картонные коробки.

— Спасибо, — прошептала Элиза, — вы нашли то, что надо. Архив госпожи. Я рассказала бы вам сценарий фильма, но уже поздно, я очень устала. А завтра сами все увидите. Как это закрыть?

— Давайте выйдем, — предложила я, — и просто толкнем шкаф. Думаю, он на маленьких, почти невидимых колесиках. Задвигается легко, а вот отодвигается с помощью картины.

Глава 31

— Надо же, — удивилась Элиза, когда секретная комнатка закрылась, — как по маслу поехал!

— Тот, кто изготовил хитрый шкафчик, знал, что

им будет пользоваться хрупкая женщина, — начала я и осеклась.

Уши уловили тихий скрип, кто-то осторожно открывал дверь, в которую из общего коридора можно попасть на половину Мартины.

— Тушите свет, — шепнула я управляющей, — быстро прячьтесь за занавески, сейчас посмотрим, кто сюда без спроса заявился.

Элиза вмиг выполнила указание и через пару секунд пробормотала:

— Человек из холла двинулся не в спальню, а в кабинет Мартины.

— Сейчас он здесь появится, — прошептала я, — живо сообразит, что не туда забрел.

И точно! Сквозь щель в занавесках пробился луч света, потом послышался щелчок. Кто-то, пришедший с фонариком, нашел выключатель и зажег люстру. Элиза дернула меня за рукав. Я прижала указательный палец к губам. А незваный гость тем временем ходил по спальне, потом раздалось тихое «дзынь».

— Черт! — произнес женский голос. — Разбилась.

Я узнала надтреснутое сопрано и высунулась из-за шторы.

— Софья, что вы здесь ищете?

Стоявшая спиной к окну Гурманова подпрыгнула, обернулась и взвизгнула.

— Не хотели вас испугать, — продолжала я, выходя из укрытия.

— О! Раскокали статуэтку «Девочка с собачкой». Дорогая вещь, настоящий мейсенский фарфор, — заметила Элиза, тоже выбираясь из-за занавесок.

Софья попятилась. Я быстро встала между ней и дверью.

— Вам придется объяснить, зачем вы сюда пришли. Врать про завещание не стоит.

— Э... ну... я запуталась в коридорах, — пробормотала Соня.

— Решили посреди ночи побродить по замку? — уточнила я. — Бессонницей маетесь?

— Да, — обрадовалась подсказке дурочка.

— Лгать нехорошо, — укорила я Гурманову, — а вы любительница приврать, представились мне агентом Интерпола, а на самом деле вы уборщица, чьими услугами пользуется детектив Рогов.

— То-то я не могла сообразить, где гостью видела, — всплеснула руками Элиза, — лицо ее мне знакомым показалось. Подумала, что туристка к нам раньше приезжала. Точно. Она кофе один раз на подносе принесла, когда я у сыщика сидела. Он ей велел уйти и дверь за собой поплотнее закрыть.

Я взглянула на Соню.

— Офис частного детектива расположен в обычной квартире, вовсе не в элитном доме. Слышимость там великолепная. Вы слышали беседу Леонида с клиенткой, узнали, о чем она просила Рогова.

Гурманова опустила голову.

— Это вышло случайно. Я честный человек. Меня чужие тайны не интересуют. Да, вы правильно сказали, в офисе звукоизоляция никакая, а у Гант голос как труба! Прямо сирена! Леонид велел мне чай заварить, я стала напиток готовить, а Элиза начала про кино болтать, да так громко! Не захочешь, а все услышишь! Что мне, в уши вату запихивать?

— Минуточку! — разозлилась управляющая. — Я прекрасно помню, как обстояло дело. Я села в кресло, произнесла: «Мое дело очень необычное, вы с таким никогда не сталкивались, просто приключенческий роман. Если его издать, читатели прилавки снесут». И стала про Олаф рассказывать. Потом Софья с подносом вошла. Рогов ей приказал чайник на стол поставить и уходить домой. Как вы могли нашу беседу услышать? Вас в офисе не было! Я один раз в туалет вышла, квартирка крохотная, санузел совмещенный, из прихожей кухня как на ладони видна, никого, кроме нас с детективом, в помещении не было! Немедленно рассказывайте правду. Иначе я полицию вызову! Вам придется ответить за проникновение на территорию хозяев и оплатить разбитую фигурку. Когда господин Виктор ее для жены купил, статуэтка стоила десять тысяч долларов, сейчас она в разы дороже.

— Ой! — испугалась Софья. — Не надо.

— Выкладывайте все, — велела я, — тогда мы ничего никому не расскажем и про разбитый фарфор промолчим.

— Я в шкафу сидела, — жалобно заныла Софья, — случайно там оказалась. Из гардероба все было слышно...

— Всегда подслушиваете, о чем Рогов с клиентами беседует? — уточнила я.

— Нет, в первый раз такое, — всхлипнула Гурманова, — Элиза заявила про книгу, из-за которой покупатели прилавки снесут... Маргарита говорила, что они за сюжет могут три тысячи евро дать! О какие деньжищи! Ну, я и решила узнать...

— Стоп, — скомандовала я, — излагайте медленно и последовательно. Кто такая Маргарита?

Гурманова зашмыгала носом.

— Главный редактор издательства «Бумана», по средам я у нее дома полы мою...

Я села на диван и стала внимательно слушать «агента Интерпола».

Софья очень хочет заработать много-много денег и потратить их на свою страсть: поездки по миру. Семьи у нее нет, поэтому каждую копеечку она откладывает и несколько раз в году летает в разные страны. Соня — член клуба «Путешествия не для всех», она вступила в него, как только организация появилась на рынке, и вовсю пользуется выгодными предложениями для постоянных клиентов. Ей достаются билеты, всякие бонусы. Можете не верить, но за тысячу долларов можно две недели гулять по Европе. Да, жить придется в самых дешевых отелях, где в одной комнате спят десять человек и туалет в коридоре, а питаться в забегаловках, но зато увидишь Париж со всеми достопримечательностями или Вену, Берлин... Соня побывала во многих странах, а в прошлом году, накопив бонусы, добралась до Нью-Йорка, где и купила сувенирный значок и удостоверение фэбээровца со своим фото. Но потом случился кризис, многие хозяева, пользовавшиеся услугами уборщицы, затянули пояса, сами стали мыть полы, и для Сони наступила черная полоса. У нее остались всего два работодателя: Рогов и Маргарита. Про частые поездки пришлось забыть. Гурманова почувствовала себя абсолютно несчастной, огромными усилиями ей удалось скопить небольшую сумму, но тут подорожали авиабилеты!

Соня активно рекламировала свои услуги через Интернет, давала объявления в бесплатных газетах, но клиенты не спешили ей звонить. Гурманова, лишенная поездок, чувствовала себя как наркоман в период ломки, при одной мысли о том, что она не сможет поехать в Лондон, куда намеревалась отправиться до того, как рубль обвалился, у нее начинала болеть голова и открывалась тошнота. Чтобы сэкономить, Соня стала покупать только необходимое, а есть старалась на работе, пила чай с хозяйскими харчами и прихватывала чуток домой. У Рогова, правда, никогда ничего хорошего не было, а вот у Маргариты холодильник от продуктов ломился, владелица издательства не замечала, как уборщица отрезает себе пару кусков сыра. Соня не нагличала, банки с черной икрой не воровала, брала понемножку: ломтик колбаски, яйцо, хлеб, печенье, чай, кофе.

Как-то раз Рита сказала:

— Сегодня ко мне домой писательница придет, она обжора, обожает сладкое. Вот тебе деньги, забери в кондитерской мой заказ.

Уборщица выполнила приказ, а потом, когда литераторша, съев в одиночку торт и несколько пирожных, ушла, не смогла побороть любопытства.

— Как фамилия вашей гостьи? Что она пишет?

— Инесса Глоссер, — ответила Рита, — она над рукописями не корпит.

— А почему тогда вы ее писательницей назвали? — удивилась Софья.

— Инесса — гений по части придумывания сюжетов, — пояснила хозяйка, — так действие закрутит-завертит, что даже я удивляюсь. Но писать не умеет. Группа авторов обрабатывает ее историю, пишет диалоги, описание природы, получается книга, она выходит под именем Ларисы Горкиной. Ее романы приносят моему издательству хорошую прибыль. Глоссер постоянно требует повышения гонорара, выкручивает мне руки, знает, дрянь такая, что гениальна на своем поле. Пришлось сегодня пообещать ей пять тысяч!

— Всего-то? — удивилась Соня. — Наверное, у нее муж богатый, она одета шикарно, сумка-обувь — все брендовое.

— Дурочка, — усмехнулась издатель, — долларов.

— Пять тысяч в валюте? — ахнула Гурманова. — Просто за историю?

Маргарита вздохнула.

— Ты попробуй сюжет придумать, но чтобы ни у кого больше такого не было, чтобы люди затаив дыхание читали, и я тебе столько же дам.

— Правда? — обомлела уборщица.

Издатель кивнула.

С того дня Соня изо всех сил старалась нафантазировать историю, но у нее ничего не получалось. Понимаете теперь, почему поломойка не ушла от Рогова, услышав слова Элизы про книгу? Софья подумала, что она сумеет пересказать услышанное Рите и получит кучу денег. Вам поведение Гурмановой кажется глупым? Ну да, Софья не очень умна. Вспомните, как она демонстрировала мне сувенирный значок, фейковое удостоверение, и вы поймете: с соображением у нее не очень хорошо. А вот с умением идти напролом к поставленной цели, переть танком, давя препятствия, у Сони полный порядок.

Соня выслушала рассказ Элизы и поняла: она не только выложит историю Маргарите, но и найдет дневники Мартины. Обнаружив документы, Гурманова не отдаст их Элизе, нет, с той много денег не получишь. Сонечка помашет дневниками перед владельцами Олафа, вот они раскошелятся по полной. А еще она им доложит, что задумала управляющая, ту с позором выгонят, а на ее должность возьмут ее, Софью... От планов захватывало дух, дело было за малым — осуществить их.

Денег у Софьи кот наплакал. До городка с непроизносимым названием она еще могла долететь, но на жизнь там точно не хватит, и как получить возможность беспрепятственно бродить по замку? Туристы везде ходят группами, одну Соню во дворце не оставят. Гурманова обратилась в клуб «Путешествия не для всех», поинтересовалась, не будет ли поездки в замок. Ей ответили, что весной будущего года в Олафе состоится сотый бал и туда отправится группа. Если оплатить отдых заранее, будет хорошая скидка.

Соня кинулась к Рите и рассказала ей историю семьи Хансонов. Издатель скривилась.

— Ну, это тянет на триста зеленых! Зачем мне эта глупость!

После активного торга Соня получила пятьсот баксов, добавила к ним свой запас, отдала деньги клубу, потом еще накопила и в конце концов очутилась в Олафе, в гостинице при замке, и начала поиски.

— Отлично, — пробормотала Элиза, когда «агент Интерпола» замолчала. — Рогову в голову не пришло, что нас подслушивали.

— А мне Сонечка правды про вас не сообщила, — протянула я, — придумала некоего Сержа из Австралии, который, разбирая документы покойного отца Гектора Мозера, нашел письмо от Мартины Хансон с сообщением, что она все имущество оставляет ему. Завещание спрятано в замке. Мне эта история сразу показалась бредом. Такой документ должен находиться у адвоката, тот в случае необходимости известит основного наследника. Софья не только за вами следила, она ухитрилась много интересного и в Олафе увидеть.

— Дрянь, — скривилась Элиза.

— Сама такая, — возмутилась Соня, — я знаю, что ты придумала! Вот пойду к Карлу и все выложу! Он тебя вытурит, а меня возьмет.

Управляющая рассмеялась:

— Не надейся. Если господин Хансон так поступит, он лишится всех денег. В завещании Мартины четко сказано: я в Олафе буду служить до своей смерти, в противном случае ее деньги уйдут на благотворительность. Интересно посмотреть, как бы ты, ничего об Олафе не зная и никогда не работая управляющей, с обязанностями справилась.

Соня закусила губу, я опустила взгляд. Маленькая деталь: состояние Мартины давно иссякло. Хансоны были банкротами, их опутывали долги. Карл смог расплатиться с кредиторами лишь после того, как стал помогать Диего Диасу.

Я вздохнула и спросила:

— Одного не пойму, ты же знала, что половина Мартины под охраной, предлагала мне отвлечь секьюрити, который прибежит на сигнал тревоги. А сегодня спокойненько притопала сюда.

— Наблюдение отключили, — хмыкнула Софья.

— Да, — кивнула Элиза, — по моему приказу. Но откуда вы об этом знаете?

— Услышала, как Людмила, дежурная на ресепшен, с кем-то по телефону болтала и сказала: в Олафе перед праздником бардак, по замку носятся посторонние, а управляющая велела охрану с покоев Мартины снять, совсем Элиза с ума сошла, к служащим придирается, а у самой в голове солома.

— Я ее уволю, — процедила Гант.

— Как бы тебя саму не поперли вон, — заявила Соня.

— Уже объяснила, почему это никогда не произойдет, — фыркнула Элиза.

— Если я кое-чего скажу хозяину, то запросто, — прищурилась Гурманова, — я весь ваш разговор с Леонидом слышала, в курсе про фильм. Сколько дашь мне за молчание? За то, что не помчусь к Карлу и не раскрою сюжет кино? Я все знаю. А вот если и Хансон правду выяснит, ни фига у тебя не выйдет. Он проектор кувалдой разобьет, и прощай, кино!

— Так ты все наши разговоры подслушивала! Назови сумму, — процедила Элиза, переходя с шантажисткой на «ты».

— Двадцать тысяч евро, нет, сорок, нет, сто! — выпалила Гурманова.

Элиза потерла лоб.

— Хорошо, сейчас принесу. Наличкой. Деньги в сейфе. Лампа, поможешь мне их донести? Мне будет тяжело, руки от артрита болят.

— Конечно, — согласилась я.

— Подожди нас здесь, — велела Элиза.

— Если через десять минут не вернетесь, я пойду к Карлу, — пригрозила Гурманова.

— Побежали, Евлампия, — засуетилась управляющая.

Мы выскочили в прихожую, из которой еще можно было попасть в кабинет Мартины. С ловкостью молодой обезьянки Элиза захлопнула дверь спальни и три раза повернула ключ в скважине старинного замка.

Затем мы быстро пересекли квадратную прихожую, вышли в холл, и моя спутница столь же тщательно заперла дверь, ведущую из него в коридор.

— Фуу, — выдохнула Элиза, — пакостница может орать до посинения, никто ее не услышит, стены в замке метровые, двери огромные. Выпущу мерзавку завтра, вернее, уже сегодня вечером. Вода там в санузле в кране есть. С голоду она не умрет!

— Вы знали, что Карл торгует героином? — спросила я.

— Что? — подпрыгнула управляющая. — Чем?

— Наркотиком, — уточнила я и рассказала про кафель.

— Некоторое время назад хозяин запретил прислуге и даже мне спускаться в чулан, который находится в их с Еленой флигеле, — зашептала Элиза. — Сказал: «Фирма сделает там винное хранилище, дверь запрут на замок, потому что из того, которое находится под кухней, стали пропадать бутылки. И это правда. Карл мне пустые места на стеллажах и в холодильниках показал. Я за голову схватилась. Живо уволила двух недавно нанятых поварят. Они божились, что ничего не брали, но под подозрение только новенькие попали, остальные не первый год служат в Олафе. Господин Хансон был очень зол, вина дорогие. Спустя неделю на двери в чулане поставили хитроумный замок. Я осмелилась поинтересоваться, когда будем бутылки перемещать. Карл опять осерчал.

— Элиза, уж ты-то обязана знать, что старые емкости трясти нельзя, они останутся на своих местах, я куплю новые коньяки и сам стану их укладывать-доставать.

Управляющая умолкла.

— Там нет и намека на специальное оборудование для хранения спиртных напитков, — пояснила я, —

в чулан привозят по ночам героин, замаскированный под кафель.

Элиза перекрестилась.

— Спаси Господи. Вот умру, встретит меня на том свете Мартина и упрекнет: «Велела тебе замок беречь, а ты не видела, что под носом творится!» Но я и помыслить о наркотиках не могла, поверила, что Карл оборудовал еще один винный подвал, запер его из-за вороватых поварят.

— Вы ни в чем не виноваты, — успокоила я управляющую, — вас обманули. А что случилось с Кириллом Григорьевичем?

Элиза вздрогнула.

— Не знаю. Он ко мне пришел, сказал, что тщательно изучил спальню Мартины, лег спать, потом вдруг проснулся и понял, как сдвигается шкаф. Предложил проверить его догадку. Мы пошли на половину покойной госпожи, когда оказались на перекрестке коридоров, Кирилл вдруг прошептал: «Тошнит. Мне надо в туалет». Дошел до первой двери, открыл ее и умер. Он случайно оказался в вашем номере, искал сортир. Ему просто плохо стало.

— Ясно, — протянула я, — жаль, что так вышло. Как вы думаете, кто прислал Розамунде флешку, о которой я вам рассказала?

— Даже предположить не могу, — ответила управляющая.

— Думаю, анонимный мужчина, — начала я рассуждать вслух, — хорошо разбирается в технике и сумел установить камеры. Раз ему удалось разместить аппаратуру, парень свой в Олафе. Кроме того, он отлично знает, как Фихте ненавидит Хансонов. Незнакомец решил погубить Карла и Елену руками

Розамунды, сам не стал обращаться в полицию. Или по какой-то причине не мог этого сделать. Никто не приходит на ум?

— Нет, — ответила Элиза, — но я подумаю на эту тему.

Глава 32

Праздник, посвященный сотому балу, начался вовремя. Участницы конкурса «Королева Олафа» перед началом соревнования вытаскивали из коробки номерки. Мне достался последний номер.

— Волнуетесь? — спросила Ирина, поправляя мой парик.

— Да, — солгала я, — нервничаю.

— Первое место точно наше, — зашептала Эклунд, — в этом году ни одной симпатичной конкурсантки нет, кроме вас, конечно. Одни жирные туши. Ну-ка, гляну, сколько публики набралось. Ба! Вот это шок! Розамунда и Юрий! Фихте в ВИП-ложе! Карл им руки пожимает. Это что, конец войне? Ну и ну! Суперновость. И Верные в зале! Все! Глазам не верю. Ой, у моей мамы рот открылся! И Беата офигела! Началось! Давайте смотреть на соперниц.

Мы стояли за кулисами, наблюдая за тем, как претендентки на корону дефилируют мимо жюри. Когда на сцене оказалась предпоследняя девушка, Эклунд хлопнула себя ладонью по лбу.

— Елки-палки-догонялки! Чуть не забыла!

Она вынула из кармана нечто похожее на пуговицу с хвостом и протянула мне.

— Вставьте в ухо, буду вам подсказывать, что делать.

— Такими на телевидении пользуются, — улыбнулась я, промолчав о том, что в нашем с Максом агентстве есть похожая, но более современная аппаратура.

— Во-во, — кивнула Ирина, — удобная штука. Без нее мой голос не услышите. Сцена большая, уйдете в противоположный конец, я не докричусь.

— Все предусмотрели, — похвалила я девушку.

— Так не первый раз королеву готовлю, — гордо заявила Ира.

— Евлампия Романова, — объявил ведущий. — Просим!

— Идите, это вас вызвали, — засуетилась Эклунд, — слушайте подсказку. Не робейте! Вперед.

Я поспешила на сцену, зацепилась длинным носом ботинка за какой-то шнур, змеящийся по полу, начала падать, замахала руками, машинально сделала несколько шагов вперед и очутилась перед зрителями. Народ зааплодировал.

— Медленнее, медленнее, — загудела в моем ухе Ирина, — не бегите, идите плавным шагом благородной дамы, подбородок поднимите, плечи расправьте. Ать-два!

Я перевела дух. Слава богу, не грохнулась на глазах у собравшихся.

— Стоять не надо, — скомандовала Эклунд, — не спешим, но и не спим.

— Хорошо, — кивнула я.

— Отвечать не надо, я не слышу вас.

— Ладно, — пробормотала я.

— Десять шагов вперед, поворот через правое плечо, и прямиком к арке, увитой цветами, — велела Ира.

Я начала путь, считая:

— Раз, два, три, четыре... десять!

— Поворот! Через правое плечо. Не перепутайте. Это очень важно! Благородная дама никогда в другую сторону не ходит.

Я опешила. А если женщине нужно войти в комнату, расположенную по коридору слева? Как она поступала?

— Лампа! Не тормозите! — занервничала Ира.

Не сочтите меня дурочкой, но я с раннего детства путаю право и лево. Нет, нет, пишу той же рукой, что и большинство населения земного шара, но если навигатор в машине прикажет: «Через двести метров поверните направо», я на пару секунд замешкаюсь, пытаясь понять, куда вертеть руль. Может, я скрытая левша! И как понять фразу: «Повернитесь через плечо»? При чем тут плечи? Я стою на ногах!

— Поворот через правое плечо, — повторила Ирина. — Эй! Вы меня не слышите? Связь есть? Кивните, если да!

Я судорожно дернула головой.

— Почему тогда стоите? — зашипела Эклунд.

И тут мне вспомнился Виктор Степанович, учитель физкультуры в школе, куда когда-то ходила маленькая Фросенька[1]. Выстроив класс в шеренгу, он командовал:

— Поворот через правое плечооо! Романова! Опять, веник тебе в бок, не туда крутанулась! Сколько раз можно повторять: право оно право, лево оно лево! Правое плечо там, где правая рука. А правая рука там, где большой палец слева! Повтори!

— Лампа! — взвизгнула Ирина.

---

[1] Родители назвали Лампу Ефросинья. Почему и когда она поменяла имя, объяснено в книге Дарьи Донцовой «Маникюр для покойника».

Я вздрогнула, посмотрела на свои руки, лежащие на кринолине, и быстро повернулась. Вот же права была наша классная, твердя ученикам:

— Запоминайте все, что говорят педагоги. Неизвестно, что и когда вам понадобится.

Вот и мне наконец-то пригодились школьные знания.

— Идите к арке, — зачастила Ира, — вы молодец!

Я двинулась к увитой цветами конструкции.

— Фу, — выдохнула Эклунд. — Это — испытание на красивый проход через дверь. Арочка ее символизирует.

Я усмехнулась. Тоже мне сложности!

Очутившись вплотную к арке, я поняла, что она не такая уж и широкая, и начала поворачиваться боком.

— Нет!!! Нет!!! — завопила Ира. — Только прямо. Благородная дама не вползает в комнату, как прислуга с подносом. Она шествует королевой.

— Юбка же не протиснется. Что делать? — прошептала я и мигом сообразила.

Каркас, на который натянута нижняя часть платья, не каменный, он должен гнуться, когда я втиснусь в проем, кринолин сначала сомнется, а потом расправится.

Страшно довольная собой, я сжала руками проволочное основание юбки, ощутила, что оно сплющилось по бокам, и обрадовалась. Остается сделать пару шагов, и препятствие будет преодолено. Я выдержала испытание с блеском, иду прямо, подбородок задран, вид королевский. И тут у меня отчаянно зачесалась макушка.

Я подняла руку.

— Нет!!! — возмутилась Эклунд. — Только не это! Благородные дамы не скребутся, как простые коровницы.

Вот здорово! А как они поступают, если голова зудит?

— Идите на авансцену, — командовала Ирина. — Ну же! Время бежит! А у нас еще стих и реверанс.

Я попыталась сделать шаг, но почему-то осталась на месте. Следующая попытка тоже оказалась неудачной.

— Господи! — зашипела Эклунд. — Лампа! Вы сложили юбку неправильно и застряли! Я же спросила: «Вы умеете ходить в жестком кринолине?» Если неверно его смять, получится, как у вас сейчас! Попробуйте высвободиться! Подергайтесь, только элегантно, как благородная дама.

Я заулыбалась. И как должна дергаться благородная дама? Чем ее телодвижения отличаются от потуг простой крестьянки? Вероятно, высокородная особа осуществляет их с высоко поднятой головой и с идеально прямой спиной.

— Ну же, шевелите попой, — раздавала указания Ирина, — виляйте ею в разные стороны, поднимите-опустите, совершите круговые движения. Махи!

Я застыла. Помахать пятой точкой? Это как?

По залу полетел громкий голос моей наставницы.

— Господин ведущий, поставьте, пожалуйста, перед конкурсанткой микрофон. Она будет читать стих, стоя в арке, так, как это делалось в десятом веке.

Я захихикала. Гениально придумано. Что да как творилось более тысячи лет назад, сейчас никто не знает.

Высокий мужчина в лосинах и сюртуке водрузил передо мной стойку.

— Мерси, — поблагодарила я.

Зал забил в ладоши.

— Вы им нравитесь, — обрадовалась Ирина. — Начинайте!

Я порылась в памяти.

— О гениальный...

— Великий, — поправила Ира, — Зигфрид Киндгеборенер... Повторяйте за мной.

— О Великий Зигфрид, — завела я, — Зигфрид...

Ирина молчала.

Я притихла. Куда подевался голос в моем ухе? И что делать? Надо как-то выпутываться. В память опять всплыло воспоминание. Вот моя учительница по классу арфы из музыкальной школы Екатерина Иосифовна с укоризной вопрошает: «Романова! Опять в году тройка по истории вышла. Почему?» «Не смогла правильно про битву на Чудском озере рассказать, — лепечу я. — Ольга Сергеевна спросила, в каких доспехах были псы-рыцари? Я не ответила!»

— По какой причине? — вздыхает Екатерина Иосифовна.

— Параграф не прочитала, — честно отвечает ученица, — Майн Ридом увлеклась, забыла про задание.

— Да уж, про всадника без головы интереснее, — неожиданно говорит педагог. — Романова, дам тебе совет. Если чего не знаешь, смело придумывай. Надо было Ольге Сергеевне сказать: «Рыцари были в железных костюмах, на груди у них висели медальоны с головами собак», а чтобы историчка тебе поверила, добавляй: «У папы дома много книг по истории, я, готовясь к урокам, у академика Петрова в монографии описание их одежды прочитала. Вы же, конечно, знакомы с трудами этого профессора?» Ольга Сергеевна никогда не признается, что об ученом не слыхивала, кивнет и поставит тебе пять. Я намотала на ус совет Екатерины и часто пользовалась им в консерватории во время сессий, сдавая два предмета, выучить которые не представлялось возможным: историю КПСС и научный коммунизм. Название второго вызывало у меня недоумение: значит, есть еще и не научный коммунизм? Коммунизм мракобесия?

Голова опять зачесалась, на мгновение мне показалось, что макушку царапают мелкие иголочки. Я вздернула подбородок. Из любого, даже безвыходного положения есть выход! Знаю много музыкальных терминов, для тех, кто никогда не учился в консерватории, они звучат абракадаброй. Такой же, как сейчас бормочет Ирина. Начну произносить их по алфавиту.

— Великий Зигфридарпеджиоариозобревисгомофония[1].

— Лампа, что вы несете! — зажужжало в ухе сопрано Ирины.

— Лампа, что вы несете! — на автомате повторила я.

— Не говорите все, что слышите! Приветствую тебя, муттерБрунгильдафраугеертеунзе!

Я набрала полную грудь воздуха.

---

[1] Арпеджио — последовательное исполнение звуков (тонов) аккорда. Ариозо — небольшая ария. Бревис — нотная длительность, преимущественно в старинной музыке, равна двум нотам. Гомофония — тип музыкального письма, при котором есть мелодическая линия и гармоническое ее сопровождение.

— Не говорите все, что слышите! Здрасте вам, Брунгильда кантилена квартолькластерконсонанслибретто![1]

— С ума сойти! Вы меня слышите? — перешла в более высокую тональность Эклунд. — И всегда зоннентагмитмуттерундшвестербрузер!

Я заорала во всю мощь.

— И никогда мордентоктетпандиотоникаритурнельсурдинатриоль Иоганн Себастьян Бах![2]

Имя великого композитора выскочило случайно.

Я выдохнула и добавила:

— Моцартчайковскийспиваковпаганини.

— Ммм, — простонала Ирина, — о боже!

Я радостно заулыбалась. Справилась!

— Книксен теперь сделайте, — пробормотала Эклунд. — Повторяйте мои движения.

Я повернула голову влево и прищурилась.

— Делайте то, что я говорю, — живо уточнила Ира, — прекратите чесаться! Вы все время теребите парик.

---

[1] Кантилена — мелодия лирического характера. Квартоль — деление ритмической доли на 4 равные части. Кластер — диссонантное созвучие. Консонанс — согласное созвучие двух и более тонов, либретто — текст оперы.

[2] Мордент — мелодическое украшение. Октет — ансамбль из 8 исполнителей. Пандиотоника — стиль гармоничного письма, часто вне правил традиционной гармонии. Ритурнель — инструментальное вступление, интермедия или завершающий раздел в вокальном произведении или танце, повторное возвращение мелодии. Сурдина — приспособление, приглушающее звук некоторых инструментов. Триоль — деление ритмической доли на 3 равные части.

Я потрясла головой. Полное ощущение, что по моему темечку топают маленькие ножки, в прическе словно гномики поселились. Они бегают туда-сюда. Видно, я сильно разнервничалась. Раньше я, усаживаясь на сцене за арфу, всегда чувствовала, как по спине в железных сапогах с острыми каблуками шагает армия мурашек. Но ведь это в реальности невозможно, следовательно, и гномиков нет.

— Начали! — скомандовала Ирина. — Медленно и торжественно отводим...

Я принялась послушно исполнять команды. Вытянула вперед правую ногу, согнула колено, отставила назад левую ногу, развела руки в стороны, попыталась элегантно присесть, потеряла равновесие, испугалась, с трудом удержалась на ногах, зацепилась длиннющим носом пулена за что-то, запаниковала, дернулась что есть сил...

Раздался щелчок. Юбка кринолина неожиданно сложилась как зонтик, арка ослабила свою хватку, я, сделав по инерции пару шагов в сторону авансцены, еле-еле удержалась в вертикальном положении. Послышался новый звук: чпок! Железная конструкция резко расправилась и почему-то стала больше, чем была, ткань юбки раздулась гигантским парашютом, невидимая сила потянула меня в сторону, я зашаталась и плюхнулась на колени.

— Гениально! — взвизгнула Ирина. — Глубокий присед! Шикарно! Вау! Роскошно! Ручками па-де-де сделайте! Скоренько!

Если мне не изменяет память, па-де-де — это одна из основных танцевальных форм в балете, выход двух танцовщиков. Как исполнить его руками, не совсем понятно. Но раз велели, надо попробовать. Я вознесла к потолку руки, наткнулась ими на башню из фальшивых волос и пошатнула ее.

— Скорее вернем прическу на место, — залопотала Ирина.

Я шлепнула по парику ладонями. По голове побежали маленькие ножки, потом они спустились на шею, на грудь... Мышата! Бальный наряд вместе с париком ночевал в моей спальне, и мелкие грызуны, которых я исправно подкармливаю, решили поселиться в гуще волос. Да оно и понятно почему, там темно, мягко, уютно.

Зал зааплодировал, застучал ногами, засвистел.

— ...! — выругалось «ухо».

Я перевела дух. Ненормативная лексика не мой конек. Но сейчас я согласна с Ирой, что тут еще можно сказать?

— Вставайте скорехонько, — зачастила Эклунд, — занимайте место на авансцене, низко поклонитесь жюри, попятьтесь, задом не поворачивайтесь к ним, Христа ради, идите спиной — и получите корону! Фурор! Овацию никто не заслужил, только вы.

Я попыталась встать. Да уж, остальные участницы не вытряхивали из кудрей грызунов, это исключительно мое ноу-хау!

— Не тяните! — нервничала Ира.

Хорошо ей говорить! «Абажур» не дает коснуться рукой сцены, а подняться без опоры я не могу.

— Скорей! — завопило «ухо». — Поклон судьям! Последний штрих!

Я поползла на коленях к краю подмостков, увидела микрофон, вцепилась в него руками.

— Голову поднимите! — тараторили в ухе. — Вы благородная дама! Молодец! Выпрямилась! Улыбнулась! Наклонилась! Ниже! Еще! Ниже! Переломитесь в пояснице, иначе не засчитают!

Я сложилась пополам.

— Восторг, — ликовала Ирина, — выпрямляйтесь, медленно, благородно, плавно, интеллигентно, торжественно, величаво.

Я стала выполнять и этот приказ, чихнула...

Из правого кармашка выскочила силиконовая вставка, упала на сцену, подпрыгнув, словно мячик, опять стукнулась о подмостки, поскакала вперед и свалилась в зрительный зал. Из первых рядов донесся визг, затем аплодисменты. Мой бюст с правой стороны стал значительно меньше, чем с левой.

— Пятимся, пятимся, — закричала Ирина, — не обращаем внимания на мелочи! Шоу должно продолжаться, даже если у вас грудь отвалилась.

Я засеменила назад и в тот момент, когда подумала, что все трудности позади, наступила пяткой на подол и плюхнулась на сцену. Кринолин накрыл меня юбкой. Вторая вкладка тоже вылетела из кармашка и усвистела куда-то.

— Занавес! — завизжала Ирина.

Перед моим носом медленно и печально опустилось бархатное полотнище, скрывшее вспотевшую Лампу от пребывающих в неистовом восторге зрителей.

Глава 33

Когда я, переодевшись в нормальное платье, держа в руках коробку с короной, вошла в ВИП-ложу, все присутствующие начали бурно восхищаться.

— Потрясающе! — зааплодировал Карл. — Впервые вижу классическое исполнение реверанса! Только моя мама умела делать его так элегантно! Браво. Давайте выпьем шампанского. Элиза, где бутылка?

Управляющая быстро внесла поднос с бокалами.

— Вы изумительно декламировали стихотворение, — промурлыкала пожилая дама, председательница жюри, — древний текст не прост в исполнении. Необходимо его глубоко прочувствовать. Я прекрасно его знаю и должна отметить: произнесено без единой ошибки.

Я улыбнулась. Совет Екатерины Иосифовны никогда не подводит.

— Где вы взяли эти стихи? — не успокаивалась дама. — Они малоизвестны.

Меня охватило вдохновение.

— В манускрипте Иоанна Римского, он ходил с Афанасием Никитиным за три моря, побывал в замке Олаф, видел церемонию избрания королевы бала, записал вирши...

Я осеклась. Сегодня сотый бал, значит, первый случился в начале девятнадцатого века. А тверской купец, путешественник и писатель Афанасий Никитин жил в пятнадцатом. Выдуманный мной его друг Иоанн Римский никак не мог слышать эти поэтические строки. Не сходятся у меня концы с концами!

— Конечно! — кивнула главная судья. — В свое время, будучи студенткой, я изучала рукописный труд Иоанна Римского, гениальное произведение!

— Красиво выступили, — одобрил Юрий Фихте. — А чем вы швырялись? Сначала какие-то комки сыпались, потом мячики скакали.

Я опустилась в кресло. Все. Фантазия моя иссякла.

— Это имитация фейерверка, — пришла мне на помощь Ирина, — благородные дамы, закончив реверанс Хансонов, всегда запускали петарды. Но мы не рискнули, народу много, вдруг кто-то обожжется, поэтому использовали разные шарики из резины.

Я взяла с блюда, стоящего на откидной доске, бутерброд. Молодец, Ира, наверное, у нее была в детстве своя Екатерина Иосифовна.

В зале погас свет, послышался шорох, затем экран, висевший над сценой, засветился и зазвучал приятный мужской голос:

— Кинокомпания «Маунт» по заказу Элизы Гант представляет фильм «Тайна замка Олаф». Посмотрите на фотографиию. Красавица в роскошном платье, это юная баронесса Мартина Вудрок. Она без памяти полюбила Виктора Хансона, вышла за него замуж и стала хозяйкой крепости Олаф. Молодая женщина обожала своего супруга, родила ему двоих детей, Эдмунда и Карла. Виктор нежно относился к спутнице жизни, осыпал ее подарками, исполнял любые прихоти жены. Счастливая семья мудро правила городом Гардсардрундъюборгом, демонстрируя его жителям пример крепкого настоящего супружества. Но у каждого в шкафу есть свой скелет.

На экране появилось изображение могилы.

— Мы с вами находимся на местном кладбище, — продолжал закадровый голос, — здесь, в лучшей части погоста, на возвышении находится мраморный склеп семьи Хансон, в нем покоятся останки всех правителей города начиная с великого Магнуса и его родственников. Гробницу окружают статуи ангелов, привезенные в незапамятные времена из Греции. Но давайте обойдем пантеон. В его задней части есть небольшая могила. Кто же удостоился чести быть похороненным рядом с королевскими особами?

Камера взяла крупным планом гранитную стелу. Стала видна надпись. «Сергей Эклунд. Засни и вмиг душой бессмертной в сады беспечные войди. Безутешные родители Хельга и Георгий».

— Георгий Эклунд, — говорил диктор, — ветеринар замка Олаф, а его жена Хельга, удивительная красавица, служила там кастеляншей, в ее обязанности, в частности, входило менять белье на кроватях господ. Через шесть месяцев после того, как Мартина произвела на свет второго сына Карла, у Хельги тоже родился мальчик, названный Сергеем. Хансоны оказали кастелянше великую честь. Господин Виктор стал крестным отцом младенца. После того как новорожденного окунули в купель, владелец замка объявил, что берет на себя обязательства по воспитанию и образованию крестника.

В раннем детстве маленький Сережа был постоянным гостем Олафа, ему во дворце все радовались. У мальчика была собственная спальня, ее убранство ничуть не хуже обстановки детской Карла. Эдмунд, Сережа и Карл имели одинаково дорогую одежду, с ними со всеми занимался гувернер. К шести годам сын кастелянши и ветеринара умел скакать на лошади, бойко говорил на трех иностранных языках: французском, английском, немецком, умело пользовался всеми столовыми приборами, обращался к многочисленной прислуге на «вы». Он воспитывался как инфант.

Я покосилась на Карла, напротив которого на столике стоял пустой фужер для шампанского, его подала всем Элиза. Он сидел не шевелясь, наверное, на него уже начало действовать лекарство, которое управляющая растворила в вине.

А на экране тем временем показывали маленьких мальчиков, которые играли в мяч, бегали, гарцевали на пони.

Баритон продолжал рассказ:

— В девять лет Сережа покинул родные места. Виктор отправил его учиться, сначала в монастырскую школу, потом в университет в Германии. Домой к родителям Сергей никогда не приезжал. На вопросы соседей о сыне Хельга отвечала:

— Серж станет адвокатом, в нашем крохотном городке ему будет тесно. Мальчик решил делать карьеру в Европе. Конечно, мы по нему скучаем, но у нас есть дочка.

И это правда. У Эклундов родилась девочка, она была намного младше брата и очень похожа на своего отца Георгия, тот же нос, глаза, рот, просто копия папы.

Нам удалось раздобыть две фотографии. Посмотрите на эти снимки. Слева семнадцатилетний Карл, справа Сережа, который младше него на шесть месяцев.

По залу пробежал шепот, я уставилась на снимки. Да уж, почти близнецы.

А голос продолжал:

— Шокирующее сходство. Можно предположить, что красивая кастелянша понравилась Виктору и на свет явился бастард. Во многих аристократических родах имеются боковые ветви. Например, в России был граф Бобринский, сын императрицы Екатерины Второй и ее фаворита Григория Орлова.

Судьба незаконнорожденных детей не всегда была горькой и нищей. Наверное, Мартина знала, кем Сережа приходится Виктору, но умеющая владеть собой дама не закатывала истерик, не требовала убрать побочного сына мужа из дворца, была мила и ласкова с малышом. Окажись Сереженька похожим на Хельгу, он мог бы спокойно учиться вместе с Карлом, с которым сильно подружился, в одном классе, но к восьми годам мальчики стали похожими, словно двойняшки, они даже ходили одинаково, слегка подволакивая правую ногу. Чтобы избежать сплетен, Виктор отправил незаконнорожденного отпрыска в закрытую школу. На родину Сережа приезжал всего один раз, уже окончив университет, прилетел тайком, чтобы проститься с умирающей бабушкой, матерью Хельги. Этот визит дал старт невероятным событиям. Но о том, что случится, поговорим позднее. А сейчас поведем речь об Эдмунде. Старший сын, наследник Хансонов, красавец, бонвиван, кутила, богач, не считающий денег, любитель мощных машин и жесткого секса. Многие девушки ликовали, когда будущий владелец замка обращал на них свое внимание. В голове глупышек мигом рисовалась картина пышной свадьбы, а затем счастливой беззаботной жизни в замке. Но никто из любовниц не выдерживал рядом с Эдмундом больше месяца. Несколько раз к Мартине прибегали матери горничных, прачек, работавших в замке, официанток из городских кафе и говорили:

— Эдмунд избил мою дочь, он пытался задушить ее в момент занятия любовью.

Госпожа Хансон доставала чековую книжку и выписывала счет. Слава богу, Эдмунду нравились красавицы из простонародья, их семьи удовлетворялись малыми деньгами и не поднимали шума. Но шила в мешке не утаишь, почти весь Гард знал: Эдмунд задирает юбку каждой встречной-поперечной. Но вдруг бесшабашный кутила перестал гоняться за брюнетками-блондинками и бывать на вечеринках. Что случилось с отвязным барчуком? Эдмунд впервые в своей жизни влюбился. Сердце первого жениха города забрала Паулина Фихте. Девочке едва исполнилось пятнадцать, но выглядела она на десять лет старше и, самое главное, совпадала с Эдом в сексуальных пристрастиях, была готова предаться любовным утехам в любое время в любом месте, соглашалась на любые эксперименты. Ее приводили в восторг эротическое удушение, игра в покорную служанку, избиение хлыстом...

— Нет, — закричала Розамунда, вскакивая, — не смейте клеветать на покойную! Эдмунд изнасиловал мою дочь, она была чистой, невинной девушкой и стала жертвой сексуального маньяка, подонка. Остановите фильм!

— Мама, — раздался звонкий голос, — я словно слышу, как ты сейчас вопишь на весь замок: «Моя доченька не такая!».

По залу пролетело общее «ах», аптекарша схватилась за сердце.

— Кто это? Кто говорит? Кто?

Я во все глаза смотрела на экран, а там в красивом кресле у зажженного камина сидела женщина в алом платье.

Глава 34

— Это кто? — закричала Розамунда.

— Мама, перестань, — поморщилась незнакомка, — я тебя, конечно же, сейчас не вижу, но, думаю, твой характер не изменился. И отец остался таким же. Он по-прежнему колотит тебя, ставит фингалы, а ты потом молишься у иконы, причитаешь: «Вразуми его, Господь!» Мама, возьми кочергу и огрей хама, боженька не поможет, сама действуй.

Розамунда вцепилась в сиденье кресла и простонала:

— Это кто?

— Мама, я Паулина, — словно услышав ее вопрос, ответила женщина на экране, — успокойся, не ори. Посмотри на меня внимательно, я мало изменилась, не растолстела, не сморщилась.

Розамунда зажала рот ладонями, Юрий подался вперед и замер, уставившись в экран.

Паулина встала и безо всякого стеснения задрала юбку.

— Родители, вы обалдели и не верите, что ваша дочь жива? Помните, как я в четырнадцать лет свалилась с велосипеда и разодрала бедро? Мне делали операцию, остался приметный N-образный шрам. Вот он!

Камера крупным планом продемонстрировала отметину.

Паулина села в кресло и расстегнула верхнюю пуговицу платья.

— Еще родинка на груди. Здесь.

Оператор старательно продемонстрировал бюст, потом снова показал женщину целиком. Она подмигнула.

— Долго он по моим сиськам камерой шарил. Но я не против. Всегда любила секс, а сейчас он мне еще больше нравится. Родители, что вы обо мне знали? Я с тринадцати лет спала с мужчинами, врала вам, что делаю уроки у Юлианы, а сама ехала в соседний город и шла в какое-нибудь кафе. Я всегда выглядела старше, лгала парням, что мне девятнадцать, а если они сомневались, показывала школьный пропуск Аделаиды Зонте, мы с ней были похожи.

— Она его украла, — закричал из зала звонкий голос, — я ей не давала! Сперла!

Паулина расхохоталась.

— Знаю, мое интервью покажут во время юбилейного бала при большом скоплении народа. Аделаида завизжит, что я сперла документ. Не-а! Она мне сама его давала. Частенько мы с Адькой в Минц катались, устраивались в баре за стойкой, изображали студенток. Я красавица с роскошной грудью, осиной талией, Аделаидка — швабра, ни рожи, ни кожи. Парни подходили со мной познакомиться и, чтобы отвлечь Зонте, просили приятелей пофлиртовать с дурнушкой. Ада мне свои документы давала, чтобы кавалеров заиметь. И одеждой своей она делилась. Розамунда мне тупые платья покупала, мешки длиной до щиколотки. Мать, если для тебя спать с мужем тяжелая обязанность, то мне потрахаться в радость. А уж когда мы познакомились с Эдом!..

Паулина закатила глаза.

— Вам и в голову не придет, что мы творили! Нам нравилось делать это в самых неожиданных местах. Один раз устроились прямо в кондитерской! Эд приехал якобы за тортом для матери, мой отец возился в пекарне, я стояла за прилавком. Ха-ха-ха! Юрий, представь, чем мы у витрины занимались! Понимание того, что кто-то может войти, придавало затее особую остроту. Родители! Перепихиваться можно не только в темноте под одеялом во фланелевых пижамах. Вы сексуальные уроды, не умеющие получить настоящее удовольствие, но я-то не такая.

Паулина рассмеялась.

— Мне вас жаль. Я рано поняла: жить, как старшие Фихте, не хочу и не стану! Мы с Эдом почти год были вместе. Прекрасное время! Эдмунд решил на мне жениться. Да, да, мамочка, я могла стать госпожой Хансон. Но! Папашка-то у нас из Верных, и мать его, кляча тупая, сволочь сварливая, из них же. Никогда бы они согласия на брак не дали. Им Хансоны враги. Вот же уроды! Из-за них все случилось. Я забеременела. И как быть? Аборт делать мы не желали. Почему мы должны убивать своего ребенка? Потому что мне пятнадцать? А тебе, мать, сколько стукнуло, когда я на свет родилась? Столько же! Думала, я не знаю? Полагала, я верю брехне, что ты в восемнадцать за Юрку-драчуна выскочила? Боже! Уржаться! Разве в нашем городе что-то можно скрыть? Не захочешь знать, да все равно расскажут.

Мы с Эдом начали обсуждать, как нам поступить, он предлагал обратиться к Мартине, но я боялась. Думала, что госпожа Хансон меня выгонит, запретит старшему сыну со мной даже разговаривать, отправит его за границу. Нужна ей невестка из семьи сумасшедших Фихте!

Паулина махнула рукой.

— Мы пошли в садовый домик, начали ломать голову над проблемой и оказались в объятиях друг друга. Эдмунд придушил меня, я его исцарапала... Это было прекрасно, и тут!..

Паулина захихикала:

— Появилась Мартина, как сейчас помню, на ней было очень красивое красное платье. А мы с Эдом полураздетые. Мой жених вскочил и на улицу ринулся, одевался он на ходу. А я осталась. Никогда не теряюсь, оказавшись в нестандартных обстоятельствах, хотя тогда маленько струхнула, но решила разъяснить ситуацию.

— Пожалуйста, не ругайтесь! Мы любим друг друга, у нас будет ребенок, я беременна, аборт никогда не сделаю.

Мартина ласково посмотрела на меня.

— Пошли скорей в Олаф. Пройдем через подвальную дверь, ею не пользуются, не надо, чтобы кто-то видел тебя здесь.

Я была поражена, она не орала, как моя мать, не материлась, как отец, разговаривала вежливо и назвала незнакомую девочку по имени. А я ведь не представилась.

Женщина на экране переменила позу.

— Все могло окончиться хорошо, но на беду психованная Танька, дура, у которой изо рта слюни текут, подглядывала за нами с улицы в окно домика и растрепала своей матери про меня и Эдмунда.

Говорившая стукнула кулаком по подлокотнику кресла.

— Неужели не понятно, что кретинка со съехавшим мозгом все не так поняла? Да мои родители ей поверили. Отец собрал Верных, толпа прибежала в Олаф, устроила скандал. В пылу Юрий заорал: «Когда Паулина домой вернется, мигом отнесу заявление в полицию. Да не в нашу, которую вы, Хансоны, из руки кормите. Нет, я полечу в столицу. Совращение малолетней! Изнасилование! Покушение на убийство! Мало Эдмунду не покажется. Дочери пятнадцать. Сынок господ угодит за решетку на много лет! Я этого добьюсь! Устрою показательный процесс. Девчонку пошлю на аборт тут же! Мне внук Хансонов не нужен!»

Он визжал, плевался слюной, Розамунда подпевала мужу. Верные трясли кулаками! Никто из этих оборзевших уродов и не предполагал, что я с ними рядом. Верные в Олаф ворвались без приглашения, их остановить не смогли. Элиза успела примчаться к Мартине и предупредила:

— Фихте сюда бегут!

А в коридоре уже топот. Госпожа Хансон велела мне за ширму спрятаться и ни в коем случае ни звука не издавать. Да я и сама понимала, что нельзя даже громко дышать, услышала слова отца и оцепенела. Хрен долбанутый! Он сживет Эдмунда со света, меня силой на аборт отправит, никогда не разрешит дочке от ненавистных Хансонов родить. Мне-то по паспорту пятнадцать! Я права голоса не имею, за меня по закону все решают предки-кретины. Отец и мать друг друга еле терпят, живут вместе не из любви. А мы-то страсть друг к другу испытываем! Но нас с Эдмундом разлучат навсегда, ребеночек на свет не появится. Почему мне достались родители уроды? А?

Розамунда откинулась на спинку кресла и закрыла глаза, Юрий обхватил руками голову, никто из них не произнес ни слова, а взрослая дочь не щадила тех, кто подарил ей жизнь.

— Мартине удалось убедить дураков, что в садовом домике вместе с какой-то туристкой-блондинкой веселился несуществующий брат Элизы. И что она, застав парочку, выгнала ее вон. Управляющая была очень предана Мартине, она ради нее на все готова.

Когда Верные с моими придурковатыми родителями ушли, и Мартине, и нам с любимым, и Элизе стало понятно: возвращаться домой мне нельзя. Спрятаться в соседних городах опасно, кто-то из знакомых может меня увидеть и донести Фихте. Мартина рассказала все мужу, а тот, в отличие от больного на всю голову Юрия, проявил себя как настоящий любящий отец.

Женщина на экране поморщилась.

— Будь мои родители нормальными людьми, Виктор мог бы с ними договориться так: Юрий и Розамунда дают согласие на свадьбу дочери, затевается пир, я вхожу в замок невесткой Хансонов, все счастливы. Ан нет! У меня отец псих, бабка дура, мать сволочь. Розамунда, тебе-то разрешили в пятнадцать обвенчаться. А ты свою дочь на аборт отправить хотела! Из-за тебя, мамочка, все завертелось. Вы с мужем бегали по городу, орали: «Эдмунда в тюрьму! Он изнасиловал несовершеннолетнюю!» Закон суров, появись мой любимый на улице, его вмиг арестовали бы и в тюрьму запихнули лет на двадцать. Закону плевать, что у нас любовь. Закон суров. Девочке нет восемнадцати? Это совращение. Ребенок права голоса не имеет, за него голосуют уроды, которых он в качестве родителей получил. Розамунда, Юрий, я вас ненавижу, я вас ежедневно проклинаю. Что нам было делать с Эдом, а?

Паулина перевела дух.

— К счастью, на свете есть и нормальные люди, такие, как батюшка и матушка Эда. Они все придумали. У Хансонов родственники по всему миру. Виктор связался со своим троюродным братом в Австралии, отправил ему банковским переводом большую сумму денег для нас. А Мартина дала мне коробочку с эксклюзивными бриллиантами, наследство женщин Хансонов. Мы с Эдмундом некоторое время прятались в Олафе. Мартина объявила, что у нее ветрянка, якобы она ее во время посещения детской больницы подцепила, и закрыла вход на свою половину для всех, кроме Элизы. Нам сделали паспорта. Я стала Анной двадцати трех лет, законной женой Гектора Мозера, догадываетесь, что его документы получил Эд? Ночью нас тайком увезли на машине в Финляндию, оттуда в Питер, за рулем сидела Элиза. Из России мы улетели в Сидней. О том, что мы отправились в Австралию, знали лишь господа Хансон, Элиза и ветеринар с женой. Может, это всем покажется странным, но Эклунды были верными помощниками господ. Георгий не злился на жену за то, что та родила сына от Виктора, наоборот, он считал, что владелец Олафа оказал им великую честь. А Хельга никогда не пыталась стать важной дамой, она всю жизнь служила кастеляншей, обожала Хансонов. Такое поведение было привычным для людей шестнадцатого века, и странным кажется сегодня, но уж такие они, Эклунды. Перед отъездом Георгий взял у меня из вены кровь и вылил ее на одежду, в которой я в последний раз уходила из дома. Вскоре после нашего отъезда Элиза должна была «найти» сумку с испачканным шмотьем и отнести ее в полицию. Мартина рассчитывала, что главный местный сыщик Марк, толстяк, чью голову занимали только мысли о еде, выпивке и бабах...

— Выключите эту дрянь! — закричал женский голос. — Она не имеет права порочить память моего отца...

Но фильм не прервался, Паулина продолжала:

— ...увидев платье и поговорив с Элизой, решит, что на Паулину напали, убили, сбросили тело в реку, одежду закопали. Анализ крови подтвердит: она принадлежит девочке Фихте. Почему меня решили «убить»? Виктор и Мартина понимали: я домой не вернусь, а Юрий и Розамунда будут искать дочь, они не успокоятся. Фихте поедут в столицу, добьются того, что в наш город направят лучших сыщиков, а те могут докопаться до правды. Меня найдут, вынудят власти Австралии отправить беженку назад, я же несовершеннолетняя, зависела от родителей, Эдмунд окажется под судом... Все будет очень плохо. А вот если я умерла, тогда истории конец. Эдмунд еще до моей смерти якобы уехал в Хельсинки, он был зарегистрирован в отеле. Старший сын Хансонов не лишал жизни дочь Фихте, на нее напал посторонний человек, вероятно, турист.

Виктор купил авиабилет до Нью-Йорка на имя Эдмунда. Рейс улетал из Хельсинки за день до нашего отбытия в Австралию. Почему действие перенеслось в столицу Финляндии? Открываю еще одну тайну. Простите меня, Хельга и Георгий, не знаю, живы вы или нет, но если сейчас сидите в зале, примите заверения в моей искренней любви к вам, извините, что придется выдать ваш секрет. Когда Хельга родила Сергея, Виктор купил ей в Хельсинки небольшую, приносящую стабильный доход гостиницу. В этом отеле задним числом за день до того, как я ушла из дома и не вернулась, зарегистрировали Эда. Получалось, что я была жива-здорова, когда наследник Хансонов уехал в Финляндию, его никак нельзя подозревать в моем убийстве. Эд зарегистрировался на рейс, но самолет отправился в Америку и не долетел, рухнул в океан. Виктор планировал сказать всем, что Эд решил жить в США, а пришлось сообщить о его смерти, объявить наследником Карла. Авиакатастрофы никто не ожидал. Вот такой поворот случился.

Паулина расхохоталась.

— Здорово, да? У вас там сегодня праздник, корпоратив королевской династии. Карл и Елена Хансон решили своим подданным вечеринку устроить. А тут я, с подарочком к празднику, с рассказом о том, что со мной и Эдом случилось. Думаете, на этом тайны закончились? Нет! Корпоратив королевской династии в разгаре, много интересного всем вам еще предстоит узнать.

Изображение исчезло, заиграла музыка, я выдохнула. Фильм, снятый по заказу Элизы, нельзя представить на «Оскара», он похож на документальный, такие телевидение любит снимать к юбилейным датам известных политиков, деятелей культуры. Зрителям демонстрируют детские и юношеские фото главного героя, записывают интервью с его родственниками, друзьями-коллегами, показывают, как юбиляр играет с детьми, собакой... На мой взгляд, весьма скучное зрелище, но сейчас я и никто из присутствовавших в зале не могли оторвать глаз от экрана. Для жителей небольшого городка фильм, сделанный по заказу Элизы, был интереснее лент, снятых великими режиссерами с участием звезд Голливуда. Карл не шевелился, не произносил ни слова, я знала, что он находится под воздействием лекарства. А вот Розамунда, Юрий и другие гости в ВИП-ложе окаменели без помощи химии. Ирина Эклунд прижала к груди руки и вроде даже дышать забыла, а ее мать Хельга безостановочно пила воду.

Глава 35

Экран мигнул, появился двор замка Олаф, и вновь прорезался баритон диктора.

— После того как Паулина и Эд благополучно перебрались на новое место жительства, Мартина сказала Элизе:

— Слава богу, самое страшное позади. Мы пережили очень тяжелые дни. Хуже уже не будет.

Бедная госпожа Хансон, она не предполагала, что самые черные события впереди.

Вскоре после побега старшего сына с Паулиной совершенно неожиданно скончался Виктор, хозяина замка ночью разбил инсульт, он умер во сне. Карл стал владельцем замка. Мартина очень хорошо понимала, что младший сын, нелюдимый, бука, бесхарактерный, не умевший справляться с трудностями, совершенно не подходит на эту роль. Но других кандидатур не было. Карл же испугался и заявил матери:

— Не хочу править городом. Мне это неинтересно. Видел в магазине пазл из двадцати тысяч кусков, буду его складывать.

Мартина еле-еле уговорила Карла отправиться в мэрию для встречи с членами городского совета. За десять минут до выезда из замка Карл устроил истерику, он как капризный мальчик рыдал и кричал:

— Нет, нет, я останусь дома! Не пойду!

Мать вместе с Элизой с трудом уговорили юношу, он отправился на встречу и прочитал по бумажке речь, составленную Мартиной. Нежелание Карла общаться с людьми создавало много трудностей, однако самым неприятным было не это. Мартина сама прекрасно справлялась со всеми обязанностями, но она не могла родить наследника. Карлу надо было жениться и произвести на свет сына. Вы же помните, что раньше девушки не очень-то хотели проводить время с младшим братом Эдмунда. Но после того, как Карл сел на трон, положение изменилось, многие матери мечтали выдать своих дочерей за владельца Олафа. Карла стали зазывать на дни рождения, вечеринки, а он упорно запирался в своей комнате.

В конце концов Мартина сказала:

— Дорогой, ты не простой человек, который может позволить себе остаться холостяком. Нам нужен наследник.

— Мама, — перепугался Карл, — только не это!

Мартина была умной женщиной, она решила, что природа в конце концов возьмет свое, и организовала при Олафе курсы для девушек из хороших семей. Там бесплатно обучали иностранным языкам юных леди с благородными, но бедными родителями. Госпожу Хансон отсутствие приданого не волновало, ей требовались воспитание, правильные моральные принципы и желание невесты твердой рукой править замком, предоставив мужу жить так, как он хочет. На занятия ходило семь очень симпатичных девочек в возрасте от восемнадцати до двадцати лет. Их обязали сидеть в библиотеке замка и выполнять там домашние задания. А Карл часто проводил время в книгохранилище, он любил лазить по полкам и читать в кресле у торшера. Мартина решила, что Карл будет ежедневно видеть учениц, привыкнет к ним и в конце концов состоится свадьба. В принципе верный расчет, вдова ошиблась лишь в одном: потенциальные невестки оказались слишком симпатичными внешне. Карл таких боялся, он помнил, с каким презрением отвергали его робкие ухаживания школьные и университетские красавицы, и, увидев курсисток, перестал ходить в библиотеку.

Спустя некоторое время, когда в городе начали шептаться, что у Карла есть какие-то сексуальные проблемы, иначе почему он не желает жениться, Элиза доложила Мартине, что ночью в постели ее сына была женщина, Карл наконец-то потерял девственность.

Мать упала на колени перед ликом Богородицы, вознесла хвалебную молитву и лишь потом спросила:

— Кто она?

— Вам мой ответ не понравится, — мрачно пробубнила управляющая.

— Мне уже все равно! — воскликнула хозяйка. — Любая из курсисток подойдет.

— Она не из них, — вздохнула Элиза.

Мартина опешила.

— Карл целый год за ворота Олафа не выходил. Горничная? Это совсем некстати! Но я буду согласна на свадьбу.

— Хорошая новость, — хмыкнула Гант, — его избранница не прислуга, а скверная: Карлу понравилась Елена, помощница библиотекаря, хитрюга, которую вы два месяца назад наняли каталог составлять. Можете нашинковать меня на лапшу, но я скажу правду. Нет у девки чувства к Карлу, она мечтает о деньгах и власти.

— Такая страшненькая, носатая? — удивилась Мартина. — Карлуша не обратил внимания на симпатичных девочек? Его внимание привлекла дурнушка?

— С внешностью у девки беда, но ум у нее есть, — вздохнула Элиза, — она смогла к сердцу молодого хозяина дорожку протоптать.

— Что мы о ней знаем? — спросила Мартина.

Элиза вынула из кармана лист бумаги.

— Елена Марти. Дочь Олега и Христины. Отец давно умер, он принадлежал к старинному роду Марти, они обеднели в восемнадцатом веке и с тех пор с воды на квас перебиваются. Мать тоже благородных кровей. Ее отец получил рыцарство в тысяча шестьсот сорок пятом году. Но денег у Марти нет, Елена ходила в муниципальную школу, попала в университет бесплатно как лучшая ученица. Она на год моложе Карла. Мать ее скончалась, когда дочь получила высшее образование, сейчас Елена вся в долгах. До того как попасть в замок, она работала в разных местах, но нигде долго не задерживалась. Рекомендации у нее прекрасные, но мне удалось выяснить, что, поступив на службу, Марти всякий раз начинала охоту либо на хозяина фирмы, либо на его сына. Она мечтает пойти под венец с обеспеченным мужчиной. Один раз посетила клинику гинеколога Бруклинда. Догадываетесь, что фифа там делала?

Мартина кивнула.

— Мне ее уволить? — спросила Элиза.

— Я подумаю, — ответила хозяйка.

Через несколько месяцев в Олафе сыграли пышную свадьбу. Ведущий церемонии рассказал гостям трогательную историю: Карл и Елена познакомились в университете, поклялись друг другу в вечной любви, но соединить судьбы не могли. Тяжело больная мать невесты потребовала, чтобы дочь за ней ухаживала. После смерти матушки, выдержав год траура, Елена согласилась стать супругой Карла. Мать невесты скончалась не за двенадцать месяцев до бракосочетания, а намного раньше, но нестыковки в датах гости не заметили.

Став семейным человеком, Карл не изменился, он по-прежнему складывал пазлы, старался не выходить из дома, но изредка навещал супругу в ее спальне, что давало надежду получить наследника. И в конце концов Елена обрадовала Мартину сообщением о беременности и сказала:

— Поедем с мужем в ресторан, хотим устроить себе праздничный ужин.

У молодых была машина, которой всегда управлял Карл. Застенчивый, боязливый, аккуратный Хансон за рулем делался похожим на своего старшего брата Эда. Карл мог гнать по дороге на большой скорости, подрезать другие автомобили, нарушая правила. Но, выйдя из-за руля, он опять становился тише воды, ниже одуванчика. Наверное, опытный психолог мог бы объяснить, почему рохля, мямля и обожатель пазлов, управляя машиной, превращается в другого человека. Но к душеведам Карл никогда не обращался.

Пара поехала в соседний городок в лучший трактир в округе. Мартина занялась своими делами и около полуночи заволновалась. Карл человек привычки, в одиннадцать он уже в постели. И тут позвонил управляющий ресторана, где ужинала пара, сообщил, что Елена забыла сумочку, ее завтра отправят в замок.

— Давно господа уехали? — поинтересовалась Элиза.

— Больше часа назад, — уточнил мужчина.

Элиза помчалась к хозяйке. Поздним вечером в замке почти не было служащих. В Олафе находились только Элиза и Беата, которые тогда жили во флигеле. Повариха сидела на кухне, там же в тот день находился ветеринар Георгий. Эклунд варил питье для заболевшей лошади. Хельга, его супруга, вместе с маленькой дочкой Ириной находилась в гостиной для прислуги, она ждала мужа, ребенок спал на диване.

Элиза сказала всем, что собирается поехать по дороге в сторону соседнего городка, вдруг случилась авария. Но Георгий возразил:

— Лучше, если я отправлюсь, смогу, если надо, на месте оказать первую помощь.

В конце концов решили ехать вдвоем. Когда управляющая и ветеринар завели моторы своих малолитражек, из замка выбежала Мартина и со словами:

— Я с тобой, — села на заднее сиденье автомобиля Элизы.

В замке остались Беата и Хельга, они караулили спящую Ирочку.

Когда дорога сделала резкий поворот, Элиза увидела на обочине сидевшую прямо на земле Елену. Управляющая затормозила, вылезла из автомобиля и бросилась к женщине.

— Где Карл? Что случилось? — закричала Мартина, бросаясь следом.

— Там, видите багажник из кювета торчит, — прошептала невестка, — они... оба... у меня рука сломана...

Георгий помчался к дорогому автомобилю хозяина замка. Элиза ринулась за Эклундом и обомлела. На водительском месте лицом на руле лежал сын Мартины. Ветеринар сразу понял, что случилось. Любитель полихачить не справился с управлением, седан занесло на повороте, он на большой скорости свалился в кювет. Подушка безопасности почему-то не сработала, водитель ударился головой о баранку, сломал переносицу и мгновенно скончался. А на заднем сиденье полулежал без сознания... Карл. Вот только одет он был в незнакомую одежду, сын госпожи Хансон не носил такую.

В первое мгновение все присутствующие онемели. Первой, как ни странно, пришла в себя Мартина. Она заговорила:

— Это Сергей, сын Хельги. Он прибыл, чтобы проститься с умирающей бабушкой, и позвонил мне. Я просила его сохранить свой визит в тайне. Внешнее сходство братьев с годами стало разительным. Вы же все знаете, кто отец Сергея? Виктор очень давно сообразил, что единокровные братья вырастут почти близнецами, и удалил Сережу из города. Это явилось большим ударом для Карла. Сергей был его ближайшим другом, мальчики переписывались, а несколько раз в году, во время каникул, они встречались. Я вывозила Карла в какую-нибудь страну Европы, Сережа прилетал к нам, братья были счастливы. После того как мать Хельги умерла, я попросила Сергея уехать, но он впервые возразил мне:

— Мы с Карлом давно не виделись. Я поселился в соседнем городе, в Гарде не появлюсь, мы общаемся с братом вдали от сплетников, я ношу темные очки, меня никто не узнает.

Сергей никак не улетал к себе домой, меня его поведение удивляло и тревожило. Но я не делала ему замечаний. Неделю назад я поздравила Сережу с днем рождения, подарила ему такие же именные запонки, как у Карла, на них выложена бриллиантами буква «С». Вы же понимаете, что я отношусь к Сереже как к родному.

Георгий и Элиза кивнули, а Мартина продолжала:

— Если Карл погиб, это катастрофа. Кем беременна Елена, не ясно, срок очень мал. Вдруг там девочка? И, возможно, из-за катастрофы у нее случится выкидыш. По «Правилу Олафа», если в семье Хансон нет сыновей, замок переходит в руки Лагеров. И они не упустят своего шанса, в их семье сейчас четыре парня. Нельзя никому сообщать о кончине Карла. Ни в коем случае.

— Не получится, — шепотом возразила Элиза, — он же умер.

— Нет, — отрезала Мартина и показала на лежащего в беспамятстве Сергея, — вот он, Карл! Георгий, что с Сергеем?

— Ничего страшного, — ответил ветеринар, — сломана лодыжка, надо обратиться в больницу, угрозы для жизни нет.

Мартина прикусила губу.

— Слушайте меня внимательно...

Но тут за спиной вдовы раздался крик:

— Он умер!

Из-за госпожи Хансон выбежала Елена и, громко плача, упала на... Сергея.

У Элизы закружилась голова, а всегда сдержанная Мартина процедила:

— Заткнись, ...!

Площадное слово, вырвавшееся из уст хозяйки, поразило управляющую до такой степени, что она чуть было не лишилась чувств. Елена перестала рыдать и выпрямилась. Мартина показала рукой на Сергея.

— Карла надо доставить в больницу, у него сломана нога.

— Это Сережа, брат моего мужа, — залепетала невестка, — я все знаю. Они дружили, переписывались, хотели встретиться. Серж прилетел к бабушке, мы познакомились. Сергей и Карл вместе время проводили.

— Вот почему Карл в последние месяцы начал в университетскую библиотеку ходить, — пробормотала Элиза, — он с братом общался.

— Да, да, — зашептала Елена, — и мы... мы... Карл ко мне интерес совсем потерял, сказал: «Не хочу править Олафом, пусть вместо меня Сергей на троне сидит, мы похожи, никто не поймет, что он не я. Уеду далеко, избавлюсь от вас всех, в том числе от тебя. Попробовал я семейную жизнь и понял: она не для меня, противно к тебе прикасаться». Сергей поселился в городе Брюне, я к нему ездила, мы... мы...

— Ребенок твой от Сергея? — резко спросила Мартина.

— Да, — разрыдалась Елена, — Карл ко мне давно не приближался.

— Сергей сын Виктора, — торжественно произнесла вдова, — его отпрыск прямой потомок Хансонов. Слушайте меня! Георгий, живо езжай к Андерсену, главврачу больницы, пусть возьмет фургон, носилки и спешит сюда. Надо спрятать тело водителя, вы с женой потом его как Сергея похороните. Карлу нужно загипсовать ногу.

— Простите, — прошептала Элиза, — братья очень похожи, но не однояйцовые близнецы, черты лица, в особенности верхняя часть, разные, а вот щеки, подбородок, рот, как под копирку. Фигуры — да, почти идентичные. Карл не любил общаться с народом, но в городе много людей, которые его хорошо знают. Подмену живо раскроют! У Сергея разрез глаз другой.

Пока управляющая говорила, Георгий открыл свой чемоданчик и начал перебирать находящиеся там пузырьки.

— Где же нашатырь, — сказал он себе под нос, — надо дать парню понюхать.

— Что это у тебя? — заинтересовалась Мартина. — В пузырьке, на котором череп с костями нарисован?

— Не трогайте ни в коем случае, — предупредил ветеринар, — там средство на основе кислоты, я использую его для...

Эклунд не успел объяснить, для чего ему едкая жидкость, Мартина схватила флакончик, в секунду свернула ему головку и плеснула содержимое в лицо Сергею. Сын Виктора очнулся и закричал от боли.

— Боже! — заорал Георгий, выхватывая из своего рундука какую-то бутыль и выливая ее содержимое на щеки, нос, подбородок внебрачного сына Хансона. — Что вы наделали! У парня на всю жизнь останутся шрамы. Спасибо, Господь вашу руку отвел, на брови попало, на переносицу, на зону под нижними веками, а глаза целехоньки. Он же ослепнуть мог!

— Я решила проблему непохожести, — отрезала Мартина, — рубцы то, что нам надо.

Элиза села на обочину, ее затрясло в ознобе. Она и предположить не могла, на что способна любимая хозяйка, чтобы сохранить Олаф в руках своей семьи. Гант отказывалась верить происходящему.

Сергей продолжал кричать, Георгий выпрямился.

— Его надо срочно везти в больницу.

По лицу Мартины пробежало подобие улыбки.

— Да. Карлу необходима помощь.

Потом она наклонилась над раненым.

— Хочешь владеть замком? Жить с Еленой? Воспитывая своего ребенка наследником династии Хансонов?

Сергей испытывал очень сильную боль, но желание власти и денег оказалось сильнее, чем мучительные ожоги, он кивнул.

— Отлично, — одобрила Мартина, — ты отныне Карл, попал в аварию, машина загорелась, и тут подъехал Георгий, ветеринар, спас вас с Еленой. Ни меня, ни Элизы здесь и в помине не было. Извини, что нанесла тебе травму, но благодаря ей ты стал великим Хансоном, Карлом, владельцем Олафа. Георгий, увози молодых.

Элиза и ветеринар усадили Сергея в машину врача. Елена примостилась около него. Мартина и Элиза остались рядом с телом настоящего Карла. Мать взяла мертвого сына за руку и сказала:

— Бедный никчемный мальчик. Может, это и лучше, что так случилось. Мой младший сын совершенно не годился для роли главы семьи Хансон. Слишком слабый. Глупый. Ленивый. Его интересовали только пазлы.

— Вы не любили Карла, — прошептала управляющая.

Мартина отпустила руку покойника.

— Скажу правду: мое сердце отдано Эдмунду. Хотя, учитывая его характер, я не уверена, что он бы стал мудрым правителем.

Элиза заплакала.

— Как вы можете так спокойно рассуждать... отстраненно...

Хозяйка обняла прислугу.

— Я вовсе не равнодушна, но на мне лежит великая ответственность. Династия Хансонов ведет свой отсчет из глубины веков. Сейчас вот тут, на дороге, она может закончиться, наступит час торжества бастардов семьи Лагер. Этого допустить нельзя!

— Сергей тоже незаконнорожденный, — всхлипнула Элиза.

Мартина отстранилась.

— Не понимаю, о ком ты говоришь. Да, у моего мужа был побочный ребенок, но он, кажется, недавно умер от гриппа. Карл и Елена попали в аварию, они, хвала Господу, живы. Надеюсь, дитя в чреве невестки не повредилось. Элиза, ты не Хансон по рождению, в тебе не течет благородная кровь, но по жизни ты стала мне родной, помни об этом всегда. А я тебя награжу.

На экране быстро менялись кадры. Замок Олаф, парк, окружающий крепость, семейная пара, прогуливающаяся по дорожкам, у мужчины лицо закрыто большими черными очками, лошади, покрытые траурными попонами, везут похоронные дроги, на которых установлен роскошный гроб... Киноряд сопровождал закадровый текст.

— Сергей стал Карлом. Доктора Гарри Андерсена и его сына Курта, тоже врача, бывшего одноклассника Сергея по монастырской школе, пришлось ввести в курс дела. Медики поместили наследника Хансонов в хорошо охраняемую палату, и они же спрятали труп настоящего сына Мартины в морге. Покидая место аварии, Элиза по приказу хозяйки подожгла седан ее сына. На следующий день вдова Виктора собрала местных журналистов, рассказала им, что Карл не удержал автомобиль на повороте, тот врезался в дерево и загорелся.

— Сын мог погибнуть, — объясняла Мартина, — но Господь не допустил беды. В ту секунду, когда над автомобилем взметнулось пламя, появился Георгий Эклунд, он спас Карла. Обошлось обожженным лицом и сломанной лодыжкой. У Елены повреждена правая рука. Не хотелось мне объявлять радостную новость при таких обстоятельствах, но нам сейчас нужны хорошие вести. Скоро в семье Хансонов появится наследник. В больнице сделали УЗИ, чтобы проверить состояние плода, это мальчик, и он не пострадал.

Сейчас в замке оборудуют экспозицию, пускать туда будут бесплатно всех желающих, чтобы они порадовались чудесному спасению хозяина Олафа и его жены. Там будет представлена одежда Карла: рубашка с обгоревшим воротником, окровавленные брюки, платье Елены с разорванным рукавом.

На экране появился снимок. Голос за кадром пояснил:

— Зал оборудовали для того, чтобы ни у кого не возникло сомнений: авария была. Фото обгоревшей машины висело около витрины с вещами. Элиза подготовила для выставки одежду, она плеснула на сорочку Сергея немного горючей жидкости, подожгла ее и сразу потушила, получилось то, что надо. Запонки, часы Сергея, одежда Елены тоже отправились в музей.

Я на минуту отвлеклась от экрана. Запонки! Мартина казалась Элизе слишком спокойной, мать не стала рыдать над телом покойного сына. Но на самом деле она не осталась равнодушной, просто строгое воспитание и долгие годы царствования научили Мартину прилюдно не демонстрировать собственные эмоции. Карл погиб, а его мать спасала династию Хансонов. Она сильно нервничала, изо всех сил хотела убедить всех, что на дороге произошел пожар, поэтому Карл получил ожог лица. Вдове бы поверили на слово, но она-то, зная, что озвучена ложь, хотела сделать ее как можно более правдоподобной, поэтому велела в кратчайший срок создать экспозицию и пустить туда людей. Горожане должны были убедиться, что все произошло так, как им рассказали. Выставка устраивалась впопыхах. В витрине поместили одежду Сергея. Мартина велела Элизе поджечь сорочку, вроде бы предусмотрела все, кроме запонок, которые она же подарила Сергею. Они были точь-в-точь, как у Карла, но с буквой «С». Странно, но никто, кроме меня, не удивился, почему на них не выложена бриллиантами «К». Хотя если подумать, то ничего странного нет. Мартина умерла вскоре после той аварии и, по словам Элизы, никогда не ходила осматривать музейную комнату. И Карл с Еленой туда не заглядывали.

Я снова обратила внимание на экран, там демонстрировалась могила Сергея Эклунда с эпитафией, а закадровый голос вещал:

— Похороны Сергея, скончавшегося от гриппа и погребенного на кладбище в городе, где жили его родители, ничьего интереса не вызвали, пресса о них не писала.

— Они не настоящие! — закричал вдруг мужчина в зале. — Все слышали? Олаф должен перейти к нам!

На экране снова появилась Паулина, она встала.

— Я знаю сюжет фильма. Мне дали почитать сценарий. Карл обманщик, Елена врунья, их сын не имеет права владеть Олафом.

— Да! — заорал все тот же бас. — Да! Время Лагеров пришло!!!

Паулина вздернула подбородок.

— Правда теперь известна всем. По «Правилу Олафа» замок переходит в руки старшего сына. Эдмунд первый сын Виктора! Он ничего плохого не совершал, меня не насиловал, не убивал, мы уехали в Австралию, где жили счастливо. Мой любимый муж умер год назад. Но у нас есть сын! Законнорожденный наследник Олафа, он носит другую фамилию, но генетический тест подтвердит кровное родство Валерия с Виктором. Встречайте настоящего хозяина Олафа!

Экран погас. Я начала судорожно нажимать на пульт, но фильм не возобновился.

В зале вспыхнул свет, на сцену поднялась Элиза, в руках у нее была большая сумка, за ней шли повариха Беата, мужчина в черном костюме и Хельга Эклунд, которая незаметно для меня покинула ВИП-ложу. Люди в зале встретили их гробовым молчанием.

Управляющая подошла к микрофону.

— Спасибо всем, что не убежали и досмотрели фильм до конца. Доктора Курта Андерсена, сына Гарри, вы все прекрасно знаете. И Беату, и Хельгу тоже. Мы поклялись Мартине, что не раскроем тайну семьи Хансон. Да, я хочу сказать: то, что Эдмунд и Паулина живут в Австралии, не было известно никому, кроме меня, ни Сергею-Карлу, ни Елене. Господа считали старшего сына Хансонов и дочь Фихте покойниками. Почему же сегодня в день празднования сотого бала правда выпущена на свет божий?

За день до своей смерти Мартина почувствовала себя плохо и вызвала меня к себе. «Я скоро уйду к Виктору, — сказала она, — понимаю, недолго мне оставаться в этом мире. Сейчас замок находится в руках людей, которые не имеют права владеть им. Я возвела их на трон, потому что понимала: это единственный шанс спасти династию Хансонов. И нельзя назвать Сергея совсем уж посторонним, он кровный сын Виктора, но рожден вне брака. А в Австралии подрастает тот, кто должен по праву стать хозяином замка — Валерий, старший сын моего любимого Эдмунда, который виноват лишь в одном: он страстно полюбил пятнадцатилетнюю Паулину. Разве это чувство преступно? Будь Розамунда и Юрий Фихте нормальными людьми, все было бы иначе. Я жила бы рядом с Эдом и его женой и не плакала над редкими письмами, которые получала тайком. Когда в Олафе состоится сотый бал, внук станет взрослым и сможет возложить на свои плечи хозяйские обязанности. Устрой в честь юбилея грандиозный праздник, расскажи всем правду, верни моему законному внуку Олаф. Поклянись на иконе, что выполнишь мой последний приказ.

И я это сделала.

Беата, Хельга и доктор во все глаза смотрели на Элизу, а та продолжала:

— Сегодня конец всем тайнам. Некоторое время назад Валерий прилетел из Австралии. Многие из вас его прекрасно знают.

В зале зашептались.

Элиза повысила голос.

— Господин Валерий Хансон изучил замок, узнал все проблемы города, вник в них и готов занять свое законное место хозяина. Чтобы ни у кого не возникло сомнений...

Управляющая открыла сумку и вынула оттуда большую тетрадь.

— Мартина всю жизнь вела дневники, их очень много. В этом ее рукой описаны все события, о которых рассказано в фильме.

Элиза снова полезла в сумку.

— А это анализ, подтверждающий, что Валерий — кровный родственник Виктора и Мартины. Приглашенный мной эксперт взял из склепа образцы тканей покойных, сравнил их с ДНК юноши. В этой руке я держу свидетельство о браке Эдмунда Хансона и Паулины Фихте. Союз был заключен официально до рождения Валерия, мальчик появился на свет в законном браке. У Валерия высшее образование, он специалист по компьютерным технологиям. Наш настоящий хозяин прекрасно воспитан, умен, говорит на трех языках, умеет работать. В Олафе он жил под другим именем, и я хочу, чтобы подлинный господин Хансон вышел к нам сейчас в том образе, в каком он находился в Олафе. Встречайте.

Из-за правой кулисы показалась высокая стройная фигура в джинсах и мешковатом свитере, она прошла по сцене и остановилась около Элизы. В зале повисло молчание, его прервал чей-то бас:

— Это же Валерия, наша уборщица, немая родственница Элизы! Она баба! Вон какие волосы!

Девушка поднесла руки к голове.

— Парик, — ахнул зал.

— Извините меня за обман, — красивым густым басом произнесла «поломойка», — невозможно было появиться в Олафе, не изменив внешность, потому что...

— Боже мой! Посмотрите, — закричала пожилая дама, сидевшая в третьем ряду партера, — это же вылитый Эдмунд! Прекрасно помню, как старшенький сынок Мартины выглядел, я преподавала ему английский!

Валерий улыбнулся.

— Рад встрече с вами, госпожа Бритта, отец о вас часто рассказывал, вспоминал, как вы его за невыученный урок после занятий оставляли, велели десять раз упражнение написать, вроде сердились, а потом угощали лентяя конфетой из жестяной коробки. Карамельки были с лакрицей, отец их обожал.

— Боже, это и правда сын Эдмунда, — пришла в восторг учительница, — никто, кроме меня и Эда, о тех леденцах не знал. Ученик меня помнил.

— Отец ничего не забыл, — заверил Валерий, — тело его жило в Австралии, а душа в Гарде.

— Зачем девчонкой прикидывались? — поинтересовался кто-то.

— Думал, после речи госпожи Бритты этого вопроса не возникнет, — удивился внук Мартины, — я копия отца, в городе много людей прекрасно его помнят. Парик вроде ерунда, но он меня кардинально изменил, а молчал я из-за голоса, он у меня мужской.

— Это мой родной внук, — зарыдала Розамунда, — мальчик! Дорогой, я твоя бабушка. У меня есть флешка, я отдам ее в полицию. На ней записано, как Елену ударил ножом преступник, Карл, то есть не Карл, а тот, кого мы считали Карлом, торгует героином. А доктор Курт ему помогает! Вон старых хозяев! Здесь главный Валерий, мой внук.

Доктор вскочил.

— Какие наркотики? Впервые о них слышу! Я знал, что в Олафе правит Сергей, но считал, что Эдмунд не погиб в авиакатастрофе. Карл позвонил мне ночью, то есть не Карл, но я буду звать его так, он был в истерике, сказал, что на Елену напал Эд, что он жив, необходимо скрыть факт ранения, сохранить в тайне приезд Эдмунда из Австралии, иначе плохо будет всем, и мне в том числе, я среди тех, кто прятал концы в воду после той аварии. Я понял, что Карл в истерике, разрешил ему поехать вместе с женой в клинику, сделал укол снотворного. Утром Хансон пришел в себя, объяснил, что вчера из-за стресса нес чушь. В гостиную хозяина замка залез наркоман Андрей, сын Лидии, одной из горничных. Карлу жалко прислугу, а поскольку рана Елены, хоть и кровавая, но жизни не угрожает, лучше сказать всем, что у госпожи Хансон инфаркт. Карл отправит Андрея на лечение...

Я перестала слушать нервную речь Курта. Все понятно. Владелец замка не мог сообщить правду врачу, о наркотиках следовало молчать. Карл был испуган, вот и наплел чушь про появление Эдмунда. Хозяин Олафа сильно нервничал, он повторил то, что ему незадолго до ранения говорила Елена. А потом, придя в себя, он сообразил, что поступил глупо, и придумал версию про наркомана.

Я еще раз внимательно посмотрела на Валерия. Сейчас, когда он снял накладные волосы, понятно, что это мужчина. Надо же, как прическа меняет внешность. До сегодняшнего дня я считала уборщицу мужеподобной девушкой с большими ладонями, угловатыми движениями. Маленькие глаза, длинный нос, губы, смахивающие на сосиски. Лампа! Ты же встретила поломойку в коридоре замка, мысленно пожалела ее за некрасивость и пошла по своим делам. Путь лежал мимо портретной галереи. Я двигалась мимо изображений Хансонов и думала, что они все, и мужчины, и женщины, совсем не симпатичны внешне: маленькие глаза, длинные носы, губы, смахивающие на сосиски, квадратные грубые ладони. Жены внешне походили на мужей. Ну почему мне не пришло в голову, что Валерия на них смахивает до неприличия? А? Нет ответа на этот вопрос. Зато я теперь догадываюсь, кто подбросил Розамунде флешку. Полагаю, ей звонил Валерий. Парень имеет высшее образование, специализируется на компьютерных технологиях, ему повесить камеры, как мне чихнуть. Валерий давно в Олафе, он беспрепятственно по нему ходит, мог что-то увидеть, заинтересоваться, установить аппаратуру. Почему юноша накануне бала отослал флешку Розамунде? Нападение на Елену случилось только что, и Валерий отлично понимал: аптекарша не сдержится, расскажет о том, что узнала. Парень хотел забить последний гвоздь в крышку гроба, в котором похоронят историю с подменой наследника. Если до сих пор в зале оставались люди, сочувствующие Карлу-Сергею, то после рассказа о торговле наркотиками таковых более не будет.

Эпилог

Спустя неделю после моего возвращения в Москву раздался звонок Галины.

— Что-то случилось? — спросила я. — Договор с вами мы подписали шесть дней назад, деньги вы нам с Максом перевели. Вроде все в порядке.

— Никаких сложностей, — заверила дочь Кирилла Григорьевича, — просто я хотела вас проинформировать. Со мной связалась Элиза. Карл, вернее, Сергей, скрылся в неизвестном направлении. Елена пока в больнице, но она почти поправилась и, похоже, тоже собирается сбежать, попросила привезти ей паспорт. Валерий никого не гонит, прежние хозяева сами решили покинуть Гард. Розамунда каждый день прибегает в Олаф, она мешает внуку заниматься делами, но он относится к бабке почтительно. Юрий пока не приходил в замок, но управляющая полагает, что это дело времени. И возможно, Паулина прилетит в гости. Розамунда умолила Элизу дать ей телефон дочери, позвонила той, плакала, просила прощения, и Паулина смягчилась.

— Жаль, что дочь, став взрослой, не объяснила отцу и матери правду, — вздохнула я, — не рассказала про свой счастливый брак, рождение ребенка.

— В стране, где живут Фихте, за секс с малолеткой могут посадить и спустя много лет после того, как жертва выросла, — пояснила Галя. — Каков сейчас возраст Паулины: ей за тридцать, сорок... Если она забеременела в пятнадцать, Эдмунда посадили бы за решетку. То, что секс случился по взаимному согласию, роли не играет. Просто снимут обвинение в изнасиловании, но за совращение оставят. Паулина боялась, что родители отнимут у нее мужа, добьются его экстрадиции. И она их страстно ненавидела, желания общаться не испытывала. Вот с Мартиной они переписывались.

— Я не знала о таком законе, — вздохнула я.

— И еще, — продолжала Галя, — смерть моего отца ненасильственная. У него случился обширный инфаркт. Ему стало плохо, он смог сделать несколько шагов, открыл дверь в ваш номер и скончался. Никто не виноват. Такая карма.

— Мне очень жаль, — пробормотала я. — А как ваша работа?

— Потихоньку, — ответила Галя, — у меня есть для вас с Максом предложение. Сейчас я занимаюсь одним клиентом, вы его знаете. Арсений Рурин.

— Молчаливый мужчина, на которого положила глаз Софья Гурманова? — улыбнулась я. — Один из туристов, приехавший с нами в Олаф? Не могу сказать, что знаю его. Арсений за все время пребывания в замке сказал всего несколько фраз.

— В тихом омуте черти водятся, — протянула Галина, — а в болоте Рурина, похоже, живет очень жирная нечисть. И, если честно, он не внушает мне доверия. Но нам с мамой нужны деньги, поэтому я согласилась заняться проблемой Арсения. Но одной мне не справиться. Давайте поработаем вместе, а? Может, я зря не верю Рурину? Я с ним почти незнакома, вдруг он хороший человек? Так как? Лампа?

— Думаю, к нашему разговору надо подключить моего мужа, — ответила я.

— Отлично, — обрадовалась Галя, — завтра в семь можете? Приеду к вам в офис. Единственное, что могу сообщить по телефону: Арсения очень волнует, что о нем говорят люди.

Галя отсоединилась. Я положила трубку в карман.

Переживаете, что о вас скажут люди? На мой взгляд, намного интереснее выяснить, что они о вас думают.

Оглавление

Литературно-художественное издание

ИРОНИЧЕСКИЙ ДЕТЕКТИВ

Донцова Дарья Аркадьевна

КОРПОРАТИВ КОРОЛЕВСКОЙ ДИНАСТИИ

Ответственный редактор *О. Рубис*
Художественный редактор *В. Щербаков*
Технический редактор *О. Лёвкин*
Компьютерная верстка *Г. Клочкова*
Корректор *Т. Остроумова*

ООО «Издательство «Э»
123308, Москва, ул. Зорге, д. 1. Тел. 8 (495) 411-68-86.

Өндіруші: «Э» АҚБ Баспасы, 123308, Мәскеу, Ресей, Зорге көшесі, 1 үй.
Тел. 8 (495) 411-68-86.
Тауар белгісі: «Э»
Қазақстан Республикасында дистрибьютор және өнім бойынша арыз-талаптарды қабылдаушының өкілі «РДЦ-Алматы» ЖШС, Алматы қ., Домбровский көш., 3«а», литер Б, офис 1.
Тел.: 8 (727) 251-59-89/90/91/92, факс: 8 (727) 251 58 12 вн. 107.
Өнімнің жарамдылық мерзімі шектелмеген.
Сертификация туралы ақпарат сайтта Өндіруші «Э»

Сведения о подтверждении соответствия издания согласно законодательству РФ о техническом регулировании можно получить на сайте Издательства «Э»

Өндірген мемлекет: Ресей
Сертификация қарастырылмаған

Подписано в печать 01.03.2016. Формат 80x100 1/32.
Гарнитура «Ньютон». Печать офсетная. Усл. печ. л. 14,81.
Тираж 20 000 экз. Заказ 3090

Отпечатано с электронных носителей издательства.
ОАО "Тверской полиграфический комбинат". 170024, г. Тверь, пр-т Ленина, 5.
Телефон: (4822) 44-52-03, 44-50-34, Телефон/факс: (4822)44-42-15
Home page - www.tverpk.ru Электронная почта (E-mail) - sales@tverpk.ru

ISBN 978-5-699-87225-1

9 785699 872251 >